CHRISTIAN BOURGOIS ÉDITEUR
8, rue Garancière - Paris VIe

DULUTH

PAR

GORE VIDAL

Traduit de l'anglais
par Philippe MIKRIAMMOS

Préfáce d'Italo Calvino

10|18

Série « Domaine étranger »
dirigée par Jean-Claude Zylberstein

Titre original:

Duluth

PREFACE

Je viens de terminer, avec un amusement constant, la lecture du dernier roman de Gore Vidal, *Duluth*. La réalité de la vie contemporaine nous est présentée dans ce roman comme envahie, complètement occupée par la fiction. Les intrigues se succèdent comme dans les séries de la télévision, avec des personnages qui échangent leur rôle, meurent dans un épisode et réapparaissent dans un autre, un peu comme dans les feuilletons que publient les magazines. On ne sait pas où commence la vraie vie, celle que Gore Vidal appelle *life or non fiction*, et où se termine la jungle compliquée des histoires imaginaires. Les aventures alternent et se croisent, combinées à l'infini par des ordinateurs dans la mémoire desquels on aurait emmagasiné toutes les situations romanesques de la littérature mondiale.

Depuis vingt ans, Gore Vidal passe à Ravello une partie de l'année. Dans un monde où les distances n'existent plus, où tout est simultané, Gore Vidal a imaginé une nouvelle façon de vivre en Italie. Pour plusieurs générations d'écrivains américains, ce pays n'était qu'une toile de fond, un monde opposé à celui de l'Amérique. Pour ces écrivains, le fait de séjourner en Europe, et surtout dans une Italie qui était à l'époque si archaïque, si éloignée non seulement dans l'espace, mais dans le temps, témoignait d'un détachement symbolique, presque d'un au-delà. Ce n'est pas sans raison qu'ils se disaient eux-mêmes « exilés ». Gore Vidal ne se sent exilé nulle part. Il vit aussi bien, et avec la même désinvolture, sur les bords de la Méditerranée que sur ceux de l'Atlantique ou du Pacifique. Il connaît bien les Italiens et, dans ses essais comme dans ses interviews, ce qu'il dit frappe toujours juste. Il a défini la société italienne comme celle qui « associe les aspects les moins attrayants du socialisme avec pratiquement tous les vices du capitalisme ». Pour lui, vivre en Italie est une façon de prendre ses distances avec l'Amérique, c'est ce qui lui permet de mieux l'observer. Etre américain, se définir par rapport à la réalité de son pays, tel est son problème.

Gore Vidal se passionne pour l'Amérique telle qu'elle est, mais elle n'occupe pas pour autant toutes ses pensées. Il n'est pas vrai que cet « enfant terrible » ne respecte rien, ni personne. Son point de départ, ce sont ces principes fondamentaux que la Déclaration d'Indépendance des U.S.A. de 1776 définit, dès ses premières lignes, comme les droits inaliénables dont tous les hommes ont été dotés par le créateur : droit à la vie, droit à la liberté, droit au bonheur. Fort de ces principes tout simples, Gore Vidal tire à boulets rouges sur tout ce qui s'oppose à ces droits-là. Son regard est d'un pessimisme absolu, et dans *Duluth* il n'épargne aucune classe sociale, catégorie ou institution. Il laisse cependant une légère, très légère ouverture, par laquelle pourrait se glisser un idéal d'harmonie, proclamé dans ce roman par les mille-pattes d'un astronef. Ce qui n'empêche pas toutefois ces hôtes extraterrestres d'être impliqués dans de désastreuses spéculations boursières et immobilières.

Cette passion polémique pour la vie publique américaine, et pour tout ce qu'on pourrait appeler l'anthropologie de l'Amérique, à l'ère de la culture de masse, est le noyau de « l'unicité absolue » qui rassemble les multiples Gore Vidal, agissant simultanément et sous diverses formes : celle de l'essai, dans lequel il est aujourd'hui un des maîtres, incomparable pour la sincérité, l'agilité, le sens du concret ; celle du roman contemporain, comme transfiguration critique du langage et des mythes des mass media ; celle du roman historique, qui rapproche brutalement de nous un passé qui nous ressemble de façon troublante ; celle enfin de ses discours, qui mettent en pièces toute autorité constituée et toute certitude préétablie. Un bon exemple de cela, c'est ce qu'il appelle son *Discours sur l'Etat de l'Union*, qui nous permet de connaître les réactions d'un public d'Américains moyens. Lui-même nous l'a raconté il y a quelques années dans un texte memorable et unique dans son genre. D'ordinaire, les orateurs se bornent à publier leur propre discours, tandis que Gore Vidal « raconte » un discours tel qu'il l'a prononcé, phrase par phrase, en étudiant les tressaillements, les moments de détente, les douches froides.

J'ai eu l'occasion d'assister personnellement à l'un de ces discours que Gore Vidal faisait devant un public de compatriotes : un public qui n'était peut-être pas représentatif des classes moyennes, car personne ne se scandalisait, et tous accueillaient son « jeu de massacre » avec la complicité et l'amusement les plus absolus. Mais quel en était l'effet sur un auditeur étranger tel que moi ? Peut-être bien celui que l'orateur avait le moins prévu, en ce sens que ce discours me faisait penser que la force d'un pays se mesure à sa capacité d'accepter la critique la plus radicale, de la digérer et de s'en nourrir. J'en venais à me dire : « C'est seulement dans une société sûre d'elle, de sa propre stabilité et de sa bonne santé que peut naître un polémiste comme Gore Vidal. Et c'est à cela que l'on peut mesurer la différence avec la fragile Italie ! Qui donc a jamais fait chez nous une satire aussi radicale de notre monde politique, de notre morale publique, des mœurs de notre société ? C'est seulement quand nous aurons des écrivains qui, avec une allégresse aussi impitoyable, attaqueront le gouvernement, les partis et les institutions, que nous serons sûrs d'être enfin des adultes ! »

Gore Vidal est aussi un polémiste redoutable comme critique littéraire. Il faut pourtant signaler ici une exception : quand il parle des écrivains italiens, sa critique est pleine de sympathie et d'adhésion. Ce qui, venant d'un tempérament comme le sien, ne peut qu'être sincère. Bien sûr, le Gore Vidal polémiste ne somnole pas, même dans ses moments de détente. C'est toujours une intention polémique vis-à-vis des autres écrivains et critiques américains qui lui fait présenter notre travail sous le jour qui lui est le plus favorable. Mais le lien qui nous unit est surtout une question de génération. N'oublions pas que Gore Vidal est arrivé en Italie en 1948, alors qu'il portait encore l'uniforme militaire, après avoir participé aux derniers mois de la guerre dans le Pacifique. Les souvenirs de cette époque, la découverte de l'Italie pauvre de l'après-guerre, en compagnie de Tennessee Williams, reviennent souvent dans ses essais. Il est significatif que les écrivains italiens qu'il a présentés aux Américains soient à peu près de son âge, et aient tous commencé à écrire à l'époque où il faisait lui-même ses débuts, entre la guerre et l'après-guerre. Bref, ce qu'il veut retrouver de part et d'autre de l'Atlantique, c'est un chemin marqué par les expériences et les images d'un monde parallèle, au cours d'une quarantaine d'années.

Les bêtes noires de Gore Vidal, ce sont au contraire les écrivains et les critiques qui cherchent à expérimenter de nouvelles formes de roman, à en faire la théorie, tant aux Etats-Unis qu'en France. Gore Vidal est-il donc un conservateur, au moins en ce qui concerne l'avant-garde littéraire ? Il est difficile de l'admettre, si l'on pense qu'on ne peut parler aujourd'hui du renouvellement du genre romanesque en oubliant le plus fameux de ses romans, *Myra Breckenbridge*. Le burlesque satirique, critique et mimétique, obtenu par une espèce de « collage » des mots et des mythes de la culture de masse, ce burlesque-là c'est Gore Vidal qui l'a imposé à l'Amérique, inaugurant une nouvelle phase du goût et de la représentation de notre époque, avec des effets comparables à ceux du « pop-art », mais avec une agressivité beaucoup plus forte, une explosion de comique expressionniste.

Sur cette lancée, la progression du travail de Gore Vidal,

de *Myra Breckenbridge* à *Duluth,* est une grande réussite non seulement par la densité des effets comiques et chargés de signification, non seulement par l'habileté de sa construction, comme un mouvement d'horlogerie qu'aucun ordinateur ne pourrait surpasser, mais parce que son dernier roman, *Duluth,* contient sa propre théorie, ce que l'auteur appelle son « après-post-structuralisme ».

Certes, l'intention explicite de Gore Vidal est de faire la parodie de la mode universitaire actuelle pour la « narratologie », mais sa méthodologie ne m'en paraît pas moins rigoureuse pour autant, ni son exécution moins parfaite. C'est pourquoi je considère Gore Vidal comme un maître de cette nouvelle forme, qui se développe dans la littérature mondiale, et que l'on pourrait appeler hyper-roman, ou roman porté au carré ou au cube.

Quant aux attaques de Gore Vidal contre les nouvelles expériences dans le domaine du roman, je ne les fais pas miennes pour ce qui est de l'esprit général : j'espère toujours qu'il pourra en sortir quelque chose qui redonnera de la vitalité à un panorama littéraire aujourd'hui totalement exsangue. Il y a cependant un point sur lequel la préoccupation profonde de Gore Vidal rejoint la mienne : c'est le risque que court aujourd'hui la littérature de se réduire à n'être plus qu'un matériau d'étude pour les universités. Le phénomène d'une littérature produite et consommée à l'intérieur des *campus* est déjà sensible aux Etats-Unis, et n'offre pas des perspectives bien réjouissantes. Une tendance complémentaire s'ajoute à celle-ci : c'est le déferlement d'un roman de masses préfabriqué pour un public de moins en moins exigeant. La romancière à la mode qui ne sait ni lire ni écrire, mais qui utilise des « nègres », c'est là aussi un personnage de Gore Vidal, dans *Kalki* et maintenant dans *Duluth.*

Et pourtant Gore Vidal peut être sûr que dans les universités on fera sur *Duluth* des cours, des séminaires, des thèses, des traités hérissés de schémas. Impossible pour lui d'échapper à ce sort-là ! L'important, c'est l'esprit qu'il a mis dans ce livre et qui court constamment tout au long des pages.

Je voudrais faire une dernière remarque au sujet de Gore Vidal. Il fait partie de ces écrivains de notre temps qui, justement parce qu'ils ont toujours gardé les yeux ouverts sur les désastres et les déformations de notre époque, ont choisi pour s'exprimer en littérature l'ironie, le sarcasme, l'humour, le comique, bref cette gamme de procédés littéraires qui appartiennent à l'univers du rire.

Et c'est sur ce terrain-là que la littérature peut répondre au défi de l'histoire : à une époque de mystifications tragiques, où le langage sert à masquer plus qu'à révéler, les seuls discours sérieux sont ceux que l'on fait comme pour rire.

Italo Calvino

AVERTISSEMENT DU TRADUCTEUR

Dans un livre pour lequel l'auteur a choisi la voie la plus difficile, artistiquement, pour critiquer l'objet sur lequel il décoche ses flèches, la voie de la parodie, le lecteur voudra bien ne s'étonner d'aucune excentricité, d'aucune loufoquerie.

Fantaisie géographique, tout d'abord. La Duluth de ce livre n'est pas située, comme dans la réalité, dans l'extrême nord des Etats-Unis, mais à quelques minutes de la frontière mexicaine, ce qui ne l'empêche pas d'être quand même située au bord d'un des Grands Lacs qui séparent les USA du Canada.

Fantaisie des personnages, ensuite. Interchangeables, doués d'ubiquité, à multiples personnalités, ils transcendent également le temps et toutes les règles généralement admises pour leur définition.

Fantaisie stylistique, enfin. Puisqu'il s'agit de parodier, on trouvera un grand nombre de phrases simples et même simplistes, répétant dix fois les mêmes données à un niveau minimum d'information (« Chloris pense, pensivement, que... »), un emploi prédominant du présent de l'indicatif, temps grammatical « facile » (passer à l'imparfait fait déjà bafouiller certains personnagès, on le verra), et plus d'une sortie à la limite du non-sens et de l'incohérent, très « Plumes de cheval ». On se gardera aussi de confondre Duluth (le livre), « Duluth » (le feuilleton télévisé) et... Duluth, la vraie fausse ville, ou plutôt la fausse vraie ville décrite par Gore Vidal.

Telles sont les règles dans ce roman burlesque et hypergrimaçant.

A Richard Poirier

I

Duluth ! On l'aime ou on la déteste, mais même si on la quitte, on ne l'oublie jamais ! En néon brillant et multicolore, ces mots luisent au sommet de la tour du McKinley Communications Center, point culminant de la cité aujourd'hui industrieuse de Duluth.

S'il est vrai, comme on l'a dit si souvent, que chaque société a la Duluth qu'elle mérite, les Etats-Unis d'Amérique ont, avec la leur, battu tous les records en cette avant-dernière décennie du vingtième siècle.

Depuis les rangées de palmiers bordant la berge langoureuse du grand lac jusqu'aux résidences élégamment luxueuses de Garfield Heights en passant par les hautes tours d'obsidienne de McKinley Center, deux millions d'êtres humains vivent dans cette ville-dynamo, avant d'aller reposer dans un cimetière au paysage superbement conçu et nommé Lincoln Groves.

Tous les appétits trouvent à se repaître à Duluth. Que ce soit dans le sexe facile qu'on trouve au bord du lac ou dans les rapports chaleureux et authentiques que les ethnies entretiennent dans les « barrios » situés à la lisière de l'étincelant désert, il y a quelque chose, sinon quelqu'un, pour tout le monde. Il y a aussi le jeu, qu'on pratique au Ranch du Mecton tout au bout de cette artère bordée de bordels qu'est Gilder Road ; il y a de l'ascension sociale sur fond de bridge contrat dans un éventail de clubs privés dont le plus sélect est l'Eucalyptus, posé sur une colline dominant les bois de Duluth dont le cœur verdoyant consiste en un marais connu des insectophiles du monde entier comme un macrocosme unique de vie entomologique, vermiforme ou autre. Ce n'est pas en vain que Duluth se vante d'être la capitale mondiale des vilaines bêtes.

Il n'est donc pas étonnant que Beryl Hoover, née et élevée à Tulsa, se sente enfin chez elle en se laissant choir avec la légèreté d'un dauphin aux côtés de Edna Herridge, dans sa bonne vieille limousine familiale dont elle referme la portière poussiéreuse où l'on lit « Agence immobilière Herridge ».

« Mrs Hoover..., dit Edna pour rompre la glace tout en faisant démarrer son véhicule.

— Beryl...

— Beryl. Edna.

— Edna ?

— Oui, moi c'est *Edna* Herridge.

— J'y suis ! Je pensais à autre chose. » Et comment ! Par la vitre givrée de la voiture (nous sommes en février et bien qu'à midi, les arcs lumineux d'une aurore boréale emplissent tout le ciel au sud comme les longs doigts froids de quelque métaphore célèbre), elle vient d'apercevoir un groupe de Blancs soulever lentement du sol gelé un Noir au moyen d'une corde passée au-dessus d'une branche d'arbre. Tandis que les Blancs tirent de conserve, le Noir monte peu à peu du sol vers la vie après la mort que l'Auteur Suprême voudra bien écrire pour lui.

« Edna, il me semble qu'on est en train de lyncher un nègre.

— Oh, vous allez adorer Duluth ! J'en suis sûre. (Edna fait rugir le moteur de son vieux tacot.) Nous avons de très bonnes relations entre races, ici, comme vous pouvez le voir. Et autant de restaurants de " nouvelle cuisine " qu'on peut souhaiter. » Edna vire aussi sec dans Main

Street, qui scintille encore de la récente chute de neige qui a fait de Duluth un paradis hivernal où les voitures dérapent, où pelvis et fémurs se cassent net sur les trottoirs glacés, et où le maire, frère d'Edna, fait encore une fois appel à la bonne humeur de tous à défaut des coûteux chasse-neige que la municipalité ne peut se permettre. La bonne humeur ne manque pas, en effet.

Edna brûle son troisième feu rouge, puis dérape au coin de Garfield et de Main Street. « Voici Garfield Avenue. La promenade de l'élite de Duluth. Les prix des maisons ont assez de zéros pour vous glacer les os.

— Oh moi, rien ne m'arrête, pas même le ciel ! » répond Beryl en riant. Pourtant, comme tout le monde, elle n'est jamais allée plus loin que le septième, en l'occurrence beaucoup d'argent dont elle a plumé son pétrolier d'ex-mari, Mr Hoover, en divorçant de lui. C'est du moins l'histoire qu'elle a pris soin d'ébruiter de par Duluth, où l'apparence est la monnaie universelle et ce sur quoi tout est jugé.

Beryl, qui ne manque pas d'allure, ne porte jamais que du noir, même pour se rendre à son bureau de Tulsa où elle tient elle-même les livres de compte. De temps à autre, Pink Lady à la main, on la voit dans un des casinos clandestins de Tulsa, où elle déconcerte les croupiers en ne jouant jamais.

Beryl est libre ; du moins elle le serait sans son fils Clive, qu'elle adore en dépit du fait qu'il arbore un nez comme une pomme de terre au four aplatie. Beryl se sent coupable de ce nez dont Clive a hérité d'elle, bien qu'un an *avant* sa naissance, le meilleur spécialiste de rhinoplastie de Century City, à Los Angeles, ait remplacé la pomme de terre au four de Beryl par la plus mignonne des *pommes soufflées,* qui fit l'admiration de tout Tulsa et qui fera celle de Duluth, sauf si Clive se montre en ville avec le nez de famille et gâche tout. Il doit d'abord se faire opérer, pense-t-elle. « Ce n'est pas un endroit pour lui » marmonne-t-elle tandis que la limousine dérape sur une large avenue bordée de chênes gracieux dont la mousse gelée rappelle...

« Que disiez-vous, chère Beryl ?

— Qu'est-ce que... ? Oh, je... je disais que c'est vraiment un endroit inouï ! C'est la vraie vie ! » Beryl contemple le centre-ville qui s'étale à ses pieds. Au sommet de la tour du McKinley Communications Center, les énormes lettres proclament en néon : « Duluth ! On l'aime ou on la déteste, mais même si on la quitte, on ne l'oublie jamais. » Beryl fronce les sourcils. « Que signifie cette phrase, au juste ? Cette histoire de ne pas pouvoir la quitter ou l'oublier ?

— Je ne sais pas vraiment, répond Edna, évasive. Ç'a toujours été là.

— Pensez-vous que ce soit vrai ? (Comme tous les gens pratiques, Beryl aime poser des questions.)

— Il faut demander à mon frère. Il est maire de Duluth. C'est un vrai salopard. » Edna quitte Garfield Avenue et, après s'être engouffrée entre deux colonnes de style palladien, la voiture se plante dans une énorme congère et s'immobilise brusquement.

« Nous voilà enterrées vivantes ! s'exclame Beryl qui a tout de suite compris.

— Le printemps sera un peu en retard cette année », chantonne Edna, toujours bonne joueuse.

Dès ce moment, nos deux filles savent qu'elles vont devenir de grandes copines et attendent le dégel printanier.

« On raconte qu'on vous a vue hier soir au Ranch du Mecton, dit Edna pour faire la conversation.

— En effet. C'est un des plus charmants casinos où il m'ait été donné de siroter un Pink Lady. Personnellement, je ne joue pas, mais j'aime l'ambiance de drame qui accompagne l'apparition ou l'effondrement d'une fortune simplement en retournant une carte ou en jetant des dés.

— Je suppose que vous savez que personne ne sait qui possède vraiment le Ranch », dit Edna en baissant sa vitre et en tâtant la neige avec son doigt. La neige est dure comme du ciment. « Mais le Mecton, comme tout le monde l'appelle, est *numero uno* parmi les activités clandestines de Duluth.

— A Tulsa, on l'appelle " le feu follet ", commente Beryl.

— Il m'arrive de croire que je sais qui c'est, dit Edna en faisant quelque peu la coquette, vu les circonstances.

— Ah oui ? lui demande Beryl d'un ton mordant. Eh bien, dites-moi son nom, alors ! »

II

Le capitaine Eddie Thurow, du Duluth Police Department (connu de tout le monde comme le DPD), n'en revient pas. Assis à son bureau, il tient son téléphone contre son oreille en le coinçant contre son épaule arthritique, ce qui est affreusement douloureux, mais enfin, le capitaine Eddie fait dans l'authentique, et puisque c'est comme cela que fait le chef de la police dans le nouveau feuilleton télévisé intitulé « Duluth », c'est comme cela qu'il fera. Ce n'est pas pour rien que dans son allocution en juin dernier devant les terminales du lycée Huey Long, il a parlé en long et en large des modèles à suivre ; de cela et de bien d'autres choses. Ah ! quel type, le capitaine Eddie ; tout le monde est d'accord là-dessus. Beaucoup de gens considèrent qu'il ferait un maire sacrément chouette. Lui aussi, d'ailleurs.

En face du capitaine Eddie, une carte de Duluth et ses faubourgs. On y voit le sinueux Colorado se jeter dans le lac Erié que bordent les palmiers, ainsi que les forêts primitives et le chatoyant désert où les mirages abondent, qui commence juste à la sortie est de la ville. A l'endroit où le Colorado pénètre dans le désert, une punaise rouge vif est enfoncée dans la carte. C'est là que l'engin spatial s'est posé à Noël. Nous sommes maintenant en février et l'engin est toujours là. A la surprise générale, personne et rien n'en est sorti. Pis encore, on n'est pas parvenu à y pénétrer ni même à entrer en contact radio avec les extraterrestres qui s'y trouvent. Le satané engin est tout bonnement planté là, en plein désert, à quelques centaines de mètres à l'est de Kennedy Avenue où commencent les barrios.

« Vous me dites — et j'espère que je vous ai bien compris — (le capitaine Eddie a une voix profonde. Le chef de la police dans " Duluth " ne prononce pas les " r ". Le capitaine Eddie, si, et il ne s'en prive pas) que le FBI n'a pas l'intention — je répète : n'a pas l'intention — d'envoyer une équipe afin d'étudier les mesures à prendre par rapport à ce vaisseau spatial empli d'étrangers illégalement sur le territoire américain. C'est bien ça ? »

Tout en écoutant la voix qui lui répond à Washington, il louche comme le fait le célèbre acteur Ed Asner à la télévision.

Assis de l'autre côté du bureau, le lieutenant « Chico » Jones de la brigade des homicides. C'est un Noir. Un nègre blanchi, d'après certains. Mais pas d'après lui. « Chico » préfère dire qu'il est « de couleur ». C'est un type vieux jeu. Non seulement il a des ennuis avec sa femme, mais il a des ennuis d'argent. Il a du mal à payer son hypothèque ; les taux d'intérêt sont trop élevés. Pour boucler les fins de mois, « Chico » vend, comme la plupart des membres du DPD, des anneaux pour trousseaux de clés, des guides de Duluth pour touristes, et certaine poudre en douce. Mais la concurrence est serrée. L'un dans l'autre, il n'y arrive pas vraiment, sauf pour ce qui est de se mettre l'un dans l'autre avec sa collègue, la déesse blonde aux yeux bleus et à la beauté spectaculaire, le lieutenant Darlene Ecks, brigade des homicides elle aussi.

Pendant qu'ils roulent sans but dans Duluth, ils tombent tous deux d'accord pour dire qu'ils se font du bien l'un à l'autre. Au moins une fois la semaine, Darlene attache « Chico » avec ses menottes au volant de la voiture de police dont ils se servent et elle le couvre d'injures. Il aime ça. Il aime aussi la voir s'en prendre aux travailleurs mexicains clandestins dans les cuisines des bons restaurants de la ville et leur faire une fouille intégrale, tout en tonnant sa propre version de « Et yo-ho-ho, et une bouteille de rhum ! », qui est « Et bande plus haut, et montre-moi que t'es un homme ! » Darlene possède un humour fantastique. Son rêve est d'ouvrir un jour une boutique au Mexique, juste de l'autre côté de la frontière, afin que « Chico » vienne lui rendre visite le dimanche. Cela fait un an qu'ils sont amants. La femme de « Chico » soupçonne la vérité, mais jusqu'à quel point ?

Le capitaine Eddie raccroche brutalement. « Rien à faire ! lance-t-il à " Chico ". Ils disent que c'est à nous de nous débrouiller. C'est notre vaisseau spatial !

— Dans ce cas, pourquoi pas l'oublier purement et simplement, capitaine Eddie ? (" Chico " sait y faire avec lui ; même le capitaine Eddie le reconnaît.)

— Tu veux dire... ?

— Oui...

— Purement et simplement... ?

— C'est ça...

— L'oublier ? » Le capitaine Eddie sombre dans un abîme de réflexion. Puis il se lève, s'approche de la carte et, avec l'ongle de son pouce droit, retire la punaise rouge. « Bien vu, Chico... Et Darlene ?

— Elle chasse le clandestin. »

Le capitaine Eddie contemple la punaise rouge qu'il tient dans la main. « Ce qu'il faut craindre, maintenant, dit-il lentement et pensivement, c'est Wayne Alexander et le *Courrier de Duluth*.

— Le *Couperet de Duluth* », rectifie « Chico » d'un ton tranchant. Le DPD n'apprécie guère les innombrables dénonciations des brutalités policières que Wayne Alexander a signées depuis des années dans le seul et unique journal de la ville, dont on dit qu'il n'est lu que pour ses petites annonces et les annonces de soldes. Il faut ajouter que personne ne lit pratiquement plus à Duluth depuis que la chaîne de télévision KDLM a atteint la majorité en devenant la succursale de ABC, prenant ainsi la tête dans la région de Tijuana et des Grands Lacs. Du jour au lendemain, le bulletin d'informations de dix-huit heures, retransmis depuis la tour McKinley Communications, atteignit des chiffres d'écoute tels que le *Courrier* se trouva de façon permanente au bord de la faillite.

L'équipe de l'information du bulletin de dix-huit heures se compose d'une Orientale, d'un Occidental, et d'un Polynésien paraplégique. A eux trois, ils président à un programme d'incendies, d'explosions et autres holocaustes urbains qui dépassent de loin tout ce qu'on fait dans le genre dans le reste du pays. Que nombre des incendies soient déclenchés en cachette par l'équipe elle-même est le secret de Polichinelle à Duluth, où les propriétaires reconnaissants sont en mesure de se mettre les primes d'assurances dans les poches et en quatrième vitesse, et où le capitaine Eddie Thurow peut se montrer dans les émissions du matin au moins une fois par mois pendant trois minutes pour exposer les enquêtes en cours sur lesdits incendies.

En pensant à Wayne Alexander, le capitaine Eddie se décourage. Il remet la punaise plus ou moins à l'endroit où elle était.

Le capitaine Eddie et « Chico » n'ont aucune idée des événements extraordinaires qu'a déclenchés le fait d'enlever, même pour un bref moment, la punaise représentant le vaisseau venu de l'espace de la carte de Duluth.

III

Au cœur de la congère, dans Garfield Heights, Beryl et Edna commencent à s'entendre comme chien et chat.

« J'ai toujours su qu'un jour, je finirais par m'installer à Duluth. » Beryl se tamponne délicatement le visage avec un mouchoir de papier. L'air commence à sentir le renfermé à l'intérieur du véhicule, en raison de l'intense conversation entre les deux femmes. Bien qu'elles aient utilisé plusieurs milliers de cm³ d'oxygène, elles n'en sont pourtant encore réellement qu'au stade des présentations.

« Je suis sûre que nous allons vous trouver la résidence qu'il vous faut, ma chérie. » Edna se rend bien compte qu'elle a mis le grappin sur ce qu'on appelle, en jargon de métier, un gros poisson.

« Rien qui ne soit de bon goût...

— Bon goût sont les deux premiers mots que j'ai su dire.

— Avec vue sur le lac...

— Tu parles !

— Ah, vos palmiers, vos cerisiers en fleur sur la crête qui domine les forêts primitives de Duluth...

— Sans parler du somptueux marais, macrocosme de la vie entomologique supérieure, ni du vaisseau spatial cerise...

— Le quoi ? » Beryl n'a jamais pensé que la vue qu'elle aurait de sa résidence dominant Garfield Heights serait enjolivée par une capsule spatiale ! L'idée ne lui plaît pas beaucoup, et elle le fait savoir.

ç Oh, mais c'est une très jolie teinte cerise ! Je suis sûre que vous l'aimerez aussi, comme tout le monde ici. (Edna ment quelque peu, mais après tout, elle travaille dans l'immobilier, non ?)

— Eh bien... je l'espère. (Beryl a des doutes.) A quoi cela ressemble-t-il ?

— Ma foi, c'est rond. Et, comme je l'ai dit, vaguement rouge. En fait, cela ressemble surtout à une punaise.

— On pourrait peut-être la cacher derrière un treillage.

— Jusqu'à présent, rien n'en est sorti.

— Qu'y a-t-il à l'intérieur ?

— Des étrangers, sans doute.

— Des Mexicains ?

— Des Haïtiens. Des " boat people ". Des adorateurs de je ne sais quelle secte. On détruit notre pays par l'intérieur, Beryl. Vous êtes républicaine, n'est-ce pas, ma chérie ?

— Il n'y a pas de gauchistes à Tulsa, Edna.

— Mais vous n'êtes plus à Tulsa... » Edna se sent méfiante. Ce serait bien sa chance, d'être coincée dans une congère dans le quartier le plus chic avec une communiste de l'Oklahoma !

Beryl part d'un rire perlé. « Non ! Je suis bien à Duluth. Je suis seule et, si je peux me permettre, séduisante.

— A croquer », ajoute Edna sincèrement. Il ne s'est pas passé un jour depuis la mort de Mr Herridge, le père tyrannique d'Edna, sans qu'elle ait songé à entrer dans les milieux saphiques de Duluth. Mais avant, elle veut perdre quatre kilos, et ces quatre kilos ne veulent pas la lâcher. « J'aime beaucoup votre nez », reprend Edna.

Beryl remue ses narines par inadvertance, ce qui n'est pas sans faire penser à une *pomme soufflée* qui trouve son second souffle. « Oui » fait-elle vaguement. Puis elle devient très précise. « Edna, je serai franche avec vous. De plus, je veux que vous m'aidiez. D'ici un an, j'entends être à la tête de la vie de Duluth. »

Long silence, pendant lequel les filles tentent de trouver un peu d'air dans le véhicule où il n'y en a presque plus. La neige se presse contre tous les côtés. A Duluth, tout le monde sait, depuis que l'ombre du hérisson a gelé en novembre, que l'hiver sera long. Question : nos filles tiendront-elles jusqu'au premier dégel ?

« A la tête de la vie de Duluth ? fait Edna en haletant.

— Oui, et son arbitre ! rétorque Beryl, le souffle court. J'entends supplanter Mrs Bellamy Craig II et avoir ma propre loge à l'Opéra. Et être membre à vie de l'Eucalyptus.

— Il va falloir que je réfléchisse très fort, réplique Edna. Vous demandez la lune, vous savez ? » Puis elle s'affale sur le volant.

Il ne reste plus d'air, excepté un minuscule cm^3 d'oxygène que Beryl emploie pour répéter le nom magique de la première dame de Duluth. « Mrs Bellamy Craig II,

26

me voici ! » Mais Beryl n'ira nulle part dans Duluth, parce que le Gommeur Suprême la gomme à l'instant de *Duluth*. Bravement, elle y a empli sa fonction, à savoir exposer l'histoire, ce qu'elle déteste. « Mais ce n'est pas à nous de choisir », comme dit sa devise, tandis qu'elle passe dans une autre histoire. Elle a ouvert la voie à Clive. Enfin, presque. Pendant que la gomme fait disparaître son dernier lambeau d'identité, Beryl Hoover comprend qu'elle a été assassinée par le Mecton, qui va ensuite tenter de tuer son Clive adoré. Elle doit le prévenir. Mais comment ? Elle est déjà dans un autre livre, *Le Duc fripon*, par Rosemary Klein Kantor.

IV

Wayne Alexander grimpe d'un pas décidé les marches que le gel a rendues très glissantes de la résidence Craig, tout en haut de Garfield Heights.

Le nouveau maître d'hôtel anglais introduit Wayne dans le salon, digne d'un palais, de la résidence Craig, dont les draperies avoine sont brodées au fil d'or et dont la moquette tourmaline duveteuse, qui recouvre entièrement le sol, garantit non seulement une vraie élégance mais aussi un confort inimitable.

« Qui dois-je annoncer à Madame ? » émet le nouveau maître d'hôtel anglais. Wayne décline son nom et le nouveau maître d'hôtel anglais se retire.

Wayne regarde par la porte-fenêtre les tours noires des bas quartiers de Duluth, au-delà desquelles le désert de sable s'étend, marqué seulement de ce grain de beauté cerise dû à l'engin spatial.

Puis Wayne sent deux bras puissants l'enserrer par-derrière.

« Chérie » fait-il en se retournant, lèvres tendues pour le

premier baiser. Mais lorsqu'il aperçoit qui c'est, il pousse un cri affreux.

En lieu et place de Chloris, il trouve, à sa propre stupéfaction, le visage barbu de Bellamy Craig II, dont les lèvres sont aussi tendues pour le premier baiser à sa façon à lui. Lorsque les quatre yeux s'ouvrent, les deux paires de lèvres reprennent leur forme normale et les deux paires d'yeux perdent leur lueur d'amour.

« Craig !

— Wayne !

— Cré nom, Craig, qui croyiez-vous que c'était ? Je porte un costume d'homme, non ? dit Wayne en baissant le regard pour vérifier que c'est bien ce qu'il porte.

— Evelyn, en fait. Nous avions rendez-vous. Désolé, mon vieux. Pas grave. On oublie. On passe à autre chose. Chloris ne dira rien. Notre mariage est très ouvert, comme vous le savez. Tenez, prenez une cigarette Lark de cette boîte Tiffany que je vous allume avec mon briquet Dunhill. Que voulez-vous boire ? Asti Spumante ? Byrrh ? Bière ? Canada Dry, peut-être ? » Bellamy est l'hôte rêvé ; il n'en fait jamais trop. Il est vrai que le bon goût est de règle dans Garfield Heights. Ou, pour le dire dans le dialecte français qui a encore cours dans cette région, le « bon ton », ce qui rime avec « wan tun », la délicieuse soupe chinoise.

Wayne le met à son aise. « Tout va bien, Bellamy. Je suis simplement venu dire un mot à Chloris.

— Je sais. »

Ayant ainsi fait le tour des sujets importants, ils passent sans effort à de menus propos. « Croyez-vous que l'équipe des Dodgers va s'en tirer ? demande Wayne.

— Ils ont une bonne première ligne. Mais leurs arrières...

— Oui. »

Ici, un silence. C'est le moment que choisirait un écrivain comme Rosemary Klein Kantor pour tripoter le clavier de sa machine à traitement de texte, qui est reliée à une mémoire contenant dix mille romans populaires.

Rosemary n'utilise que des types connus. Elle prendrait Bellamy, disons, dans un vieux classique du best-seller comme *Anthony Adverse*. Bellamy Craig II a un menton sans forme, qu'il cache sous une barbe teinte en noir pour dissimuler le blond filasse qui est sa couleur naturelle. Il est également chauve, mais son crâne présente tout un tas de bosses intéressantes, particulièrement au-dessus des oreilles. Ses yeux sont bleu clair et ses membres fonctionnent parfaitement car, contrairement à ce qu'il affirme, Dieu merci, ses articulations ne sont pas capables de se plier dans tous les sens, affection très redoutée, et pour cause, à Duluth. La mère de Bellamy, Bohémienne d'origine, tenait une auberge à Key West, en Floride, dans les années quarante et cinquante. Par la suite, elle créa le premier dîner-théâtre de Duluth, qui fit la fortune des Craig. C'est dans son théâtre qu'elle subit l'attaque qui la paralysa, le soir de la première de *The Bird Cage* d'Arthur Laurents. A présent, elle vit dans une chambre, à l'étage. Elle reconnaît tous les gens qui viennent lui rendre visite. Enfin, elle les reconnaîtrait s'il en venait.

Wayne Alexander est grand et aussi gros qu'un Giacometti. (Rosemary emprunte également ses personnages à des films : son Wayne à elle ressemblerait à feu Dan Duryea dans *The Little Foxes*.) Il a les yeux noisette. C'est normal, puisqu'il en a vu de toutes les couleurs. A dire vrai, il a tout vu. Avant d'entrer au *Courrier de Duluth*, il était soldat au Viêt-nam. Grognard, comme il dit. Il a perdu l'oreille droite dans un engagement peu clair. Il ne veut dire à personne comment, quand ou pourquoi.

Le long silence est enfin rompu par Bellamy, qui vous taille une conversation dans les sujets les plus rebattus. « Qu'y a-t-il dans l'engin spatial, à votre avis ?

— Aucune idée. Si ça se trouve, il est vide.

— Voilà qui serait drôle, trouvez pas ?

— Je viens d'écrire un grand article sensationnel sur le programme spatial. Je crois qu'ils savent exactement d'où il vient. Mais ils ne veulent rien nous dire.

— Et pourquoi, Wayne ? »

Au cours du silence qui suit, Mrs Bellamy Craig II, née du Lhut des Bois et descendante directe du sieur du Lhut, négociant et explorateur français qui fonda la future Duluth, entre dans le salon en criant.

V

Les barrios commencent juste après Kennedy Avenue, l'artère ethnique. Sur des kilomètres, des cabanes de papier et de contreplaqué abritent, si le mot convient seulement, presque un million de Mexicains légalement ou illégalement dans le pays. Chaque soir, les barrios retentissent de la musique des mariachis et de rires joyeux, car des étrangers vivant illégalement sur le territoire constituent pour l'essentiel un piment à la vie, puisque leurs sentiments profonds sont à la surface alors que leurs sensations les plus superficielles sont cachées tout au fond, à la différence des froids Anglo-Saxons de Garfield Heights qui ont du mal à avoir des relations avec les autres sans recourir à un psychiatre avisé qui brisera la glace pour eux, afin que Papa puisse enfin faire une bise à son fiston. S'il doit jamais y avoir des êtres humains vraiment vrais et chaleureusement chauds sur cette Terre, on les trouvera parmi ce million et quelque de Chicanos qui vivent dans les barrios juste après Kennedy Avenue, à Duluth Est.

Mais il y a aussi, dans les barrios, beaucoup de rage, dont une bonne part est dirigée spécialement contre le lieutenant Darlene Ecks. D'ailleurs, en ce moment même, dix de ses victimes sont réunies au fond d'un baraquement dont la pièce de devant est occupée par des paysannes au visage ancestral d'Aztèques, et qui repassent des tacos, plient des enchiladas et découpent des tortillas à la lueur d'une seule lampe à pétrole. Parfois, une des femmes entonne une chanson, qui ressemble à un chant d'oiseau élevé et irréel qui fut chanté pour la première fois il y a des millénaires par les anciens Sumacs.

Derrière, les mâles victimes sont accroupis en un cercle, leur sombrero à large bord baissé sur les yeux. Tous sont jeunes, pleins d'entrain, endormis. Ils complotent leur vengeance.

« Trois fois, elle m'a fait déshabiller pour me fouiller, déclare Manuel. Trois fois elle m'a dit... »

A l'unisson, les dix imitent l'exclamation de Darlene : « Bande plus haut et montre-moi que t'es un homme ! » Tous frissonnent, à l'unisson.

« Elle doit mourir, dit Armando.

— C'est la loi des machos », lance Manuel en sortant un couteau de sa ceinture.

Mais Benito, le benjamin, demande : « Muchachos, c'est quoi, bander ? »

Ils lui expliquent.

« Et comment qu'on montre qu'on est un homme ? » Ils lui expliquent.

Benito, qui n'avait pas trouvé si désagréable la fouille nue de deux heures qu'il avait subie dans les toilettes des dames du terminal des autocars Greyhound, s'empourpre alors de gêne et de rage. « Caramba ! Elle doit mourir » ajoute-t-il en espagnol. Tous parlent espagnol.

VI

Beryl et Edna ont depuis longtemps rendu leur dernier souffle à l'intérieur de l'automobile quand l'équipe de secours du capitaine Eddie Thurow arrive enfin. La chance veut que ce soit le lieutenant « Chico » Jones qui commande cette équipe. Pendant qu'on sort les deux corps de la voiture et qu'on les place sur des civières,

« Chico » se découvre sous la neige qui tombe, et les autres l'imitent.

« Elles sont parties pour un monde meilleur », déclare « Chico ».

En fait, Edna est passée dans « Duluth », le populaire feuilleton de télévision qu'on tourne aux studios Universal pour ABC, dans lequel elle jouera la sœur alcoolique d'un juge, tandis que Beryl est ajoutée à l'un des romans du type « collection Harlequin » de Rosemary Klein Kantor, dont le décor est planté dans l'Angleterre de la Régence.

Mais « Chico » qui, s'il est tout cœur, n'en est pas moins tout homme, ne peut pas le savoir. De même, nous ne pouvons pas savoir ce qui se fût passé au juste si Beryl Hoover avait pu affronter Chloris Craig dans un duel *mano a mano* pour s'emparer de la direction de la vie sociale de Duluth. Pour Beryl, ce rêve est forclos. Ainsi que son empire secret, dont Clive, qui est en danger mortel, héritera.

Avec solennité, l'équipe de secours porte les deux corps, à présent saupoudrés de neige comme deux beignets de sucre glace, entre les deux colonnes qui ne se trouvent, curieux hasard, qu'à un jet de pierre de l'hôtel particulier des Bellamy Craig II.

VII

Comme la plupart des lois absolues, la loi de fiction de l'unicité absolue est relative. Bien que tout personnage, de fiction ou réel, soit absolument unique (même si rien ne distingue un personnage d'un autre), la question est un peu plus compliquée que cela.

Lorsqu'un personnage fictif meurt ou sort d'une narration, il réapparaît rapidement dans une nouvelle narration, étant donné que le nombre de personnages, et d'intrigues, disponibles à un moment donné, quel qu'il soit, est limité. Le corollaire de la loi relative de l'unicité absolue dans le domaine de la fiction est l'*effet de simultanéité,* qui est à la fiction ce que le principe de Heisenberg est à la physique. Cela signifie qu'un personnage peut apparaître simultanément dans autant de fictions que le hasard le veut. Ce corollaire, pour déroutant qu'il soit, ne doit pas nous inquiéter, si ce n'est pour noter en passant que chaque lecteur, comme chaque auteur, se trouve, sous des angles différents et à des moments différents, dans un nombre fini de narrations différentes dans lesquelles il est toujours le même tout en étant à chaque fois différent. On appelle cela l' « après-post-structuralisme ». Les nombreuses études menées actuellement sur l'effet de simultanéité démontrent avec force (comme si cette démonstration était nécessaire !) que même si la langue anglaise décline et dépérit, les études anglaises, elles, sont plus que jamais complexes et dignes d'intérêt.

La loi de l'unicité absolue requiert, sauf dans les cas où elle ne la requiert pas, la perte totale de mémoire de la part du personnage qui a péri ou qui n'a fait qu'une brève apparition dans une fiction narrative. Naturellement, quand l'écriture d'un livre est achevée, tous les personnages encore vivants à la fin sont, en quelque sorte, encore à la disposition des autres écrivains. On appelle parfois cela plagiat, mais le mot est dur, quand on songe combien on dispose de très peu en matière de personnages et d'intrigues. En fin de compte, le plagiat est tout simplement, comme l'a dit Rosemary Klein Kantor, de la *création par d'autres moyens.*

Les personnages de tout livre, même s'ils sont abandonnés par son auteur lorsqu'il écrit *finis* à la fin de son *opus,* continuent de vivre pour toute personne qui va lire ce livre. Ce qui prouve ou constitue une preuve de l'effet de simultanéité. Une fois que la présente fiction vraie, ou présente vérité fictive, aura été achevée par son auteur (qui peut présenter de son Duluth un plan cavalier — mais pas trop, tout de même), les Bellamy Craig II, Darlene Ecks, capitaine Eddie et autres membres de cette équipe pleine (pour le moment) de vie passeront à d'autres tâches, qu'ils ignorent ou que l'auteur ignore encore. Ils l'oublieront. Et lui-même ne les reconnaîtra pas, sauf dans les cas de plagiat patent, le droit civil examinant alors la vérité d'une fiction avec plus d'acharnement qu'on en montre même à Yale la laborieuse.

A ce moment précis, en pleine composition, tous les personnages sont à disposition, excepté les deux qui viennent de mourir. En raison d'une anomalie de la loi d'unicité absolue, Edna Herridge se rappelle encore parfois qu'elle travailla dans une agence immobilière dans un Duluth tout à fait différent du feuilleton « Duluth », et que son frère était maire. D'un autre côté, Beryl Hoover a totalement oublié la brève existence qu'elle a eue dans les pages précédentes pour la bonne raison que le rôle dans *le Duc fripon* où elle apparaît pour la première fois a été écrit *avant* sa brève apparition puis sa disparition dans notre Duluth à nous. Plus tard, à mesure des nouveaux épisodes qui sortiront de la plume de Rosemary, Beryl Hoover se rappellera de *Duluth*, et d'une affaire à la fois inachevée et extrêmement palpitante à laquelle Clive est mêlé. A ce moment-là, encore futur, Beryl essaiera alors de trouver un moyen d'avertir Clive que le Mecton tentera de le tuer tout comme il l'a tuée...

VIII

« Bonjour, Wayne », crie Chloris Craig. Elle est, en un mot, belle. Elle s'immobilise alors en apercevant son mari, Bellamy, debout à côté de Wayne, son amant. Chloris essaie de froncer les sourcils, mais les chirurgiens plastiques qui ont modelé son incomparable beauté ont supprimé, les matois, les muscles qui permettent de les froncer.

« Je ne faisais que passer, dit Bellamy d'un ton d'excuse.

— J'espère bien », répond-elle.

Les deux hommes se serrent la main. Le mari se retire. L'amant reste. Il en a toujours été ainsi dans la haute société de Duluth.

Wayne prend Chloris dans ses bras maigrelets. La jette sur le sofa de luxe. Ils se déchirent leurs vêtements de prix et font l'amour parmi les lambeaux. Pas grave. Chloris est riche.

Une fois leur désir assouvi et rassasié, ils fument des Larks tandis qu'une nouvelle lune monte derrière la fenêtre et que l'aurore boréale illumine le ciel méridional au-dessus de Tijuana.

Câlin, Wayne trace un rond autour de l'emplacement du nombril de Chloris. Lorsque la dernière équipe de chirurgiens plastiques a pris un dernier bout de son abdomen, ils ont éliminé par erreur son ombilic. Maintenant, quand elle va porter un bikini, elle doit d'abord dessiner un nombril, ce pour quoi elle emploie « Aurore rose » d'Elizabeth Arden. Mais comme Chloris n'a pas de secrets pour Wayne, sauf ceux qu'elle a pour lui, elle ne se dessine jamais de nombril avant de le voir.

Chloris laisse sa main se promener d'un air appréciateur sur la puissance turgide de Wayne. Elle préférerait la tumescence, il va sans dire, mais Wayne turgide est bien mieux que Bellamy tumescent.

« Tu l'as amené, Wayne ?

— Oui, Chloris. Je l'ai là. Dans ma serviette Gucci posée sur ce petit machin Knoll. Veux-tu y jeter un œil ?

— Plus tard. Que m'as-tu apporté, cette fois ?

— Le mariage avec Henry James. Complet.

— Parfait. Peut-il ester ?

— Non. Rien de mauvais goût dans ce que j'ai écrit. J'ai également décrit *Maman était « New look »*. Tout le

35

film, sans sauter de bobine. Parce que c'est là qu'elle a rencontré Herbert Hoover, sur le plateau.

— Et ils sont tombés éperdument amoureux ! soupire Chloris. Seigneur, comme j'adule cette femme ! Et quel livre je vais faire sur sa vie traversée d'étoiles ! »

En même temps que la première hôtesse de Duluth, Chloris Craig, sous le nom de « Chloris Craig », est connue des lecteurs du monde entier comme l'auteur de livres à succès. Six de ses titres ont touché le gros loî dans le monde. En fait, tous ceux qui aiment lire finissent tôt ou tard par lire « Chloris Craig ». Et cela, parce qu'elle *entre dans ses personnages*, à en croire Virginia Kirkus, la seule femme qui ait lu tous les livres qui ont jamais été écrits et qu'on voit donc rarement dans les réceptions littéraires ou même dans les réunions régulières de Frank E. Campbell pour les vieux routiers.

Mais Chloris a un secret. Deux secrets, en fait ; mais Wayne n'en connaît qu'un. Le premier est que c'est Wayne Alexander qui écrit ses livres pour elle, secret qu'il connaît, naturellement, puisqu'il est difficile de ne pas savoir qu'on a écrit un livre pour quelqu'un. L'autre secret, qu'il ne connaît pas mais qu'il commence à soupçonner, est que Chloris n'a jamais lu une seule ligne de « Chloris Craig » ou de tout autre auteur. Chloris n'est capable de lire que des mots de trois lettres, s'ils sont écrits assez gros. C'est pour cela qu'elle est devenue écrivain. Pour compenser, comme dirait, et dit, le Dr Mengers, son oto-rhino-laryngologiste.

En revanche, Chloris entreprend beaucoup de recherches si le sujet est encore en vie ou a connu des gens qui le sont encore. Elle possède un magnétophone (Sony) qu'elle utilise avec maestria. L'émission spéciale d'une heure consacrée par KDLM à « Chloris Craig » a poussé plus d'une maîtresse de maison duluthienne à se précipiter pour acheter un magnétophone, puis essayer de s'en servir comme Chloris s'en était servi sur le petit écran. Mais aucune n'y est jamais arrivée, car « le talent est inné ; le génie, divin », comme Chloris l'a dit elle-même à la fin de l'émission au cours de laquelle elle a enregistré, effacé, réenregistré en avant et en arrière simultanément mille mots choisis pour elle par Wayne.

« Pourquoi Betty Grable a-t-elle été assassinée, Wayne ? »

Ce dialogue date, entre eux, d'il y a longtemps. Il remonte à leur rencontre sur la péniche *Au paradis persan*, sur le Colorado, ce splendide été-là une décennie avant. Un seul coup d'œil à Wayne, et Chloris avait senti sa puissance turgide sous son pantalon de velours côtelé ; un seul coup d'œil à elle, et il avait frémi à la pensée de son delta en ébullition sous la robe de tulle renforcée à la poitrine qu'elle portait au-dessus de son bikini. Elle voulait la renommée littéraire ; il voulait de l'argent. Elle voulait sa puissance turgide ; il voulait son delta. Elle voulait le nom de l'assassin de Betty Grable ; il en voulait le mobile. Depuis Héloïse et Abélard Schroeder, de Winona, aucun couple n'a été de manière plus exquise sur la même longueur d'ondes.

« Betty Grable, après avoir rencontré Herbert Hoover, tomba amoureuse de lui. Il faut dire que cela leur arrivait presque à toutes. Il était comme ça, me confient les femmes.

— J'ai vu ses films, Wayne. Je n'ai pas de mal à le croire. Ce merveilleux col dur ! On n'en fait plus, des comme ça !

— En juxtaposant les événements qui ont mené au meurtre en 1973, un schéma se dessine peu à peu. En fait, plus j'étudie ton livre que je suis en train d'écrire, plus cela devient clair. Mais d'abord, Betty Grable était-elle absolument sûre que Herbert Hoover était bien Herbert Hoover ?

— Je ne te comprends pas.

— L'amour de sa vie était-il bien Herbert Hoover ?

— Mais certainement, Wayne ! Le dernier message tracé au rouge à lèvres sur la glace de la coiffeuse, ces deux mots, " Hoover adoré ", ne peuvent signifier qu'une chose... »

Grâce à la manipulation continue de Chloris, le sang de Wayne est en train de passer rapidement de sa tête à ce tuyau dont elle ne se rassasie jamais. Mais Wayne meurt d'envie de lui dire ce qu'il a trouvé de nouveau avant que, comme il arrive si fréquemment quand ils font l'amour, il s'évanouisse d'un coup en donnant, et en recevant, l'extase. Wayne fait donc la course avec son propre sang. Wayne sent le flux rouge quitter son cerveau comme l'eau d'un bain évacuée par la bonde d'une baignoire de marbre de Carrare. Lorsque tout devient presque noir, il la monte.

Elle crie.

Il bafouille : « Le Hoover du rouge à lèvres n'était pas... » Dans le magenta rutilant de son delta bout et fume la pourpre tumescence de Wayne. L'extase, et l'inconscience, est, ou sont, proche(s).

« Qui... ? » Bien qu'elle glapisse à présent de plaisir, son esprit d'acier ne cesse jamais de tenter de happer les renseignements.

« C'était... c'était... »

Il jouit. Elle crie. Il s'évanouit. Elle roupille.

Par la fenêtre, une à une, les timides étoiles se mettent à emplir le ciel bleu nuit, en faisant bien attention de contourner sur la pointe des pieds les rayonnements de l'aurore boréale qui fait de Duluth by night ce ravissement unique.

IX

Pendant que la crème de la crème s'ébat dans Garfield Heights, le lieutenant Darlene Ecks, déguisé en vierge et portant ce qui peut passer pour tous ses bijoux et menus objets dans un sac tricoté, s'avance avec moult chichis dans une partie particulièrement mauvaise des barrios situés juste après Kennedy Avenue.

Soudain, un jeune violeur en puissance surgit derrière elle, passe un bras nerveux autour de son cou et la traîne dans une masure abandonnée sur les murs de laquelle « Viva Castro » a été peint et repeint par des agents du Federal Bureau of Investigation, dans le but de faire croire que Castro est derrière tous les désordres des barrios dont le FBI fomente en réalité la plupart.

« Gringa ! » lance le jeune Mexicain. Il lui arrache le sac de sa main sans défense. Il le vide par terre. D'abord, braquer. Ensuite, violer. C'est sa perte. Car pendant qu'il examine son butin, Darlene arrache son costume de vierge, une robe à pois noirs et blancs surmontée d'un petit chapeau de modiste, et apparaît son corps « sexy » vêtu de l'uniforme bleu du DPD, dessiné des années auparavant par Mainbocher mais encore à la mode, puisque tout ce qui est de bon goût ne cesse jamais de l'être.

Darlene dégaine un pistolet qu'elle dirige vers le violeur naïf qui, un sourire heureux sur le visage, contemple la petite télévision couleurs qu'il a trouvée, parmi d'autres babioles affriolantes, dans le sac tricoté.

« Allez, immigré clandestin, les mains en l'air. Tu es en état d'arrestation. »

Le violeur en puissance cille lorsqu'il voit que ce qu'il avait pris pour une vierge sans défense s'est transformé sous ses yeux en un lieutenant de police tenant un flingue à la main. Le sac lui en tombe des mains.

« Oh ! » fait-il en levant les mains.

Darlene est enchantée de sa prise. Sa proie appartient à son type préféré : fine moustache macho, yeux sombres genre Amant latin, épais cheveux gominés. Il porte deux manteaux. Les immigrés clandestins détestent les hivers de Duluth, si différents de la délicieuse douceur du Mexique, à quinze kilomètres de là, de l'autre côté de la frontière.

« Allez, muchacho, à poil, que je te fouille ! »

— Quoi ? » Il n'a pas compris. Il faut dire que son anglais n'est même pas à la hauteur du jargon que parle Darlene.

« Vire ça ! » Darlene montre les deux godasses usées et hyperpointues, comme en portent tous les immigrés clandestins.

« Quoi ? » Incompréhension totale.

Adroitement, Darlene le jette par terre et lui retire une de ses chaussures pointues. Puis elle lui fait signe d'enlever l'autre. Assis sur le sol de la masure, il retire l'autre chaussure et, à contrecœur, ses quatre paires de chaussettes, révélant ainsi sur chaque orteil un cor, ce qu'ont tous les immigrés clandestins à force de porter les chaussures trop petites qui, à leurs yeux, font leur chic. En voyant ces cors, Darlene commence son ascension vers le septième ciel.

X

Wayne est parti. Chloris gît sur son lit rond, regardant la télévision encastrée dans le plafond tout en maniant paresseusement son godemichet électrique. Wayne ne l'a pas vraiment satisfaite. Elle le lui a dit quand il a refait surface. Vexé, il est parti sans lui dire qui avait tué Betty Grable. Chloris pense qu'il la mène en bateau.

Chloris change de chaîne et met « Duluth » en se demandant comment Wayne a perdu son oreille droite. Puis elle est prise par le feuilleton. Un acteur qu'elle a toujours aimé (est-ce Lorne Greene ?) tient le rôle d'un juge chaleureux et confiant de nature nommé Claypoole. Il se trouve dans la chambre du conseil, vêtu de la toge noire et tenant son marteau à la main. Le marteau rappelle à Chloris qu'elle tient elle-même un godemichet dans sa main gauche. Elle le règle plus fort : voilà qui est mieux.

Une actrice qui lui dit quelque chose apparaît sur l'écran. Chloris fronce les sourcils. Je la connais, se dit-elle.

L'actrice implore le juge de ne pas être trop sévère avec son fils, qui est aussi le neveu du juge.

Le juge est impassible. « Désolé, petite sœur. Mais tu sais aussi bien que moi que la loi est la loi. Si on la tord dans un sens ou dans l'autre, bientôt il n'y aura plus de justice du tout. N'est-ce pas ? »

Chloris n'aime pas ce genre de baratin communiste à la télévision. Dans la vraie vie non plus, du reste. Va-t-elle changer de chaîne ? Mais la caméra revient sur le visage familier de cette femme.

« Je connais cette femme ! » s'exclame Chloris.

« Bien entendu », dit la femme en regardant directement Chloris allongée sur son lit rond.

« Bien entendu quoi ? » réplique le juge avec l'air étonné de l'acteur à qui l'on lance la mauvaise réplique.

« Bien entendu, vous me connaissez. Je suis Edna Herridge, dans l'immobilier.

— Edna ! Mon Dieu ! Je suis navrée de n'être pas allée à l'enterrement.

— Les fleurs n'étaient pas mal...

— Quelles fleurs ? » Ce juge... non, ce n'est pas Lorne Greene, et Raymond Burr est mort, se dit Chloris, ce qui importe peu à la télévision où tous les gens qu'on voit sont morts, de toute façon, y compris Edna Herridge.

« Je me rendais avec une cliente à votre domicile, une certaine Beryl Hoover... (Ce nom, ce nom magique, pense Chloris. Une parente de Herbert ?)... quand nous avons été prises dans une congère, et nous sommes mortes.

— Un homme est mort à cause de ton fils. Dans une congère, c'est bien ça ? » L'acteur qui joue le juge fait de son mieux pour remettre la scène d'aplomb.

« Là-dessus, j'ai décroché un rôle dans cette histoire à la guimauve. Beryl avait très envie de vous rencontrer. Vous devriez aller la voir. On raconte qu'elle est dans le nouveau roman de votre Rosemary Klein Kantor. Pas la nôtre.

Allez, bye-bye. » Puis Edna revient à l'intrigue de
« Duluth » ; elle sait très bien que si elle continue à dire
des répliques qui ne sont pas dans le scénario, elle aura des
ennuis avec le syndicat des acteurs. « C'est mon fils,
reprend-elle en sanglots. Ton neveu. Ce sera un bon
docteur, un jour... »

L'acteur qui joue le juge a l'air soulagé en entendant
enfin une réplique du script. « Lorsque je revêts cette toge
noire... » déclame-t-il gravement ...

Chloris se détend et regarde la suite de l'histoire.
L'intrigue commence à acquérir une intéressante épais-
seur. Chloris se dit qu'il faudra qu'elle cherche le dernier
roman de Rosemary Klein Kantor. Elle ne comprend pas
bien la phrase « votre Rosemary Klein Kantor. Pas la
nôtre ». Voyons, il ne peut pas y avoir deux Klein Kantor,
se dit-elle. Mais si ! Grâce à l'effet de simultanéité, il y a la
Klein Kantor auteur du feuilleton « Duluth » qu'on voit
dans *Duluth* mais qui est créé dans un autre continuum ou
dans une fiction de rechange, ce qui permet à cette Klein
Kantor d'être totalement différente de *notre* Klein Kantor,
qui vient de publier un long extrait d'un roman intitulé *le
Duc fripon* dans le dernier numéro de *Redbook,* magazine
féminin récemment relancé par les ennemis de l'amendement sur l'égalité des droits parmi lesquels on compte
Chloris.

En principe, Chloris aime l'idée de Rosemary Klein
Kantor de raconter des hauts faits dans l'Angleterre de la
Régence, et bien qu'elle-même ne sache pas lire et déteste
qu'on lui lise un livre sauf s'il est d'elle, il n'y a en
revanche rien qu'elle aime tant que se faire *raconter* des
livres. Il faut qu'elle demande à Wayne de lui parler du
Duc fripon, ainsi que de Beryl Hoover, qui pourrait bien
avoir affaire de près ou de loin avec le noir mystère au
cœur de l'histoire de Betty Grable.

XI

Cependant, dans la masure du barrio, Darlene en arrive à la partie de la fouille intégrale qu'elle apprécie le plus. Son short commence à se mouiller. Elle porte toujours un short d'homme quand elle est au boulot, parce que cela lui donne l'impression d'avoir de l'autorité.

Le jeune immigré clandestin ne porte plus maintenant qu'un caleçon d'une propreté douteuse et trop grand d'une taille pour sa carcasse assez frêle. Un seul des trois boutons demeure pour fermer la braguette, et ce bouton ne tient qu'à un fil. Dans le froid, le jeune homme commence à bleuir. Bleu : c'est ainsi que Darlene aime ses immigrés clandestins. Elle note avec satisfaction que les jambes étonnamment robustes tremblent, tandis que la poitrine sans poils est bordée à l'est et à l'ouest de deux mamelons noirs qui ont tellement rapetissé qu'ils ne sont pas plus gros que les follicules pileux hérissés par la chair de poule qui les entourent. Le son des dents de l'immigré clandestin en train de claquer est musique aux tympans de Darlene.

« Enlève ton calbute, coco ! s'écrie-t-elle.

« Quoi ? » Il ne connaît que ce mot en anglais. Bras ballants, il ne bronche pas ; ses étroites paupières aztèques sont dilatées par la terreur.

De l'index, Darlene fait sauter le bouton, qui se sépare de cet ultime fil cousu en un été mexicain oublié depuis longtemps. Le jeune étranger a un hoquet. Le caleçon s'ouvre mais ne tombe pas, maintenu par les cuisses musclées. Un épais et noir buisson de poils pubiens apparaît dans sa totalité. Avec un cri de joie, Darlene fait descendre le sous-vêtement jusqu'aux cors du jeune homme. Qui crie. De honte. Mais elle crie aussi. De surprise. Car sous le buisson, nada.

Pudiquement, il tente de cacher ce néant avec ses

mains. « Tut tut, muchacho ! » Darlene écarte les mains, fixe le buisson noir et vide. « Qu'est-ce que ça veut dire ? fait-elle d'un ton mauvais. Serais-tu transsexuel ?

— Quoi ? gargouille-t-il.

— L'un de nous deux passe complètement à côté du sens d'une fouille intégrale, dit-elle avec humeur. Et ce n'est pas moi. »

Darlene tire une caisse jusqu'à elle et s'assied dessus de façon que la zone qui lui est du plus grand intérêt soit au niveau de son regard. Puis, avec précaution, elle enfonce ses doigts dans l'endroit où les cuisses tremblantes et frémissantes rejoignent le tronc. Victoire. Cachées par le buisson bouclé, elle trouve deux prunes minuscules que la peur et le froid cachaient à la vue.

« Voilà ! Il suffisait de les chercher », déclare-t-elle en les pressant entre ses doigts. Elle tire un gémissement de leur propriétaire. Elle sort son peigne de la poche de son uniforme Mainbocher et, soigneusement, sépare les poils pubiens par le milieu. Elle se voit alors récompensée par un gros plan exceptionnel sur ce qui est sans doute la plus petite et la plus verte (enfin, non : la plus bleuâtre) bite qu'elle ait jamais vue. La minuscule chose se dresse, son œil unique hermétiquement clos de terreur.

« Pour un violeur, mon petit gars, ce n'est pas brillant !

— Quoi ? »

Sans réfléchir, Darlene repousse le petit membre à l'intérieur, et le jeune homme pousse un cri. « Pas vu, pas pris » s'exclame-t-elle. Elle est loin de s'imaginer qu'à ce moment même, elle vient de donner naissance au futur chef impitoyable de ce qui sera bientôt connu dans le monde entier sous le nom de Société des Terroristes Aztèques, dont le cri « Le feu, et pas la prochaine fois ! » (en espagnol) démoralisera et déstabilisera tout Duluth.

Pourtant, tout au fond, et paradoxalement, Darlene a envie d'être chérie et protégée. Si « Chico » n'était pas si sérieusement marié, et si fortement noir, il aurait pu être la réponse à ses prières. Mais il est les deux, sérieusement et fortement.

Pour compenser, la vie au jour le jour de Darlene n'est faite que de fouilles nues intégrales, mêlées de rêveries. Elle raffole de ces romans romantiques et enchanteurs dans lesquels des hommes puissants et dominateurs, vêtus de capes, arrachent de farouches héroïnes à de terribles destins. Darlene affectionne particulièrement les romans de Klein Kantor. En vérité, son besoin de beauté et de tendresse est si fort qu'elle peut, au simple tomber d'un caleçon étranger, se transporter dans l'Angleterre de la Régence et se repaître des fantaisies imaginatives de son auteur préféré.

XII

Mr et Mrs Bellamy Craig II sont le point de mire de tous les yeux tandis qu'ils prennent place dans la loge royale, leur loge, de l'Opéra de Duluth. C'est le premier soir de la nouvelle saison. L'opéra est en italien, ce qui n'aide guère. Mais les Craig sont tenus, par leur position sociale, de présider à la première. Bellamy porte dans les oreilles des protège-tympan spéciaux qui coupent tous les sons. Comme un grand nombre de Duluthiens fortunés, il a appris très jeune à lire sur les lèvres ; c'est pourquoi il est en mesure de converser avec sa femme tout en n'entendant pas une seule note de musique.

« Je suis certaine, déclare Chloris pour dire quelque chose avant l'ouverture, que *tout le monde* est là et que nous sommes le point de mire de tous les yeux.

— Cela est dû à notre position sociale.

— Oui. » Entre mari et femme, les menus propos frisent souvent le minuscule, la bagatelle, comme l'on dit à La Nouvelle-Orléans voisine, dite « The Crescent City », dont la fille préférée tape juste à ce moment-là à la porte de la loge.

« Qui est-ce ?

— Oui, ce sont les boules Quiès, dit Bellamy.

— Oh, toi et tes stupides bouchons ! Enlève-les donc ! On frappe à la porte de ta loge royale. »

Chloris se lève. L'assistance retient son souffle. Tous les yeux, certains étant aidés artificiellement par des jumelles et des lorgnettes, sont braqués sur le chef incontesté de la vie sociale de Duluth, somptueusement parée d'une création de velours écarlate signée Christian Dior qu'elle a fait passer à travers les douanes américaines en cousant une étiquette Saks Fifth Avenue par-dessus l'étiquette Dior. Pas bête, la Chloris Craig. Fine mouche, comme diraient les classes laborieuses vivant dans les quartiers est de la ville.

Avec un geste qui n'est pas sans évoquer celui de la statue de la Liberté levant bien haut son godemichet électrique (et Chloris ressemble, les bons jours — et celui-ci en est un —, à la dame qui se dresse devant le port de New York), Chloris ouvre la porte de la loge royale. Debout devant elle, se trouve une petite femme pète-sec augmentée d'un appendice nasal digne d'un perroquet. Bien que sa mise ne soit guère soignée, il émane d'elle un air d'intensité que Chloris trouve troublant. A côté de cette femme, se tient un jeune homme de petite taille mais bien proportionné et soigné de sa personne, augmenté quant à lui d'un gros nez plat comme une pomme de terre. C'est la première fois que Chloris voit deux nez aussi énormes dans sa loge en même temps.

« Je suis Rosemary Klein Kantor », déclare l'inconnue en levant sa canne d'ivoire comme pour donner la bénédiction. Et en plus, c'est une estropiée, pense Chloris, déconcertée.

« La romancière ? (Chloris ne perd pratiquement jamais son " savoir-dire ".)

— Elle-même. Je réside à La Nouvelle-Orléans, juste de l'autre côté du marais. Je vous ai vue un jour signer vos livres chez Tess Crager. Vous visitiez notre bonne ville en tant que " Chloris Craig ".

— Exact. Ce soir, évidemment, je suis l'autre moi-même, Mrs Bellamy Craig II...

— L'arbitre de la vie sociale de Duluth, oui. Je ne vous aurais jamais reconnue d'après les photos de vous dans *Town and Country* et *Women's Wear Daily*... (Rosemary se tourne alors vers le jeune homme exquis quoique hypernasal.) Clive Hoover m'accompagne...

— Hoover ? fait Chloris, soudain tendue. Le nom me dit quelque chose.

— Mrs Craig, je suis très honoré. (Clive baise la main de Chloris, rendue forte et musclée par dix ans de maniement du godemiché électrique.) Ma mère vous portait aux nues. » Je vois tout de suite que c'est un dégénéré sexuel, se dit Chloris qui les reconnaît à chaque coup. S'il n'est pas architecte d'intérieur, il travaille dans les ordinateurs.

« Votre mère... euh... oui... (Le " savoir-dire " de Chloris est mis à rude épreuve.) Comment va-t-elle ?

— Elle chevauche dans d'autres plaines.

— Elle quoi ?

— Elle a traversé le fleuve d'oubli.

— Traversé le... ?

— Elle a déjuché.

— Déjuché ?

— Elle a cassé sa pipe ! » explique Rosemary avec cette franchise directe qui a fait de ses mots des projectiles qu'on craint à La Nouvelle-Orléans, tellement différents de son style d'écriture, régal du lieutenant Darlene Ecks, son admiratrice.

Rosemary Klein Kantor est la reine de la guimauve, style Harlequin. Elle est aussi l'héritière en titre de feue Georgette Heyer, qu'elle plagie allégrement. Au début de sa longue carrière, Rosemary a été, dit-on (c'est-à-dire qu'elle l'a dit en premier, puis que les autres l'ont répété), une célèbre correspondante pendant la Seconde Guerre mondiale, ce qui lui a valu de remporter le Prix Wurlitzer de journalisme, à savoir un poulpe fondu dans la masse d'un cube de plastique qui orne la cheminée de son bureau, situé dans le parc Audubon, partie chic de La Nouvelle-Orléans. A force de marmonner habilement le début du nom Wurlitzer, le mot s'est transformé au fil des ans en Pulitzer. Résultat : Rosemary est célèbre, et entend le rester. Une légende vivante.

Pendant cette conversation, Bellamy a fixé, hypnotisé, la scène de l'Opéra comme s'il écoutait la musique, qui n'a pourtant pas encore commencé. Il reste dos tourné aux nouveaux venus. Il n'aime pas leur allure.

« Voyez-vous, ma mère a péri dans une congère dans Garfield Avenue...

— Avec Edna Herridge ; oui, je sais. Je connaissais un peu Edna. Elle est dans « Duluth », à présent. Elle joue la sœur du juge. »

C'est au tour de Clive et de Rosemary d'être désorientés. Trop tard, Chloris se rend compte qu'elle en a trop dit, ou trop peu. De toute évidence, Edna n'a aucune envie que le fils de Beryl sache qu'elle, Edna, joue dans un feuilleton de télévision qui n'est pas encore bien rodé, comme on dit dans les milieux de la télévision. Chloris est déjà passée par là. Lorsque Wayne écrivit le premier « Chloris Craig », elle était partie à Paris avec un sac de voyage empli uniquement de ses articles de toilette indispensables, et d'étiquettes de Saks Fifth Avenue. Lorsqu'elle apprit que *Nelson Eddy, l'homme qui avait du feu dans le larynx,* faisait un malheur, elle faillit s'user les doigts à force de coudre des étiquettes Saks. Puis elle revint en triomphe à Duluth avec une malle de marin.

« Entrez donc et asseyez-vous avec nous », déclare Chloris en se rendant compte qu'avec ce seul geste de bonté, elle a fait atteindre à Rosemary et à Clive en même temps le premier rang social à Duluth, ce qui était le rêve de la mère de Clive, ce que Chloris ne sait pas mais que Clive sait.

« Avec le plus grand plaisir », répond Rosemary en prenant place royalement à côté de Bellamy, qui lui sourit. Chloris a soudain très envie que le nez de Rosemary soit plus petit. Elle se tourne vers Clive : son nez à lui aussi demande à être opéré. Qu'ai-je fait ? se demande Chloris en se sentant faible et en constatant que toute la salle ne parle que de ces nez extraordinaires que Mrs Bellamy Craig II a invités dans sa loge royale.

Heureusement, l'opéra a enfin commencé, et les nez perdent leur contour dans la faible lueur qui parvient du manteau d'Arlequin. Bellamy ferme les yeux et dort du sommeil des justes fatigués, pendant que Chloris se torture les méninges. Que lui a donc dit Edna Herridge à propos de la mère de Clive, Beryl ? Mis à part le fait qu'elle est maintenant dans une des créations de Rosemary ? Laquelle, d'ailleurs ? Il faudra qu'elle demande à Edna la prochaine fois qu'elle tombera sur elle dans « Duluth ». A moins que Rosemary ne sache.

Chloris devra y aller très prudemment avec Rosemary. Chloris sait combien le processus de la création est impénétrable.

XIII

Le capitaine Eddie est à présent à côté de l'engin spatial, accompagné de son fidèle second, le lieutenant « Chico » Jones, et de deux savants de l'université de Duluth.

« Nous avons de la chance que les gens ne viennent pas examiner cet engin », déclare à la dérobée le capitaine Eddie. De dérobée, il n'est pourtant pas besoin, car il a tout à fait raison : personne n'approche jamais l'engin. Dans l'ensemble, les gens ne l'aiment pas, le capitaine Eddie le premier. Mais le boulot, c'est le boulot.

« Chico » installe une grande échelle contre l'un des côtés de l'engin et, derrière le capitaine Eddie, monte, ainsi que les deux savants munis de scanographes, jusqu'au sommet de l'appareil.

De là-haut, la vue n'a rien d'impressionnant. Les tours

de Duluth sont d'un côté et le désert de l'autre. La Route 99 se trouve à deux bons kilomètres de là, encombrée par la circulation, comme d'habitude. Au loin, vers le nord, les Grands Lacs ressemblent à des rince-doigts peu profonds. Vers le sud, la brume permanente due aux raffineries de pétrole et aux étendues de riches dépôts vaseux recouvre La Nouvelle-Orléans, comme à l'habitude.

« Par temps clair, déclare le capitaine Eddie pour créer une ambiance " d'homme à homme ", on peut voir l'océan Pacifique, de cette hauteur.

— Mais non », répond sèchement un des deux savants d'un air suffisant. Il avance prudemment sur la partie caoutchouteuse qui borde le sommet de la capsule, tenant son scanographe à la main. Il regarde les cadrans qui se trouvent sur l'appareil.

« Pourquoi cet engin est-il tellement caoutchouteux ? demande le capitaine Eddie.

— Parce qu'il est fait d'une matière inconnue, répond l'autre savant, un type plutôt sympathique.

— Inconnue et *illégale ?* » demande automatiquement « Chico », qui espère en fait qu'elle n'a rien d'illégal car les prisons de Duluth regorgent déjà de toutes sortes d'inconnus tous plus illégaux les uns que les autres. Les pratiques du lieutenant Darlene Ecks provoquent plus d'arrestations qu'on ne dispose de places pour caser tout ce monde.

Le savant feint de n'avoir pas entendu « Chico ».

Le capitaine Eddie soupire. Il est presque décidé à se présenter à la mairie contre le maire Herridge. Plus que tout, le capitaine Eddie veut rouler dans la limousine municipale équipée de la télévision en couleurs et du bar. Mais il veut aussi le pouvoir, envie qu'il partage avec sa moitié, Mrs Thurow. Le capitaine Eddie a la plus haute opinion de sa femme.

« Ma foi, déclare le savant qui tient le scanographe, il s'en passe, là-dedans !

— Quoi, par exemple ?

50

— Eh bien... on dirait une fête. Je *crois* que j'entends de l'accordéon. Je ne reconnais pas l'air car je n'ai aucune oreille. Enfin, je me hasarde en vous disant cela, car nous, les savants, nous ne pouvons pas tirer des conclusions hâtives. Mais nous pouvons toujours risquer des interprétations érudites.

— Je vois... », fait le capitaine Eddie qui ne voit rien du tout. Qu'ont-ils besoin, ces extraterrestres, de venir faire la fête à la sortie de Duluth alors qu'ils pourraient faire cela sur leur propre planète ?

« A quoi ressemblent-ils ? demande le capitaine.

— Comment voulez-vous que je le sache ? » répond le savant qui a mauvais caractère. Mais son compagnon, le Dr Bon Gars, ajoute : « Ce qu'il y a, c'est que le scanographe ne nous indique qu'une forme générale. Ainsi, bien entendu, que le pouls et le cycle respiratoire. J'ajouterais, précise le Dr Bon Gars d'un air réfléchi, qu'ils ressemblent probablement à des centipèdes.

— Ce n'est pas là une interprétation érudite, rétorque le savant au mauvais caractère. Et vous le savez.

— Ma foi, *moi* je reçois des impulsions de centipèdes sur mon scanographe...

— Dr Bon Gars, nous est-il possible d'entrer en contact avec eux ? demande le capitaine Eddie d'un ton découragé. Ne pouvez-vous leur demander d'aller un peu plus loin ? Après tout, ils sont en contravention complète avec tous les règlements municipaux. En plus, j'ai l'air ridicule.

— Et puis si mon chef arrive à les faire partir, ajoute " Chico ", il prendra la mairie à Herridge dans un fauteuil.

— Oh, je n'irais pas jusque-là », réplique le capitaine Eddie, très gêné. Il n'a guère envie qu'on sache qu'il va peut-être se lancer bientôt dans l'arène. Les savants, toutefois, s'en fichent éperdument. Ils n'écoutent même pas. Le Dr Bon Gars est à genoux et, à l'aide d'un marteau, il tape deux fois sur le sommet de l'engin spatial, ce qui lui donne un certain mal, vu la matière caoutchouteuse dans laquelle l'engin est fait. « Il y a quelqu'un ? » dit le savant.

Un bruit épouvantable retentit à l'intérieur de l'engin. Les quatre hommes s'immobilisent. Ils n'ont jamais entendu un tel bruit. Ils sont pâles comme la mort. Ils n'osent plus bouger. Ils ne peuvent plus bouger. Le bruit monte et descend. Puis il s'arrête.

« C'est la première et la dernière fois que je tape là-dessus, dit le gentil savant d'une voix tremblante.

— Il vaut mieux, ajoute le capitaine Eddie, très secoué lui aussi. C'est l'affaire de l'armée de l'air. Je n'y peux rien. Je m'en lave les mains. » Mais cette matière caoutchouteuse rougeâtre leur colle aux mains et aux vêtements tandis qu'ils redescendent hâtivement l'échelle, sachant tous quatre qu'il leur faudra des heures pour la faire partir avec de l'essence et de la térébenthine.

« Je parie qu'il y a là-dedans des communistes ! » dit « Chico ».

XIV

Assis sur la péniche du *Paradis persan*, Chloris et Wayne admirent les patineurs qui glissent sur la rivière gelée. « Wayne, penses-tu que dans *Maman était " New look "*, les jambes de Betty Grable sont trop maigres ?

— Cela dépend de la photographie. Dans *Coney Island*, elle avait des guibolles superbes.

— Mais j'ai trouvé que le mollet gauche était trop maigre dans la scène de la promenade.

— Je crois que je sais maintenant qui a tué Betty. (Wayne a un côté taquin.)

— Oh, Wayne ! s'exclame Chloris qui ne s'est jamais sentie aussi proche de lui que maintenant. Je savais que tu finirais par piger. Qui est-ce ?

— Tout d'abord, ce fut, comme tu l'as toujours soupçonné, un crime passionnel.

— J'aime plus que tout les crimes passionnels.

— En effet. » Lentement, une lenteur à rendre fou furieux, Wayne finit le chiche-kebab qu'il a dans son assiette, tout en évitant le sabre flambant d'un dessert alambiqué que porte bien haut, comme le godemichet électrique de la statue de la Liberté, un étranger illégal qui n'a pas encore subi les outrages du lieutenant Darlene Ecks.

« Wayne, je suis tout ouïe. »

Pensivement, Wayne finit sa boisson, puis lâche : « Clyde Tolson. » Il n'en dit pas plus, mais ses yeux resplendissent, triomphants.

« Qui est Clyde Olsen ?

— Tolson. T majuscule. Te rappelles-tu la plus grande histoire d'amour qui n'a jamais été racontée ?

— Si elle ne l'a jamais été... (Chloris fait de l'esprit.)

— Mais elle a été murmurée. *Murmurée,* ma petite. Clyde Tolson était l'amant de J. Edgar Hoover, directeur du Federal Bureau of Investigation, dont il partagea toute sa vie l'appartement et le métier.

— Hoover ? (Chloris fronce : ce nom reparaît sans arrêt. Pourquoi ?)

— Voici donc comment je reconstitue ce qui s'est passé. Certes, il me manque un ou deux morceaux du puzzle, mais pour l'essentiel, tout est là.

— Vas-y, Wayne. C'est de première bourre, ton histoire.

— Merci. Donc, Betty rencontre Herbert.

— Herbert qui ?

— Herbert Hoover.

— Mais oui. Suis-je bête ! J'oublie toujours. Le col dur. Bien sûr. Vas-y, Wayne. Tous ces Hoover !

— Ils ont une liaison. Platonique. Ils s'en paient. Las Vegas. Les plages d'Honolulu. Palm Springs. L'Alaska de fond en comble. Le grand tour. Partout où les lumières brillent et où l'on brûle sa vie, on trouve Betty et Herbert.

— Mon Dieu, comme nos ancêtres s'amusaient !

— Oui. Mais il y avait un seul petit détail que Betty ne parvint jamais à contrôler.

— Comment faire photographier sa jambe gauche de manière à ce qu'elle n'ait pas l'air trop maigre...

— Ça, c'est un *autre* petit détail. Mais le gros détail, celui qui lui coûta la vie... Qui est cette personne qui te fait signe de la main ? »

Chloris lève la tête. Rosemary Klein Kantor et Clive Hoover (ce nom, toujours ce nom, pense Chloris) s'approchent pour dire bonjour. « Mer... credi ! » marmonne Chloris. « Oh, bonjour Rosemary ! Bonjour Clive ! » Elle leur fait un accueil gracieux. Après tout, ne les a-t-elle pas fait s'asseoir dans sa loge royale à l'Opéra ? « Je vous présente Wayne Alexander. Allez, nous nous présentons tous, et puis après, vous deux, vous vous taillez. D'accord ? »

Malheureusement il n'en sera rien, car les deux nouveaux venus trouvent Chloris tellement amusante. « Je prends un brandy » dit Rosemary en s'asseyant.

« Et moi, une liqueur, ajoute Clive à l'intention du garçon. Puis, se tournant vers Chloris : Le testament de Mère a été validé. J'hérite de cent millions de dollars, dont elle a plumé Papa, trois ans avant qu'il meure.

— Je vous aime bien, Clive, réplique Chloris en toute sincérité. Je vous aime vraiment beaucoup. Vous allez apporter quelque chose de formidable à la société de Duluth.

— J'espérais l'installer à La Nouvelle-Orléans, juste de l'autre côté de la passerelle. » Rosemary lance à Chloris un sourire de défi. Cela va être un combat à mort, pense Chloris. Mais elle gagnera. Elle gagne toujours. « J'ai trouvé pour Clive une résidence dans Audubon Park, ajoute Rosemary d'une voix froide, notre quartier chic et résidentiel...

— Qui n'a aucune vue, comparé à celle de Garfield Heights où (et Chloris de sortir son atout sous le nez même de Clive, pour ainsi dire) votre ange de mère espérait vous acheter une résidence.

— C'est absolument vrai, Mrs Craig. (Clive la dévore des yeux, avec passion.)

— Appelez-moi, Chloris.

— Chloris...

— Ecoutez, Chloris, dit Rosemary.

— Veuillez m'appeler Mrs Craig, Mrs Klein Kantor. En attendant de nous connaître assez pour nous appeler par notre prénom.

— Il y a très peu de choses que je ne connaisse pas de vous, ma chère ! » rétorque Rosemary, qui n'est pas du genre à avaler les couleuvres avec le sourire.

Elles vont se crêper le chignon, pense Wayne.

Quel style, pense Clive, partagé entre l'intellect de Rosemary et la position sociale ainsi que les nichons de Chloris.

Quel coup dégueulasse, pense Chloris tout en y allant de tout son charme. « Clive sera plus heureux ici, à Duluth, où nous avons des traditions. Un mode de vie plein d'agréments. De l'intellect. (Elle désigne Wayne, qui ressemble au *Penseur* de Rodin.) Ainsi que le siège de nombreux organismes officiels, qu'ils soient de l'Etat ou fédéraux.

— Sans oublier, dit Rosemary, un bureau de douane, si ma mémoire m'est fidèle... »

Chloris n'en revient pas. Comment cette femme est-elle au courant de l'histoire des étiquettes ? Pour une fois, aucune expression toute faite ne lui saute aux lèvres. Son « savoir dire » l'abandonne.

« J'ai toujours remarqué que vous, gens de Duluth (Graal, pour ainsi dire, de feu ma mère Beryl), aviez le chic pour ne pas vous commettre hors de chez vous, et j'avoue très honnêtement que je ressemble à ma mère en tous points, sauf un.

— Oh ! » Rosemary rougit. Bien qu'elle n'y aille géné-ralement pas de main morte, comme il se doit pour la lauréate du Prix Wurlitzer, elle n'en est pas moins l'auteur de romans de style Harlequin, dans lesquels, sauf comme partie indéfinie et innommée de l'aura masculine globale de ses fringants héros interchangeables, une bite a aussi peu de chances de faire son apparition qu'entre ses propres lèvres minces, même pour y trouver un havre temporaire.

Clive fixe froidement Rosemary. « Je parlais, Mrs Klein Kantor, de mon nez. Celui de Beryl avait été modifié. Pas le mien. Son rêve était que je le change avant qu'elle s'établisse dans Garfield Heights. »

Chloris commence à se sentir mal à l'aise, avec toutes ces histoires de nez. Elle tamponne le sien, une petite chose retroussée, avec un brin de poudre.

« Lorsque j'ai appris la nouvelle de la mort de ma mère dans cette congère au pied de Garfield Heights, je venais d'entrer (je n'avoue cela qu'à *cette* table) à la clinique du Dr Jasper à Long Beach, afin de conformer ma, disons-le, pomme de terre plate de nez à la *pomme soufflée* de Maman. Hélas ! Le matin où je devais subir la lame du docteur, j'appris que Beryl avait rejoint Tyr et Ninive. Je me précipitai à Tulsa, où elle devait être enterrée. Or à l'enterrement, imaginez ma surprise, et ma véritable nervosité, en voyant Rosemary Klein Kantor, que je ne connaissais pas personnellement mais, comme tout le monde, de réputation. C'est alors... (Clive s'interrompt et se tourne vers Rosemary.) A toi de raconter la suite, chérie.

— Le triste jour de la mort de Beryl Hoover...

— Ce nom ! murmure Chloris plus pour elle-même que pour les autres qui écoutent rarement ce qu'on dit.

— ... j'en étais au milieu du chapitre trois de *la Comtesse Mara,* qui se passe dans les Alpes suisses, à la clinique d'un célèbre chirurgien plastique, lorsque Beryl fit soudain son entrée dans le livre comme patiente. Beryl prit immédiatement ses aises. Elle prétendit qu'elle avait été amie de mon héroïne, la comtesse Mara, ce dont je doute...

— Mère dit parfois — disait, non, dit — qu'elle connaît

des gens de la noblesse alors que ce n'est pas vrai, avoue Clive.

— Nous le saurons au chapitre quatre, fait Rosemary d'un air un peu maussade. Mais tandis que je la faisais entrer dans mes pages avec verve et magie, comme je le fais pour tous mes personnages, j'ai... *senti* la congère. Mais en ce qui concerne le moment exact de sa mort, elle ne fut pas très ouverte.

— Mère est — était —, est scientiste chrétienne. La mort n'est pas son truc.

— Quoi qu'il en soit, elle me confia qu'en raison d'une sorte de gauchissement de la fiction auquel nous, plagiaires... je veux dire nous, auteurs — quel drôle de lapsus ! (Rosemary se laisse démonter)... elle se souvenait encore, tandis que je l'écrivais, de sa vie ici à *Duluth,* et voulait que je transmette un message urgent à son fils Clive. Quel message ? lui demandai-je. Trop tard ; elle était déjà trop intégrée à *la Comtesse Mara.* Intriguée, j'appelai toutes les maisons de pompes funèbres de Tulsa, et je finis par trouver où l'on allait la mettre à manger les pissenlits par la racine. La Nouvelle-Orléans n'étant qu'à deux pas de Tulsa, j'arrivai juste à temps pour assister aux obsèques de mon nouveau personnage, qui, sur la page, était pourtant bien vivant !

— Je suis ravi d'apprendre que Mère se porte si bien dans *la Comtesse Mara...,* fait Clive.

— Et quel était ce message urgent ? demande Chloris, toujours pratique.

— Je l'ignore, répond Rosemary sombrement. Voyez-vous, Beryl n'est plus autonome. De plus, elle a quitté *Duluth* à jamais.

— Ça, c'est impossible, à mon avis », déclare Wayne qui lit pour lui-même à voix haute au moins une fois par jour la phrase inscrite au sommet de la tour McKinley. Personne ne sait qui a mis ça là. Personne ne sait au juste ce que cela signifie. Personne ne se le demande vraiment, d'ailleurs, sauf Wayne qui est sûr qu'il s'agit d'une espèce de code qu'on finira par déchiffrer un jour.

« Beryl attend peut-être son heure », dit Chloris en espérant que ledit message, s'il est jamais livré, ne réduira pas d'un liard les cent millions de dollars certes touchés par l'inflation de Clive.

« Ou bien, ajoute Rosemary, elle s'apprête peut-être à faire une nouvelle apparition dans le feuilleton que j'écris actuellement pour *Redbook*.

« *Le Duc fripon ?* » Chloris n'oublie jamais les titres. Elle se souvient aussi qu'Edna lui a dit à la télévision que la mère de Clive était dans *le Duc fripon*.

« Oui. Mes personnages sont souvent, pour ainsi dire, des agents doubles. Ou même triples. Il y a effectivement un personnage nommé Beryl, mais pas Hoover, dans *le Duc fripon*, et si c'est bien la mère de Clive, il reste un espoir que ce message urgent...

— Dites-moi un peu comment, ronronne Chloris qui ne peut pas rester trop longtemps sur un même sujet, une personne pourvue d'un nez aussi... inhabituellement... gros... disons même aussi... énorme que le vôtre peut en savoir, sur la chirurgie plastique pratiquée dans les milieux sociaux élevés, suffisamment pour être en mesure de décrire, dans *la Comtesse Mara*, la vie et les plaisirs d'un chirurgien de cette spécialité. Travaillez-vous vraiment *entièrement* avec votre imagination, ce qui ne se fait pas, ici à *Duluth* ? »

Aussi petite soit-elle, Rosemary se redresse assez pour que son menton ne repose plus sur le bord de son verre à brandy. « Mrs Craig, j'ai subi, moi aussi, une chirurgie faciale.

— Vous plaisantez ?

— Non. Je suis de souche rabbinique ancienne. Malheureusement, je suis née avec un petit nez retroussé qui n'était pas sans ressembler à cette espèce de pétard à canon scié que vous...

— Mrs Klein Kantor ! s'écrie Chloris furieuse. Ce pétard à canon scié, comme vous dites...

— est un modèle ollé-ollé qui a cessé d'être à la mode à la fin des années soixante. Il a fallu deux ans pour façonner

58

ce tarbouif superbement évasé que vous me voyez ! Tout mon talon d'Achille gauche y est passé. C'est pour ça que je boite, d'ailleurs. Mais ça valait le coup, vous pouvez me croire ! A présent, je suis vraiment digne de mes ancêtres, tout en n'étant pas fausse, comme tant de Duluthiens.

— Mais quand même, Rosemary, déclare Clive qui la considère maintenant comme une mère de remplacement provisoire, votre nez n'est pas plus vrai que tous les autres. Ce n'est pas parce qu'il a été grossi plutôt que diminué qu'il est votre nez de naissance, n'est-ce pas ?

— Non. Mais c'est le nez que j'aurais dû avoir.

— Une essence platonicienne de nez, en somme ? demande Wayne.

— Je suis sexuellement pure, Mr Alexander, réplique Rosemary en rougissant. Je ne vis que des amours platoniciennes...

— Je crois, déclare Chloris en se levant, que nous avons fait le tour des nez. Je me réjouis que Beryl Hoover (votre mère, cher Clive) soit dans votre livre, Mrs Klein Kantor. De fait, je me rappelle maintenant que c'est ce qu'Edna Herridge m'a dit dans « Duluth ». Alors, bonne chance ! Et maintenant, Clive, je vais vous emmener à mon club de bridge...

— Pas l'Eucalyptus !

— Si, Clive, l'Eucalyptus. L'ultime refuge de l'élite. » Et Chloris de sortir à toute vitesse de la pièce avec Clive, un Clive débordant de joie. Socialement, il n'a jamais rêvé de monter si haut. Rosemary, pour sa part, fait quelque peu la gueule en se représentant le nouveau duo de Duluth, tandis que le nez pourtant bien équilibré de Wayne n'est pas sans se plisser, lui aussi.

A l'insu de ce quatuor mal assorti, chacune des paroles qu'ils ont prononcées a été enregistrée par le DPD. Plus tard, Darlene et « Chico » écouteront la bande magnétique, dans l'espoir d'apprendre quelque chose sur un revendeur de drogue bien connu qui fourgue sa came à cette table particulière de la péniche du *Paradis persan*. Comme on peut s'y attendre, « Chico » se barbe en écoutant toutes ces palabres de la haute, mais Darlene bave en entendant secrètement son auteur préféré et en apprenant que la femme qui se trouvait dans la congère avec Edna Herridge est à présent dans *le Duc fripon,* que Darlene vient de commencer de lire étant donné qu'il paraît en feuilleton mensuel dans l'ancien *Redbook* nouvelle façon, le magazine de la femme de carrière *mais* romantique.

XV

Le lieutenant Darlene Ecks avance prudemment sur la haute passerelle qui mène à l'entrée de l'hôtel Regency de Duluth. Elle a peur du vide. En outre, elle n'a pas oublié le récent effondrement d'une passerelle d'hôtel à Atlanta, Georgie, durant un concert de Duke Ellington.

Darlene essaie de ne pas regarder en bas, tout en bas, mais évidemment, elle ne peut regarder que là. Alors, elle tente de penser à sa mission : il se fait un commerce de drogue au Bar lunaire qui se trouve au bout de la passerelle. Darlene, pas en uniforme mais revêtue de sa tenue la plus « sexy », doit établir le contact avec le barman. Puis le coincer. Si elle réussit, elle prendra du galon. Encore faut-il qu'elle ne tombe pas dans les pommes de terreur sur cette passerelle.

A mi-chemin, Darlene fait ce qu'elle fait toujours quand elle a peur : elle se réfugie dans l'imaginaire. Elle recrée le dernier épisode du *Duc fripon,* situé à l'époque de la Régence, celle qu'elle préfère.

Radieuse et tiare sur la tête, Darlene entre dans la salle de bal. Les lustres de cristal brillent de tous leurs feux. Tous les yeux se dirigent sur elle. Elle porte une robe de dentelle blanc ivoire avec une longue traîne.

« Lady Darlene ! » clame le majordome.

Darlene, cou long mais aussi gracieux que celui d'un cygne, traverse la salle en direction du prince régent, un gros bonhomme qui soulève son monocle. Elle lui fait une superbe révérence.

« Tudieu, messire Hughes, quel look !

— M'accordez-vous cette danse, Lady Darlene ? Je suis le comte de Grantford.

— Je suis à vous, comte, mon chou. Je suis Lady Darlene.

— Je sais.

— Vous savez ?

— Oui.

— Comment ? »

Le dialogue de Rosemary Klein Kantor continue comme cela pendant des pages et des pages, et Darlene en savoure chaque mot. Pendant que son cavalier la fait tourner, Darlene est aux anges, jusqu'au moment où elle aperçoit un visage connu, un visage qui ne devrait pas être là mais qui est là, dans la foule. Une femme en noir. Grande. Rayonnante. De toute évidence, une Vilaine. Mais qui est-ce ? se demande Darlene en faisant une petite moue que le comte remarque.

« Je vois que vous l'avez avisée, Lady Darlene.

— Oh ! Ma moue m'aurait-elle trahie ?

— Votre visage est comme une surface de cristal à travers laquelle resplendit l'innocence de votre âme.

— Vous êtes un amour, comte. Mais qui est cette femme en noir ?

— C'est Beryl, marquise du Cyel.

— Oh, la mère de Clive Hoover ! Du moins, jusqu'à l'accident. Elle a un air... sinistre. (Darlene a un bref frisson.)

— Lady du Cyel est une espionne secrète de Napoléon Bonaparte.

— De qui ? Ah... oui ; bien sûr. Je vois qui », réplique Darlene avec un sourire étincelant. Pourtant, elle est un petit peu déçue, car quand elle se perd dans la romance, elle ne s'attend à rencontrer que des gens qu'elle ne connaît pas. Après tout, la vraie vie est assez triste comme ça.

Mais puisque Darlene est maintenant arrivée au Bar lunaire, elle peut sortir du *Duc fripon*, et de la passerelle, en se sentant soulagée. Décidément, elle n'aime pas Beryl.

Par la baie vitrée du Bar lunaire, on peut voir, comme par le hublot d'un vaisseau spatial, un panorama spectaculaire sur la luxuriance de cerisiers en fleur qui parent la crête des basses collines au-delà desquelles commencent les bois de Duluth. Nous sommes au début de mars. A Duluth, le printemps vient vite. Mais l'été vient tard. On pense que c'est dû à l'aérosol des atomiseurs qui a bouleversé le climat, sujet sur lequel Wayne Alexander a écrit un papier très dur dans son journal. D'un autre côté, le bulletin d'informations de dix-huit heures de la chaîne KDLM a évité ce même sujet comme la peste, étant donné que la laque pour cheveux en bombes à aérosol représente un gros budget publicitaire, quoique ces produits soient interdits depuis plusieurs années. KDLM sait toujours de quel côté la tartine est beurrée.

Au bar, deux garçons. L'un est grand et noir. L'autre est grand et blanc. Tous deux portent une veste rouge ornée de lunes. Une douzaine de racoleuses sont assises au bar ou aux tables en forme de lune et à dessus de formica, et un nombre assez important d'hommes, en général de la ville, se trouvent là aussi, oisifs et draguant les filles. Darlene trouve cela sordide. Mais elle sait que, sordide ou pas, ni elle ni personne au DPD ne peut mettre fin aux activités immorales du Bar lunaire ou ailleurs, puisque tout le monde graisse la patte du maire Herridge, ce qui dégoûte le capitaine Eddie qui est impuissant quand il s'agit de s'en prendre aux petits copains que le maire a mis aux postes de confiance.

La chance veut que le bulletin d'informations de dix-huit heures passe justement au moment où Darlene s'assied au bar et commande un brandy Alexander au barman noir.

Le maire Herridge est interrogé à l'hôtel de ville par

Léon Citrouille, qui depuis quelque temps s'occupe moins de sports et plus de politique, au grand dam de ses nombreux fanatiques.

Léon : « L'armée de l'air pense que ce vaisseau spatial peut être une arme secrète russe.

— Je ne crois pas », rétorque le maire en arrachant le gros cigare noir qu'il fume toujours sauf devant les caméras, puisqu'il n'est pas bon pour l'image d'un politicien corrompu d'être vu fumant un long cigare comme un politicien corrompu. Herridge est un type imposant à la voix mielleuse. « Deux savants de l'université de Duluth ont examiné l'engin en février dernier et l'un d'eux, un certain Dr Gars, a déclaré qu'il venait d'un autre monde.

— Lequel ?

— Il n'a pas su dire. (Oh, le maire sait y faire, songe Darlene.) La question, c'est qu'il n'y a pas d'étiquette dessus qui dise ce que c'est ou même ce qu'il contient, ce qui signifie que, d'où qu'il vienne, ces gens-là n'ont pas de loi sanitaire sur les aliments et les drogues. A mon avis, cela indique un type de régime autoritaire ou même peut-être totalitaire.

— Diriez-vous que l'engin est comestible ?

— Le Dr Gars pense que c'est possible. Ils n'ont pas fini les analyses de la matière rouge dont l'engin est fait.

— Je vois.

— Oui.

— On dit que le capitaine Eddie Thurow...

— Hip, hip, hip, hourra ! fait doucement Darlene, le nez dans son brandy.

— ... du DPD a l'intention de se présenter contre vous, Monsieur, comme maire.

— Si c'est vrai, je lui coupe le sifflet. »

Là-dessus, le barman noir change de chaîne.

Darlene l'examine attentivement. Il est le revendeur de drogue présumé. Ebène clair de couleur, ses cheveux sont coiffés « afro ». Il n'est pas vilain du tout, avec son petit nez. Fondamentalement, Darlene n'a rien contre le croisement de races. Après tout, cela fait des années qu'elle baise avec « Chico ». Mais un flic qui s'envoie en l'air avec un autre flic, ce que Darlene est, en dépit de ses rêveries romantiques, ce n'est pas si grave. De plus, elle connaît « Chico » comme sa poche ; ses espérances, ses craintes, sa femme, ses enfants, sa collection de timbres, ainsi que son penchant pour le sadomasochisme et la bière Heineken. Ils sont comme frère et sœur. Il n'y a plus de mystère ; ce n'est plus le grand frisson.

« Que puis-je pour vous, mademoiselle ? » Le revendeur présumé a des manières malicieuses, un rien impertinentes. Un vrai mec.

« J'aime les sports d'hiver. » C'est la phrase codée.

« Pas possible ! Mais c'est le printemps, pour le moment... Vous voyez ces cerisiers en fleur ?

— Eh bien moi, j'aime la neige. »

Le barman la regarde longuement. Puis, de la tête, il lui fait signe d'entrer dans la penderie qui se trouve à côté des toilettes des dames. Darlene, cœur battant, entre d'un air nonchalant dans la penderie, une petite pièce sans fenêtre équipée d'un évier et d'étagères couvertes de verres et de caisses de soda sans sucre.

Darlene s'entrevoit brièvement dans une petite glace accrochée à l'intérieur de la porte, à côté de laquelle pend un peigne d'acier que le barman utilise pour arranger sa coupe « afro ». Darlene décrète qu'elle n'a jamais été plus belle. Ses yeux bleu pâle pétillent d'aventure. Ses joues respirent la santé. A vingt-sept ans, Darlene Ecks se plaît énormément.

La porte s'ouvre. Le barman se glisse à l'intérieur, puis ferme la porte à clé et lui fait un gros clin d'œil.

« Hé, poulette, combien t'en veux ?

— Un gramme.

— Cela va te coûter cent cinquante dollars, dit-il en prenant une cuillerée de cocaïne dans un flacon empli à ras bords de péruvienne immaculée.

— Et à *toi*, il va en coûter entre cinq et dix ans de taule, avec réduction du temps de peine pour bonne conduite à partir du vingtième mois » rétorque Darlene en sortant son fidèle revolver de son sac. La mâchoire du barman en tombe. Mais il ne fait pas pour autant tomber la précieuse poudre. Il la dévisage, muet.

« Je suis le lieutenant Darlene Ecks, brigade des homicides... et parfois des stupéfiants. Ton pote a craché le morceau, Big John. (C'est ainsi que le barman est connu de ses complices.)

— Le fils de pute, marmonne Big John en remettant la cuillerée dans le pot.

— Que planques-tu d'autre ici, Big John ?

— Rien.

— Rien, *Madame*. (Darlene est tatillonne sur la politesse.

— Madame... (Il lui jette un regard meurtrier.)

— Je ne te crois pas, Big John. Nous allons jeter un petit coup d'œil sur tous ces pots ouverts. » Pendant que Big John lui présente l'un après l'autre les pots pour qu'elle les inspecte, elle joue moqueusement avec les menottes qu'elle va refermer dans un moment sur ses poignets d'ébène, le préambule préféré de « Chico ». Mais en quelque sorte quelque chose, un petit oiseau, dit à Darlene que Big John ne fait pas dans le sadomasochisme. Du moins pas du côté qui reçoit.

Une fois Darlene fixée sur le vide effectif des différents pots, elle décide de s'amuser un peu. Elle n'ignore pas qu'elle excède l'exercice du pouvoir auquel l'autorise le règlement du DPD, mais dans certains cas très spéciaux, un lieutenant a le droit d'enfreindre une règle ou deux si cela paraît justifié.

Jusqu'à présent, Darlene n'a fait de fouille nue qu'à des Mexicains. Il en résulte, pour dire la vérité, qu'elle commence à s'ennuyer en voyant toujours les mêmes cors aux pieds. Mais Big John, lui, est grand et noir ; un ébène des plus luisants. De plus, il est vraiment beau gosse. Qui n'essaie rien n'a rien, se dit-elle, résolue.

« Allez, Big John, à loilpé !

— Que voulez-vous dire... Madame ?

— Je veux dire que je vais te fouiller intégralement. Je

suppose que tu sais ce que ça signifie, puisque d'après ton dossier, tu as déjà été en prison.

— Un coup monté par de sales Blancs...

— Mais cette fois-ci, ce n'est pas un coup monté. Je t'ai pris sur le fait avec la camelote.

— Ce salaud de mouchard...

— Allez, déshabille-toi.

— Me quoi ? (Big John a l'esprit moins vif qu'elle l'avait d'abord cru.)

— Enlève-moi en vitesse tes frusques que je voie ce que tu planques sur ta personne.

— Je ne planque rien sur moi. Je vous jure ! (Il se met à suer ; elle se met à mouiller. Elle porte le caleçon de sport sous l'uniforme Mainbocher qui n'est jamais démodé.)

— C'est ce qu'on va voir. Vas-y.

— Ah, merde ! » Mais il s'exécute. Il enlève sa veste, son faux nœud papillon puis, lentement, déboutonne sa chemise blanche. Quand Darlene aperçoit le premier cm^2 de la poitrine lisse, brillante et musclée, elle se dit : Quand je pense que j'ai failli faire des études de comptabilité !

XVI

Beryl ne sait trop que penser de cette jeune femme blonde et assez vulgaire, Lady Darlene, qui la dévisage au bal Bessborough donné pour le prince régent.

Bien qu'elle ne soit plus en deuil de feu son mari, Beryl, marquise du Cyel, s'habille encore en noir parce que le noir va au blanc camélia naturel de sa peau. Le noir va aussi à son humeur habituelle. Enfin, le noir est plus facile pour Rosemary Klein Kantor qui, ce qui est assez étonnant pour un auteur à gros tirages, n'a aucun sens vestimentaire.

Serait-ce la nouvelle maîtresse du prince régent ? se

demande Beryl quand Darlene, passant à côté d'elle, lui lance à voix basse : « Beryl Hoover ! Que faites-vous là ? »

La marquise du Cyel ne salue pas la péronnelle. A ce moment de notre fiction vraie, ou vérité fausse, notre Beryl Hoover a toujours sa pipe aussi cassée que dans l'expression bien connue. Plus tard, bien entendu, lorsqu'elle passera de *la Comtesse Mara* au *Duc fripon,* elle se rappellera, à temps, qui elle était et le danger que court son fils Clive.

D'autre part, Edna Herridge présente un tout autre cas. Actuellement, elle vit à l'hôtel Montecito de Hollywood, où descendent tous les grands acteurs new-yorkais (elle est de New York, pour le moment ; divorcée, deux enfants), et elle tourne dans « Duluth », un feuilleton dont on commence à parler. Edna aime bien le réalisateur. Edna a besoin de gagner de l'argent. Edna déteste faire la route jusqu'aux studios Universal à Burbank, mais elle n'a pas le choix puisque c'est là qu'on tourne. Souffrant d'un défaut de perception des distances, elle redoute un accident mortel.

A la moitié du quatrième épisode (nous ne trahissons là aucun secret, puisqu'au moment où vous lirez cette page, le tournage de « Duluth » aura été interrompu), Edna va heurter un camion de déménagement et mourir sur le coup. Elle sortira aussitôt de « Duluth », le feuilleton.

Edna n'a pas de chance avec les voitures, ces derniers temps ; elle serait la première à vous le dire si elle se souvenait. En entrant en collision avec ce camion de déménagement, elle sera une nouvelle fois absorbée par le continuum où prévaut la loi relative d'unicité absolue, après quoi elle fera encore bonne figure dans tout un éventail de textes allant d'une version abrégée d'une histoire interminable de James Michener à un récit menaçant de William Gass.

A ce moment-*là*, néanmoins, Edna se rappelle avoir vécu une autre vie. Ou une vie parallèle. Laquelle des deux, elle n'en est pas bien sûre. Elle s'étonne de voir Chloris au lit avec un godemichet électrique. Chloris n'est pas le genre de femme qu'Edna, plutôt prude dans *Duluth* bien que secrètement alcoolique et pourvoyeuse de plaisirs dans « Duluth », aurait cru capable de faire ce geste sur elle-même. Edna parvient cependant à rester maîtresse d'elle-même en regardant à travers l'écran de télévision Chloris qui la regarde aussi, trop surprise pour arrêter le petit appareil.

Après leur conversation, Edna essaie d'appeler le maire Herridge de *Duluth,* mais elle s'aperçoit que la ville de Duluth de sa nouvelle fiction vraie n'est pas sa bonne vieille Duluth, ni *notre* seule et unique Duluth, qu'on ne quitte ni n'oublie jamais. D'une certaine façon, cela soulage Edna. Mais, à chaque instant qu'elle passe sur le plateau de « Duluth », elle est également hantée par l'idée qu'un témoin de son ancienne vie ou de sa vie parallèle pourrait soudain bondir hors de l'objectif de la caméra. Devrait-elle reprendre son analyse ? A dire vrai, Edna Herridge a peur à présent de la folie.

D'un autre côté, la marquise du Cyel, à qui le nom Hoover ne dit toujours rien, prend énormément de plaisir à l'intrigue du *Duc fripon.* Quel personnage, il est vrai, qu'il soit mort ou vif, ne prend pas plaisir à se trouver, dans les premières pages du moins, dans un livre de la Klein Kantor ?

« C'est comme une bouffée d'ozone le plus pur », dira le capitaine Eddie lorsqu'il fera *son* apparition en Napoléon Bonaparte dans *le Duc fripon.* Mais cette page-là, elle viendra un peu plus tard.

XVII

Entre-temps, le capitaine Eddie Thurow s'est lancé dans l'arène. « C'est exact, les gars ; je me lance dans l'arène ! »

C'est ce qu'il annonce à la presse rassemblée dans la salle des banquets de la Ramada Inn. Quelques applaudissements, bien mérités, car le capitaine Eddie est le premier chef de la police depuis vingt ans à ne pas avoir été inculpé au moins une fois pour acte de corruption. A Duluth, c'est une sorte de record.

L'Occidental qui fait partie de l'équipe de l'information de KDLM lève le micro devant la bouche du capitaine Eddie.

« Capitaine Eddie, prévoyez-vous un match serré entre vous et le maire dans les prochaines primaires ?

— Disons que mon jeu sera prudent », répond le capitaine Eddie avec un rictus. Au fond de la salle, « Chico » lui fait signe, les deux pouces levés.

« En fait, s'interpose Wayne Alexander, c'est la première fois que vous concourez.

— Je n'en disconviens pas. (Le capitaine Eddie garde son calme.)

— Si vous êtes élu, rouvrirez-vous les bibliothèques et les salons de massage ? demande l'Occidental.

— Ceux qui devraient être ouverts seront ouverts. Je procéderai entièrement cas par cas.

— Recruterez-vous davantage de forces de police afin de lutter contre la vague de criminalité due aux immigrés clandestins des quartiers ethniques de Kennedy Avenue ?

— J'en ai fermement l'intention. Il nous faut la loi et l'ordre. Il nous faut plus de policiers. Plus de prisons. Et (le capitaine Eddie s'interrompt pour créer un effet dramatique)... plus d'exécutions publiques telles que celles qui valurent à nos ancêtres, ici à Duluth, la renommée dans tout le Minnesota, et même jusqu'à la Louisiane voisine ! » Dans la salle des banquets, c'est le charivari. Voilà un discours taillé pour la victoire. Seul Wayne Alexander, libéral et empêcheur de tourner en rond professionnel, fait la grimace. Mais personne ne remarque cette grimace.

« Qu'allez-vous faire, hurle-t-il alors, pour l'engin spatial ?

— Si je deviens maire, je veillerai à ce qu'on le transporte de l'autre côté de la frontière, au Mexique... (les acclamations reprennent)... où il offrira aux touristes une telle attraction que nos petits voisins mexicains diront *gracias* à l'Oncle Sam tout en remboursant les intérêts de l'argent qu'ils ont emprunté à la First Duluth National Bank ! » Ce coup-ci, le capitaine Eddie est dans l'arène, et comment !

A portée de balle de la Ramada Inn, une douzaine de petits voisins mexicains sont assis au fond d'une masure, dans un barrio, dont la pièce de devant est occupée par les femmes qui stoïquement repassent des tacos, plient des enchiladas et découpent des tortillas.

Quand Darlene Ecks avait fait rentrer le *membrum virile* de Pablo à l'intérieur de son corps, le fer, comme on dit à Puerto Vallarta, était entré dans l'âme du garçon.

« Je veux tuer », déclare Pablo à la Société des Terroristes Aztèques nouvellement constituée. Comme un seul terroriste, tous les autres opinent du chef, et leur visage aztèque inexpressif se tord d'une haine partagée pour Darlene Ecks.

L'initiation de chaque terroriste comprend un acte perpétré sur un agrandissement d'une photo de Darlene dans son uniforme Mainbocher toujours à la mode, posé sur une vieille couverture et sur lequel les jeunes humiliés viennent cracher tour à tour pendant que Pablo se soulage sur l'image honnie.

Lorsqu'ils se seront emparés de l'original de la photo, les terroristes aztèques la violeront à la chaîne, la mutileront, puis la tueront. Tandis qu'ils discutent des choses horribles qu'ils vont faire à Darlene, leur barreau se durcit et leurs pendentifs se contractent.

Mucho macho est en jeu. Pour chaque terroriste aztèque, son barreau est un serpent à plumes, perpétuellement prêt à servir et à être servi par les sombres divinités du sang. Il est vrai que, du Yucatán à Tijuana, tout le monde sait que le prophète du macho n'est autre que

D. Herbert Lawrence, auteur de *Kangourou*, la bible des immigrés clandestins du monde entier.

XVIII

L'Eucalyptus, club de bridge et de trictrac, se trouve dans un vieil hôtel particulier de Garfield Heights, qui domine les bois de Duluth. L'ambiance à l'Eucalyptus est fort différente de celle de la masure du barrio.

Chloris et Clive s'entendent fameusement bien. Ils jouent au trictrac dans la bibliothèque aménagée avec goût du club, ancienne demeure d'une vieille famille créole de Duluth aujourd'hui éteinte. Mais la crème de la crème de la bien vivante société mondaine de la ville passe maint après-midi et mainte soirée aux tables de bridge, de trictrac et de chemin de fer, ainsi que devant la rangée de machines à sous que le maire Herridge a, illégalement, offertes au club après une razzia dans une salle de jeu illicite. Le seul endroit légal où l'on joue à Duluth est le Ranch du Mecton, près de Lincoln Groves. Le Ranch est le plus grand casino du monde et le plus mystérieux, puisque personne ne sait qui est le Mecton. Celui-ci, ou bien un correspondant qui parle pour lui, téléphone ses instructions au maître d'hôtel, qui n'a jamais vu son patron. Beryl Hoover a eu la malchance de découvrir par hasard son identité.

A l'Eucalyptus, des serviteurs noirs en livrée venant de La Nouvelle-Orléans toute proche titubent en tous sens, portant des plateaux de menthes alcoolisées et de Docteur Pepper [1] que les membres du club affectionnent. L'ivresse constante des serviteurs noirs est bien connue dans Garfield Heights.

1. Boisson sucrée consommée en Amérique. (NdT)

Chloris vient de rafler huit mille dollars à Clive au trictrac, et elle est en vérité d'excellente humeur. « Comme j'eusse aimé connaître Beryl, votre mère !

— Vous eussiez fait les meilleures copines, ment Clive.

— Malheureusement, Beryl n'est plus. A jamais. Mais la place qu'elle rêvait de conquérir ici, à Duluth... oui, ici même, dans Garfield Heights... cette place peut être à vous !

— Oh, Chloris ! » Impulsivement, Clive prend la très grosse main de sa compagne dans sa petite menotte. Se rendant compte qu'un des serviteurs ivres en livrée observe ce geste potentiellement compromettant (avec la position sociale qu'elle occupe, Chloris doit être au-dessus de tout soupçon, comme un casino de Las Vegas), Chloris retire sa paluche et dit au serviteur dans ce français qu'on parle dans le Vieux Carré de La Nouvelle-Orléans, de même que dans toutes les familles duluthiennes d'arrière-garde — ce n'est pas pour rien que Chloris est née du Lhut des Bois : « *Portez-moi un Docteur Peppé.* » Promptement, le serviteur en livrée obéit.

« Comme ce doit être bien de posséder un savoir-faire aussi bien qu'un savoir-dire total ! » s'exclame Clive en se demandant : Suis-je amoureux ? L'est-elle aussi ?

Le suis-je ? se demande Chloris en se mettant déjà à penser un tout petit peu en français. Ces derniers temps, Wayne Alexander a fait office de machine à écrire *cum* godemichet électrique plutôt que d'amant véritable. Après tout, Chloris a maintenant trente ans (ou quarante, selon quel dentiste la mouchardera), alors que Clive n'en a que vingt-cinq et qu'il est fait au moule, même s'il est petit ; en somme, un John McEnroe de poche. Chloris est fanatique de tennis et elle adore l'actuel champion au mauvais caractère, sauf le nez, celui de Clive (pas celui de McEnroe, bien qu'elle n'aime pas tellement le bout de celui du tennisman), nez qui devra disparaître. Elle se dit qu'elle va s'y prendre délicatement. « Au sujet de votre blase, commence-t-elle délicatement.

— Mon quoi ? »

Chloris repense soudain aux cent millions de dollars. « Au sujet de votre blazer, corrige-t-elle en souplesse (elle en viendra au sujet brûlant au moment voulu), savez-vous que le tailleur de Bellamy est un crac ?

— Mère m'achetait toujours mes frusques au rayon jeune garçon du Bon Marché de Canal Street. »

Chloris sent son cœur serré par une main glaciale. « Clive » dit-elle. Il pose le gobelet de trictrac en entendant ce nom connu.

« Oui ?

— Votre mère était-elle possessive, exigeante et dominatrice dans sa façon de vous aimer ?

— Cela décrit assez bien Beryl, en effet.

— Votre père était-il faible, passif et très souvent absent de la maison ?

— Vous voulez dire avant sa mort ?

— Oui, bien entendu. Il a dû être très absent de chez lui après sa mort.

— Ma foi, oui. Cela décrit assez bien Papa, non seulement avant sa mort mais aussi il y a trois ans, lorsque Maman l'a plumé en divorçant de lui et a raflé les cent millions.

— Je vois... » Chloris boit à petites gorgées son Docteur Peppé. La bibliothèque aménagée avec goût, avec le feu qui crépite, les tentures de velours, les antiquités rares et les mondains distingués ont perdu soudain pour elle toute chaleur et toute sécurité. Une ombre que perçoit même l'intuitif Clive descend sur ce visage qui n'était qu'éclat l'instant d'avant. Chloris commence à voir Wayne sous un autre jour. Bien qu'il la rase, ils ont quand même le livre sur Betty Grable à finir, ainsi que de bons moments au pieu encore, de temps à autre, et...

« Chloris... (Il y a une urgence dans la voix de Clive.)

— Hmmmh ? (Chloris est absente.)

— Je sais ce que vous pensez. Vous pensez que je suis du genre fils efféminé à sa maman. Immature. Inapte à répondre à un amour *hétéro*sexuel chaud et mûr. Allez, avouez ! N'est-ce pas ce que vous pensez ?

— Vous me prenez les mots de la bouche, répond-elle en hochant lentement la tête.

— Eh bien, je veux que vous sachiez que je fais dans la minette, et à fond.

— A *fond*, Clive ? (Les yeux de Chloris pétillent.)

— Absolument et totalement jusqu'au fond ; sans limite et sans restriction.

— Pourquoi ai-je douté de vous ?

— Beryl, je suppose. Et les vêtements du rayon garçon. Mais vous auriez dû deviner immédiatement qu'avec un nez comme le mien, je suis un homme et un vrai !

— Clive, ah mon chéri ! » Chloris est amoureuse. Pour la première fois. Absolument la première fois, se dit-elle. Qui d'autre a compté, après tout ? « Promettez-moi une chose, Clive.

— Je vous promettrais la lune, Beryl... euh, je veux dire, Chloris.

— Ne faites jamais retoucher votre nez !

— Plutôt perdre mon zizi, Chloris.

— Si jeune et déjà si sage... (Elevant la voix.) *Encore, serviteur noir en liverie, un Docteur Peppé.* » Chloris est heureuse. Clive aussi. Le serviteur noir en est gaga d'ébahissement.

XIX

Beryl, marquise du Cyel, ne se souvient toujours pas de *Duluth,* de son fils Clive, de la congère fatale. Elle est trop absorbée par la soirée du chapitre quatre du *Duc fripon.* Le Tout-Londres chic y est, y compris le très grossier mais très liant prince régent, Reggie pour ses proches.

C'est l'heure du thé. Des hommes beaux portant fraise et ordres scintillants autour du cou boivent du thé en riant avec Reggie, mais en ne se riant jamais de lui. Des femmes superbes, tiare sur la tête, sont assises de-ci de-là dans l'immense salle, jouissant du feu qui crépite et de leur spirituel discours. Elles mangent force biscuits et gâteaux au chocolat.

Mais si Beryl feint de participer au joyeux goûter de Blenheim Palace, elle surveille en fait Lady Darlene, une racoleuse comme Beryl n'en a jamais vu. De plus, et c'est la crainte secrète de Beryl, Lady Darlene pourrait parfaitement être une contre-espionne.

Pis encore, le matin même, pendant qu'elle traquait un gibier à se mettre sous la dent, Lady Darlene a fait à Reggie des avances sur lesquelles on ne peut se tromper. Quelle honte, songe Beryl, qui a toujours eu un faible pour l'héritier du trône. Depuis qu'elle est veuve, celui-ci a pris l'habitude de lui confier ses espoirs et ses rêves. Il voudrait reconquérir la France. « Après tout, elle est vraiment à nous, savez-vous ? » lui a-t-il dit au petit déjeuner, lors du tout premier épisode qui a lancé cette intrigue à tout casser.

« Oh oui, sire ! Vous le devez ! avait-elle répondu au malheureux, loin de soupçonner qu'elle est en fait un agent de Napoléon Bonaparte, que jouera bientôt le capitaine Eddie Thurow.

— C'est vrai, merde, quoâ ! Cela sert à ça, un régent : à conquérir des trucs. Vous aimeriez posséder Paris, non ?

— Oh oui, sire ! » avait-elle répondu. Pour ce qui est des personnages, Beryl, marquise de Cyel, n'est pas une de ces « permanentes » grâce auxquelles Rosemary Klein Kantor fait tourner les pages, mais elle a son utilité, et son utilité à ce moment particulier est de tenir le bon bout contre Lady Darlene, de la faire chasser de Blenheim Palace et même de toute la société de la Régence.

La veille au soir, Beryl a remarqué que le porte-flambeau qui précédait Darlene dans le grand escalier était un grand et beau jeune homme couleur d'ébène dont on trouve rarement des spécimens dans ce type de roman situé dans l'Angleterre de la Régence. Il est vrai que depuis l'amendement sur l'égalité des droits, Rosemary donne à fond, dans ses livres, dans l'intégrationnisme et relève autant qu'elle peut le niveau de tout membre de minorité ethnique et/ou de toute femme.

Est-ce mon imagination, se demande à présent Beryl, qui me fait croire que Darlene et ce jeune Noir ont parlé un peu plus longtemps qu'il n'était absolument nécessaire à la lumière vacillante de son flambeau énorme devant la porte de chêne massif de la chambre de Darlene au bout du long vestibule du premier étage de Blenheim Palace ?

Soudain, Darlene se lève de l'endroit voisin de la grande cheminée où elle est assise, regarde autour d'elle furtivement, puis sort précipitamment de la salle.

Un rendez-vous ! Beryl sourit sèchement. Voici le moment de prendre la délurée sur le fait. Tous les regards étant braqués sur le prince régent, qui n'a jamais fait montre de plus d'esprit, Beryl a la possibilité de se glisser hors de la salle plutôt que d'en sortir précipitamment.

Beryl arrive dans le long corridor juste au moment où Darlene referme la porte de sa chambre. A pas de loup, Beryl court jusqu'à la porte de chêne massif sur laquelle est accrochée cette curieuse pancarte : « Penderie ». Une penderie là ? se demande une Beryl estomaquée. Que vient faire une penderie parmi les chambres installées avec goût pour les nobles hôtes ? Mais voilà qu'elle entend des pas. Elle a tout juste le temps de se soustraire à la vue derrière la plus proche tenture avant que le porte-flambeau d'ébène apparaisse sur la scène, pupilles mauvaises brillant et lèvres humides entrouvertes par la concupiscence.

Puissant flambeau en main, il ouvre de l'autre la porte marquée « Penderie ».

XX

Le lieutenant Darlene Ecks, brigade des homicides, éprouve une certaine difficulté à garder son calme dans la penderie du Bar lunaire du Hyatt de Duluth. Big John a lui-même un problème, où se mêle avant tout la peur, suivie de près, comme toujours, par le désir.

Big John est à présent nu comme un ver. Darlene n'a jamais rien vu de tel : les muscles magnifiquement développés mais non hypertrophiés, la ligne pelvique de Mars, les longues jambes de Watusi évoquant quelque peu une cigogne, la sueur parfumée qui coule sur les flancs depuis les aisselles harmonieusement décorées d'un fin réseau de fils noirs, et ses mains jointes derrière son cou afin qu'elle jouisse d'une pleine vue frontale et de toute cette splendeur africaine.

Darlene affecte un manque d'intérêt apparent pour les puissants organes de reproduction qui pendent le long des fermes cuisses. Les deux breloques se balancent comme un pendule, résultat de la taille et du poids supérieur de celle de gauche.

Une balle de base-ball ? Non, une balle de tennis, c'est plutôt cela, se dit-elle en prenant doucement l'énorme scrotum dans la paume de sa main gauche tout en tenant de la droite le fidèle pistolet qu'elle ne quitte jamais.

« Un faux mouvement, animal de la jungle, et tu les perds ! » déclare Darlene en soulevant la lourde masse pour chercher de la drogue, excuse qu'elle se donne pour expliquer son désir pour la première fois de sa vie totalement éveillé, si différent de la vulgaire titillation que lui valait de briser le machisme du porteur de prunes latino-américain moyen, voie assez agréable pour tuer une heure de temps à autre, mais tout de même pas le bout du — tiers monde.

Darlene lève bien haut les balles de tennis de Big John,

sauf que les balles de tennis ne sont pas oblongues. Non, on dirait plutôt des… elle se creuse le cerveau… *des avocats* ! C'est ça ! Elle a trouvé la comparaison exacte. Darlene préfère toujours une comparaison à une métaphore, résultat de sa première et seule année à l'université de Duluth où elle a failli faire des études de comptabilité.

Oui, deux avocats, l'un plus gros que l'autre, dans un sac de chamois noir spacieux, dont elle remarque en passant qu'il est trop grand pour ce qu'il contient. Serait-ce dû à la chaleur de la penderie ? Dans sa main experte, les bourses se resserrent toujours, d'habitude. Big John a peut-être ingurgité de la drogue. Et la peur tend à minimiser la capacité de turgescence. Or, pour avoir peur, il a peur, si la sueur en reste bien le signe de base.

Darlene appuie le pesant paquet contre le ventre plat de Big John, et l'organe arrive à un cheveu près au nombril protubérant, découvrant ainsi le périnée luisant que ponctuent des poils noirs torsadés comme autant de cactus dans le désert. Elle note, plus avec courroux qu'avec chagrin, que des petits paquets de drogue dure ne sont pas dissimulés dans cette zone hautement protégée.

« Pourquoi… ? » Big John n'a pas assez de souffle pour terminer sa phrase. De quoi a-t-il réellement peur, se demande-t-elle. Qu'essaie-t-il de lui dire ?

« Oui ? » Darlene lui décoche un sourire triomphant en même temps qu'elle se met à lui rouler un avocat contre l'autre. Les garçons détestent cela, a-t-elle remarqué.

Big John sursaute. « Ouille ! »

Darlene se dit que même au toucher, on dirait des avocats, avec leur enveloppe assez molle entourant un noyau dur. Que de fois Darlene a songé comme il serait amusant d'ouvrir un de ces petits sacs et d'en enlever le contenu pour bien l'examiner ! Mais le DPD a beau ne pas être regardant sur le fait de descendre à vue noirs et métèques, ouvrir un scrotum histoire de rigoler est un fruit 100 % défendu. Darlene se répète encore une fois que le DPD est décidément bien sexiste. C'est un monde masculin, après tout, même si en ce moment, ce n'est pas le monde de Big John. Tiens, elle serre un bon coup. Il a un haut-le-cœur.

« Oui ? » Darlene laisse tomber le lourd sac. Celui-ci se balance entre les jambes minces, tandis que le *membrum virile* (en service, Darlene veille toujours à appeler les choses par leur nom technique) oscille comme un pendule. Vide de sang, le *membrum* doit déjà peser une livre. Elle remarque qu'il est noir, comme le scrotum, ce qui crée un contraste marqué avec le reste du corps ébène clair de Big John.

Puis, lentement, la virilité de Big John s'affirme. Darlene a le souffle coupé par ce qu'elle voit se dresser vers le plafond de la penderie. Après tout, c'est une vraie femme. Après tout, il est plus qu'un vrai homme. En fait, Big John, en état d'érection, est même beaucoup plus que cela. Est-ce, se demande Darlene qui réfléchit maintenant plus vite qu'elle a jamais réfléchi, est-ce *l'amour* ? L'amour qu'elle n'a pas encore connu ? « Chico » est bien monté, certes, mais Big John dépasse tout ce qu'elle a jamais vu, même dans les plus gros plans des pages centrales de certains magazines.

C'est la grande confrontation. L'homme. La femme. Darlene sait tout au fond de son cœur que le plus court chemin d'un point à un autre est la ligne droite — une ligne droite incroyablement longue et grosse.

Beryl, marquise du Cyel, tâte la poignée de la porte de chêne massif de la « penderie ». Elle a un sourire ravi. Le porte-flambeau noir a oublié de fermer à clé. Elle ouvre la porte. Dans cette pénombre qui est la lumière de l'heure du thé à Blenheim Palace, Beryl voit un spectacle que personne n'a jamais vu jusque-là dans un roman de Klein Kantor. Car bien que l'écrivain, qui se consacre à la guimauve, sache qu'il ne faut jamais montrer vraiment quoi que ce soit en détail, elle n'ignore pas que l'imagination du genre de lectrice qui lit ses livres n'arrive pas à la cheville de la sienne propre, en raison de toute la télévision que la lectrice de guimauve moyenne a absorbée depuis sa naissance.

Beryl a un hoquet. Mais le couple qui est sur le lit a tout oublié à part leur passion illicite, pour ne rien dire du croisement de races, punissable par la mort par empalement pour les deux fautifs dans l'Angleterre de la Régence.

Les jambes blanches et bien faites de Lady Darlene serrent en un nelson complet le dos agile et basané du porte-flambeau (alias Big John dans *Duluth*), qui vous la pénètre à grands coups de boutoir à la vitesse d'un colibri géant se farcissant un magnolia blanc.

Pendant un seul instant hors du temps, Beryl est transportée. Elle n'a jamais vu pareille turgescence, même si elle ne peut pas bien la distinguer à cause de la vitesse à laquelle le porte-flambeau en fait usage. Napoléon Bonaparte peut toujours s'aligner sur cet étalon-là ! Bien que Beryl soit la maîtresse passionnée du « petit caporal » depuis plus d'un an (ainsi que son espionne numéro un qui l'aidera dans l'invasion proche de l'Angleterre car nous sommes en l'an fatidique 1914), elle est bien obligée de reconnaître que dans son expérience limitée des nobles et des têtes couronnées (cinq cents rencontres sexuelles d'après ses comptes pas tout à fait exacts), Napoléon fait figure de ouistiti, et que les quatre cent quatre-vingt-dix-neuf autres, dont feu le marquis du Cyel, même s'il s'en sortait un peu mieux que le « petit caporal », n'auraient jamais pu soutenir la comparaison avec ce autour de quoi cette traînée de Darlene a réussi à faire un nelson complet.

Je vais le dire à Lady Emma Hamilton, pense Beryl en refermant, quoique à contrecœur, la porte. Emma, qui est mon amie intime, saura quoi faire. Il faut nettoyer l'Angleterre de cette menace ! De préférence par le pal.

XXI

Edna Herridge, compagne dans la mort de Beryl il y a quelques pages, déjeune au Bistro Garden de Beverly Hills avec Rosemary Klein Kantor. Bien que, en tant que personnage, *cette* Rosemary soit presque en tous points identique à *notre* Rosemary, elle ne vit pas à La Nouvelle-Orléans mais à Beverly Hills où, au lieu d'écrire des histoires romantiques comme *le Duc fripon* ou *la Comtesse Mara,* elle est l'auteur de nombreux minifeuilletons de télévision. Actuellement, elle est l'auteur et la productrice de « Duluth ».

Cette Rosemary et cette Edna se connaissent depuis des années. Elles ont travaillé ensemble à l'âge d'or de la télévision, il y a une trentaine d'années, ce qui signifie que toutes deux ont, comme disent les Français, un certain âge. Mais ni l'une ni l'autre n'a l'air d'avoir plus de trente ans, grâce aux dons de sorcier d'un certain chirurgien de São Paulo.

Le personnage que joue Edna dans « Duluth » s'appelle Hilda Ransome, la sœur veuve du juge. En dehors de « Duluth », Edna est l'actrice bien connue Joanna Witt. Pour éviter les confusions, nous continuerons à penser à elle, comme il lui arrive de temps à autre (d'où ses migraines), comme à Edna Herridge.

Le Bistro Garden est empli de belles gueules, et de pas si belles, de Beverly Hills. « Le bon goût abonde », comme observe Rosemary tout en commandant un vin léger pour le déjeuner. Puis elle se tourne vers Edna. « Vous faites forte impression sur ceux qui vous regardent, Joanna.

— Oh, Rosemary ! Nous savons aussi bien l'une que l'autre que ce sont vos mots, vos paroles magiques et exquises, qui font lâcher à l'Amérique ce qu'elle est en train de faire pour nous regarder et nous *écouter* dans

« Duluth ». (Edna se tourne vers le garçon.) La salade du chef, s'il vous plaît, sans jambon, sans fromage et sans laitue. » Le garçon connaît les habitudes alimentaires d'Edna. Il sait, et il sourit.

Rosemary commande le confit d'oie. Comme d'habitude, elle est au régime.

E. G. Marshall, l'acteur bien connu, passe à côté de leur table. Tous trois se saluent. Il leur est déjà arrivé de travailler ensemble. « Qu'est-ce que vous faites, lui demande Rosemary, à part ces spots publicitaires lucratifs qui vous rapportent des sommes à cinq zéros ?

— Je tourne un " one-man show " sur Ezra Pound.

— Oh, c'est une idée sensas ! réplique Rosemary qui a déjà entendu ce nom quelque part.

— J'espère qu'il y a un rôle pour moi ! fait Edna (leur Joanna, et la Hilda de « Duluth ») en lançant un sourire triomphant à Mr Marshall qui rejoint sa propre table.

— J'ai la nostalgie de la télévision en direct, remarque Rosemary, songeuse. Vous vous rappelez Florence Britton ?

— Une des plus grandes scénaristes de tous les temps.

— Oui.

— Rosemary...

— Oui.

— Avez-vous fait une analyse ?

— J'en fais une depuis trente et un ans. Depuis le premier scénario de *Danger,* que j'avais écrit pour CBS.

— Cela vous a fait un bien terrible.

— Oui.

— Vous allez toujours chez le même analyste ?

— Grands dieux, non ! Mon premier analyste est mort avant même que je fasse *Playhouse Ninety.* J'en suis à mon cinquième. Je fais aussi un petit peu de parapsychologie, mais sans plus. » Rosemary regarde Edna — notons que *cette* Rosemary a gardé le délicieux nez en trompette dont la Nature, dans un de ses très rares moments de bonne humeur, l'a dotée. « Vous avez un problème, Edna. Je l'ai remarqué en visionnant les rushs. Il y a des moments où vous ne paraissez pas être dans le script.

— Oh, mon Dieu! J'espère que cela ne nuit pas au feuilleton! (Edna est sincèrement remuée.)

— Non, ma chérie. Nous coupons simplement ces brefs moments. Mais ces absences n'en sont pas moins réelles.

— J'ai besoin d'aide.

— Universal n'a que le ciel pour limite.

— Paieront-ils un analyste?

— Notre directeur, Lou Wasserman, devrait s'appeler Père Noël.

— Je le sais. Je n'aurais même pas dû demander. Rosemary, je crois sans arrêt que je suis quelqu'un d'autre. Quelqu'un qui travaille dans l'immobilier, à Duluth...

— Qui est le maire Herridge?

— Vous savez? Comment? fait Edna en blêmissant.

— Dans le dernier épisode que nous avons tourné, vous vous êtes mise à clamer qu'il ne devait pas faire ce qu'il comptait faire au capitaine... euh...

— Eddie Thurow! (Le barrage se rompt. Edna a quelqu'un à qui tout révéler.) Cela n'arrive que lorsque je suis devant la caméra. Soudain, je vois de l'autre côté de l'objectif; je les vois à Duluth qui me regardent dans « Duluth »; je leur parle et ils me parlent.

— Nouveau et intéressant », fait Rosemary, tout ouïe.

XXII

Comme père de famille, il n'y a pas mieux que le maire Herridge. Sa femme lui est dévouée et ses trois enfants sont au lycée. Sa vie chez lui est une perfection. Comme toutes les grandes figures de la vie et de la littérature, il a un côté très domestique. Gargantua, John F. Kennedy, Beowulf : ce sont toujours de bons pères de famille car, comme Jules César, le rhéteur, l'a dit un jour : « Si vous ratez votre carrière de mari et de père, qu'est-ce qu'il vous reste sur Terre ? »

Mais quand il s'agit de politique, qu'il soit bon père de famille ou pas, le maire Herridge est un dur à cuire. Le voici dans son bureau, pieds posés sur son bureau, tirant sur son cigare, regardant la télévision et tramant quelque chose quand — pas possible ! — sa sœur Edna apparaît sur l'écran, beaucoup plus petite que dans la vie mais beaucoup plus vivante à la télévision.

Le maire se redresse d'un coup. « Frangine !

— Oh, mon Dieu, c'est toi ! dit Edna dans un hoquet.

— Bien sûr que c'est moi ! réplique le jeune homme qui joue son fils, improvisant.

— Je suis de nouveau candidat à la mairie.

— Comment cela se présente-t-il ? » Edna est soulagée que, bon père de famille ou pas, son frère ne s'intéresse guère à la manière dont elle a bien pu sortir du caveau familial de Lincoln Groves pour se retrouver à la télévision à une heure de grande écoute, car elle est lasse d'expliquer ce à quoi elle ne possède pas de réponse.

Tandis que le fils d'Edna dans « Duluth » déblatère à propos d'une fille qu'il a engrossée, Edna regarde derrière lui l'objectif de la caméra dans lequel, clair comme le jour, elle voit son frère à travers le brouillard habituel de fumée de cigare. Le maire Herridge aimant bien tenir le crachoir, Edna peut l'écouter en attendant sa prochaine réplique.

« Le capitaine Eddie s'est lancé dans l'arène. Mais s'il croit qu'il va me battre à Duluth, il se fourre le doigt dans l'œil. Edna, tu ne te douterais jamais de ce que je sais sur lui ! »

Edna regarde son frère d'un air interrogateur. Le maire Herridge comprend tout de suite de quoi il retourne. C'est un bon père de famille, mais il a de la jugeote. « Tu ne peux pas parler parce que l'autre acteur va le remarquer, c'est ça ? »

Edna sourit et approuve de la tête, ce qui déconcerte son fils qui dans le minifeuilleton vient de dire qu'il allait se tuer. Pourtant, plus tard, quand Rosemary visionnera les rushs, elle s'écriera : « Bon sang, qu'est-ce qu'elle est bonne ! Regardez comme elle sourit au lieu de fondre en larmes ! Je n'ai rien vu de tel depuis Kim Stanley, à l'âge d'or de la télévision.

— Qu'est devenue Kim Stanley ? demande le coproducteur.

— Je crois qu'elle enseigne.

— Je l'ai bien aimée dans *la Planète des singes*.

— Vous confondez avec Kim *Hunter* », répond Rosemary d'un air dégoûté. Ces jeunes gens n'ont aucun sens de l'histoire, pense-t-elle.

Le maire Herridge est monté sur ses grands chevaux, à présent. « Des brutalités policières. C'est comme ça que je vais le coincer. Des brutalités délibérées et *dépravées*. Pire qu'à Houston. Le capitaine Eddie a une sadique dans son équipe. Le lieutenant Darlene Ecks. Elle fait dans le sadomasochisme avec des immigrés clandestins qu'elle alpague. Elle les brutalise. Les rudoie. Les barrios sont prêts à exploser. Et je vais m'assurer qu'ils explosent. J'ai mis là-dessus Bill Toomey, de la CIA. Quand les barrios seront à feu et à sang, j'appelle la Garde nationale à la dernière minute. Sur ce, deux trois bombes à neutrons, et fini le sixième arrondissement, où l'on ne vote pas pour moi, de toute façon. Fini, le capitaine Eddie.

— Mais le capitaine Eddie est-il bien responsable de tout ça ? »

Lorsque Rosemary entend cette réplique dans la salle de montage, elle s'exclame : « La voilà qui remet ça ! Elle est dans un autre script. (Se tournant vers le réalisateur.) Coupez-moi ça. » Mais évidemment, la réplique passe à l'écran, puisque le maire Herridge regarde « Duluth ». Des millions de téléspectateurs l'entendent aussi, mais personne ne la remarque, car si le son de la télévision s'entend beaucoup, il est peu écouté.

« Bien sûr qu'il est responsable ! Il est payé pour tenir la barre droite. Quoi qu'il en soit, grâce au lieutenant Darlene Ecks, les barrios sont une vraie poudrière qu'une seule allumette fera sauter. Lorsque Bill Toomey craquera cette allumette, le capitaine Eddie, s'il survit à leur rage incontrôlée, n'aura plus qu'à se retirer à Boca Raton, en Floride. Et je serai réélu. »

La scène où joue Edna prend fin. Elle disparaît du petit écran. Le maire Herridge se demande vaguement ce qu'Edna fabrique dans « Duluth » alors qu'elle devrait être dans le caveau de famille de Lincoln Groves. La plupart des hommes, en voyant leur soeur défunte jouer dans un minifeuilleton tout nouveau, penseraient qu'ils deviennent fous, mais pas le maire Herridge. Lui pense que la chaîne Universal a dû tomber sur la tête pour engager feue Edna Herridge !

Gloussant doucement de rire, le maire examine les derniers comptes rendus de ses agents clandestins dans les barrios, où Darlene sème la panique. Il sait que Pablo a été élu à la tête de la Société des Terroristes Aztèques.

« Ce soir, ça va chauffer en ville », chantonne-t-il.

XXIII

Darlene est maintenant dans un état qui ne ressemble à rien de ce qu'elle a vécu jusqu'alors. Au cours des deux heures qui viennent de s'écouler (on aurait dit deux secondes), Big John l'a montée cinq fois, et a livré à chaque fois la marchandise. Le delta rose de Darlene est légèrement à vif, tandis que sa main droite est tétanisée à force de tenir le fidèle revolver contre la tempe de Big John pendant cent vingt minutes d'extase absolue. Darlene est *toujours* un policier parfait. Mais elle est aussi, maintenant, autre chose. Quelque chose d'absolument nouveau. Quelque chose de...

Tandis qu'ils gisent côte à côte sur l'évier de la penderie, ce qui n'est pas le plus confortable des nids d'amour mais qui leur a tout de même permis de se livrer à un certain nombre de variations sur cette position du missionnaire qui a eu jusque-là la préférence de Darlene, celle-ci se rend compte, en regardant dans les yeux son premier amant noir (« Chico » ne comptait pas vraiment à cause des menottes et des scènes de sadisme), qu'elle est, enfin, une femme. Chaude et mûre. Aimante et généreuse. Donnant et recevant. Elle peut recevoir énormément, apparemment. En fait, elle décrète qu'elle peut encore en recevoir beaucoup plus de Big John dès qu'elle sera allée aux toilettes.

Darlene a un besoin désespéré de · pisser. Soudain tendre, elle dit à Big John à voix basse : « Pousse-toi un peu, espèce de sale macaque. »

Il s'exécute obligeamment. Elle remarque que les avocats sont encore pleins. Prêts à redonner. Elle essaie de se souvenir du serment que prêtent les membres de la police. Mais sa tête est toute brouillée. Ce doit être cela, être une vraie femme, se dit-elle.

Assise sur l'évier et se soulageant, fidèle revolver braqué sur la source de l'extase ultime, elle réfléchit très fort. Big John au gnouf pendant vingt piges ? Macache. Des clous. Mais elle *est* policier. Elle croit à la loi et à l'ordre. Pourtant, la pensée de cette puissance de turgescence privée de jouissance pendant vingt années de pleine vie, à part se taper une queue de temps à autre dans une chaussette, la fait grimper au plafond.

« Qu'est-ce qu'on fait maintenant, poussin ? » Tiens, voilà le machisme de Big John qui refait surface ! Un instant, Darlene se demande si elle appuie ou non sur la détente. Elle a bien été violée, après tout. Elle a absolument le droit de dégommer la cause de son humiliation, ce pour quoi elle recevrait à coup sûr la médaille des services civiques tandis que Big John, s'il survivait à la perte de sa puissance de turgescence, ne souffrirait plus tellement du gnouf, ses chaussettes arrivant chaque semaine non souillées à la lingerie de la prison.

Mais même si elle songe à cette solution définitive, Darlene Ecks sait qu'elle ne peut pas détacher du corps de Big John la partie qu'elle aime à présent. De plus, se dit-elle encore en descendant de l'évier, il a non seulement réussi à étancher les désirs de toute une vie en même temps qu'il les faisait naître, mais il a fait d'elle la femme qu'elle avait toujours rêvé devenir un jour.

« Rhabille-toi, coco » dit-elle en voyant avec tristesse recouvrir rapidement tout ce qui, deux heures durant, a été à elle.

Darlene pose son fidèle revolver et ordonne : « Prends ces menottes et colle-les-moi. »

Il n'a pas besoin de se le faire dire deux fois. En une fraction de seconde, Darlene, maîtresse du sadomasochisme, se retrouve entravée. Elle constate avec surprise qu'elle aime beaucoup cela.

« OK, Big John, voici ce qu'on va raconter. Je t'ai pris en train de revendre de la came. Tu t'es emparé de mon fidèle revolver. Tu as déchiré mes vêtements ; tu m'as violée. Puis tu t'es tiré. »

Big John la regarde de haut. Il a aussitôt repris la maîtrise de lui-même, avec sa veste rouge portant le slogan du Bar lunaire sur le dos. Même son nœud papillon est droit.

« Mouais... » fait-il. Ses yeux mauvais brillent.

Elle attend. Quoi ?

« T'es sûre que personne n'est entré pendant que je te faisais reluire ? »

Darlene n'aime pas beaucoup la façon dont il suppose évident que son delta dans le coton a reçu plus de plaisir qu'il n'en a donné. Mais c'est un Noir, il est vrai. « Aucun problème, répond Darlene aussi sèchement qu'une femme portant des menottes peut être sèche.

— Mais je jurerais que pendant que je te bourrais le mou, une femme a ouvert la porte...

— La porte est fermée à clé. Ce que tu as vu, c'était une " hallu ", comme si t'avais pris de l'acide…

— Je vois. (Il voit ce qu'elle veut dire.) Sauf que je ne prends pas d'acide.

— Non, mais t'en fourgues. Ça s'infiltre. Et puis de toute façon, ce n'était que cette garce de Beryl, marquise du Cyel, qui est une espionne de Napoléon. (Bien qu'elle n'ait lu que la moitié du feuilleton de Rosemary, Darlene a déjà compris cela.)

— Quoi, quoi ?

— File, Big John. » Elle essaie d'avoir l'air dure. Mais sa voix tremble. Et quand il l'embrasse tendrement sur les lèvres, elle fond en larmes. Passivement, elle laisse les mains puissantes de l'homme lui mettre un bâillon : sa propre petite et excitante culotte. Elle ferme les yeux un moment. Lorsqu'elle les rouvre, il est parti. A jamais ? Elle n'en peut supporter la pensée. Les sanglots la déchirent. Des sanglots silencieux, à cause de la petite culotte.

Tout d'un coup, les yeux de Darlene sèchent complètement. Ils deviennent aussi ronds que des billes. Des billes brillantes. Elle vient de se rappeler quelque chose. C'est la panique. Il *faut* qu'elle arrive jusqu'à son sac. Vite. Mais elle ne peut pas bouger. Ni appeler au secours. Et qui sait quand l'autre barman entrera dans la penderie pour chercher de la cocaïne ou du Coca-Cola ?

Darlene a une frousse du tonnerre parce que, le matin même, elle qui ne prend pas la pilule, a oublié de mettre son diaphragme.

Seul le gel spermicide peut me sauver à présent, pense-t-elle, désespérée. Mais il ne faut pas tarder, car elle est persuadée de sentir le liquide dont Big John l'a emplie foncer dans le noir jusqu'à cette paire d'œufs d'or qui n'ont jamais encore été fertilisés par la semence masculine.

XXIV

Le capitaine Eddie a décidé qu'il ferait cela dans la dignité. En outre, il voudrait faire la paix avec Wayne Alexander et le *Courrier de Duluth,* dont il cherche à présent le soutien éditorial. Le maire Herridge ayant la chaîne de télévision KDLM dans sa manche, le capitaine n'a convié que la presse écrite à son bureau, où il s'apprête à remettre au lieutenant Darlene Ecks la médaille de la police des services civiques.

Le lieutenant « Chico » Jones est le seul autre officier de police dans le bureau. Le capitaine Eddie aime bien tenir les rênes. Le restant du Duluth Police Department apprendra la nouvelle par la presse et la radio. Les félicitations de tout le service pour cette récompense seront alors de mise. Le capitaine Eddie aime bien tout compliquer. Il est comme cela.

Darlene prend place devant le bureau derrière lequel se tient le capitaine Eddie, médaille à la main. Elle est tout à fait consciente de n'avoir jamais été aussi jolie. « Le viol vous sied », lui a lancé un peu plus tôt une de ses collègues, assez insidieusement, a trouvé Darlene sur le coup.

Inutile de dire que Darlene attend ses prochaines règles avec un intérêt accru. Si Big John a mis dans le mille, elle bouffera son uniforme Mainbocher toujours à la mode. De plus, elle se tuera car, catholique romaine, elle ne peut se faire avorter, en aucun cas, l'avortement étant pire que la contraception ou le suicide, selon les paroles de monseigneur O'Malley, évêque de Duluth, qui sait de quoi il parle. D'un autre côté, si elle a effectivement l'enfant, qui le changera et lui fournira un modèle de comportement ? Darlene est une femme troublée, même si ses sens se sont enfin réveillés, sous l'extérieur calme qu'elle présente aux appareils de photo de la presse écrite.

Le capitaine Eddie prononce un bref discours. Darlene répond : « Je n'ai fait que mon devoir. C'est tout. Tantôt on perd, tantôt on gagne. C'est pour cela que nous sommes tous dans ce service. »

Le capitaine Eddie lui accroche la médaille. Puis Wayne Alexander s'approche. « Lieutenant Ecks, vous avez fait preuve d'une grande bravoure. Et vous avez un sacré cran de vous comporter comme si rien ne s'était passé.

— Mais que croyez-vous qui ce soit passé ? (Darlene, méfiante, a un ton sec.)

— Officiellement, vous avez été violentée par un Noir...

— En réalité, il était plutôt ébène clair. Et je n'aime guère ce que vous avez dit sur le fait d'être violentée.

— Ma foi, c'est ce que dit le compte rendu de l'hôpital. Vous avez été violée. »

Dans le bureau du chef de la police, on pourrait alors entendre voler une mouche. Jusqu'à présent, le DPD a toujours pratiqué l'euphémisme.

Darlene rougit. « Je ne sais pas ce que vous voulez dire, bafouille-t-elle. Ce n'était qu'une P.N.

— Qu'est-ce à dire ? demande Wayne, toujours affamé d'apprendre.

— P.N. signifie Procédure Normale, rétorque Darlene.

— D'accord, rétorque à son tour Wayne. Mais quelle est la procédure exacte quand vous prenez un trafiquant de drogue ou un immigré clandestin revendant de la drogue, ou simplement un immigré qui est aussi clandestin ? »

Darlene regarde le capitaine Eddie. Mais son chef a donné sa langue au chat. Ayant vu certaines des versions que le maire Herridge fait courir là-dessus, il sait que s'il montre qu'il est au courant de ce qu'elle aurait fait, il sera lui aussi coupable. Mais le capitaine Eddie a toujours soutenu à cent pour cent Darlene car, comme tout un chacun, il sait que la seule façon d'amener un immigré clandestin à retraverser le Rio Grande pour qu'il rentre chez lui est de ne pas le laisser en paix. Et Darlene est la meilleure, à ce jeu.

D'un autre côté, le capitaine Eddie n'a pas encore vu le rapport secret du FBI qui décrit le bain de sang dans lequel périront tous les gringos et qu'organise présentement un certain Pablo Gonzales, dont le jeune *membrum virile* a un jour été repoussé à l'intérieur de son corps par Darlene, où il est resté pendant quelques secondes, faisant de lui, pendant cette brève durée, une femme. Pablo ne pardonnera ni n'oubliera cette insulte totale à son serpent à plumes, pour ne rien dire des sombres divinités du sang. Le FBI affirme que Pablo se cache dans les barrios. La Société des Terroristes Aztèques rassemble rasoirs et dynamite. Elle importe également de Mexico des barriques d'eau du robinet, qu'ils ont l'intention de verser dans le réservoir de Duluth. Le FBI ne sait rien de plus. Pablo a disparu ; la date de l'assaut contre les gringos est inconnue.

Le FBI a officieusement suggéré au maire Herridge de mettre Darlene en congé pendant quelque temps. En congé de maladie, par exemple, puisqu'elle est non seulement malade mais qu'elle est aussi l'allumette qui va mettre le feu à la poudre que constitue la haine des barrios. Mais le maire Herridge a refusé, bien entendu, puisqu'il souhaite le bain de sang. Il veut être réélu, s'il le faut, par-dessus les cadavres du DPD tout entier. Aussi bon père de famille soit-il, le maire Herridge a son côté noir. Mais rien de tout cela n'est connu du capitaine Eddie et de Darlene, qui ne soupçonnent rien à la remise de la médaille.

Après que le capitaine Eddie a résumé pour Wayne le rôle de l'officier de police, celui-ci demande : « Où en est l'affaire de l'engin spatial ?

— Rien de nouveau. Il est toujours là. Dans le désert. »

D'un air absent, le capitaine Eddie retire la punaise rouge. Songeur, il la garde dans la main.

« Rien de neuf ? redemande Wayne, sec.

— Rien de neuf, répond le capitaine Eddie, serein.

— Eh bien, merci, Monsieur le chef de la police », fait

Wayne en employant la formule consacrée pour la fin de toutes les conférences de presse du chef de la police de Duluth. Puis Wayne se retire.

« Il est futé, le petit salaud, remarque Darlene.

— Vous devriez peut-être y aller tout de même mollo avec les immigrés clandestins », dit le capitaine Eddie en remettant la punaise rouge non pas là où l'engin se trouve effectivement dans le désert sur la carte, mais dans les bois de Duluth. Le capitaine Eddie n'est pas très regardant sur les détails, et ne l'a jamais été.

« Je ferai attention, chef. C'est promis. » Darlene parle sérieusement. Une fois qu'une fille a tâté de certains mets, les menus moins alléchants lui donnent la nausée. « A-t-on des nouvelles de Big John, mon violeur ?

— On l'a vu dans les barrios hier soir, répond " Chico ".

— Qu'irait donc y faire un Noir ? » Darlene est surprise, quelque peu troublée, même. L'hostilité entre Noirs et basanés est une constante, à Duluth, et le restera si le maire Herridge l'emporte encore. Car si les deux groupes votaient ensemble, ils enverraient bouler « l'Homme », comme les Noirs appellent les Blancs. Mais il y a peu de chances que cela se produise, Herridge préparant une guerre raciale — oh, une petite guerre raciale bien contrôlable.

« Oui, c'est curieux, reprend " Chico ". J'ai sorti son dossier.

— Quel âge a-t-il ? demande Darlene qui, à vingt-sept ans, ne veut pas être plus âgée que celui qu'elle aime.

— Vingt-sept ans.

— Marié ?

— Jamais. Mais il a trois petites amies régulières.

— Blanches ?

— Noires.

— Ah ! (Darlene dissimule sa joie. Il est bien connu que les Noirs se repaissent des déesses blondes.)

— Il a aussi... (" Chico " s'interrompt, gêné.)

— La chtouille ? » Le subconscient de Darlene finit par

avoir le dessus ; la pensée qu'elle a pu repousser depuis, et même pendant, ces deux heures d'extase dans la penderie du Bar lunaire, fait surface, amenant dans son sillon non seulement la syphilis, mais le redouté herpès, tourment à perpétuité de la moitié des filles du DPD.

« Ça, c'est possible. Le dossier ne le dit pas. » Le capitaine Eddie regarde par la fenêtre ; il ne veut pas se mêler de la vie privée de ses subordonnés, dont un porte à présent une médaille toute fraîche des services civiques.

« J'ai fait un prélèvement à l'hôpital. Mais ce n'est pas toujours sûr...

— Darlene, tu dis des bêtises, déclare " Chico ". J'allais simplement dire que Big John, comme on l'appelle dans le monde de la drogue, est le père reconnu de vingt enfants pour lesquels il paie aux trois mères de généreux frais d'habillement, de logement, de nourriture et d'école. C'est une sacrée maman, ce Big John ! »

Darlene sent un des deux œufs d'or qu'elle porte en elle briller d'une nouvelle (et indésirable ?) vie. Elle est assise sur la chaise où le capitaine Eddie « travaille » les suspects. Le sang séché au long des ans a donné au noyer verni une riche coloration aubergine.

« Il possède également une chaîne de teintureries.

— Les teintureries Acmé ?

— Celles-là mêmes.

— Il y en a une près de chez moi. Ils me font mes uniformes Mainbocher. Ils font toujours très attention de ne pas abîmer le tissu. » Une question, ovoïde, commence à se former dans le cerveau de Darlene. « Si Big John possède Acmé...

— Ah ça, ton violeur, il n'est pas pauvre ! (" Chico " est visiblement — quoique de manière obscure — jaloux.)

— Dans ces conditions, pourquoi est-il, était-il, barman au Bar lunaire ?

— Parce que c'est le plus gros fournisseur de drogue de la ville. Et Big John a une grande famille à faire vivre.

— Et Acmé... ?

— Pour nous qui n'avons ni casino de Las Vegas ni

studio de cinéma de Hollywood, une teinturerie est le
meilleur endroit pour blanchir de l'argent.

— Je vois », dit Darlene, une autre Darlene, qui n'en
revient pas. Plus jamais elle ne fera de fouille intégrale.
Elle a trouvé son homme. Mais elle doit le partager, s'il
réussit à échapper à la taule, avec trois Noires et vingt
gosses. C'est beaucoup plus que ce sur quoi le lieutenant
Darlene Ecks avait compté lorsqu'elle prit pour la première fois, si inconsidérément, si légèrement, si dédai-
gneusement, ces avocats dans sa petite main de fillette.

Darlene pleure ; ni « Chico » ni le capitaine Eddie ne
savent pourquoi ou comment la consoler.

XXV

C'est un jour chaud de juin ; Chloris et Clive traversent
sur leur cheval les bois de Duluth, qui retentissent,
comme toujours à cette saison, du chant des oiseaux et des
cris des agresseurs et de leurs victimes. Il va sans dire que
Chloris et Clive sont armés jusqu'aux dents sous leurs
coûteuses (Huntsman Ltd. of London) fringues d'équitation. Ils reviennent d'une visite aux fondations du véritable palais que Clive se fait construire tout en haut de
Garfield Heights par l'architecte mondialement connu
Philip Jackson. Coût : vingt millions de dollars. Toute de
marbres exorbitants, de pierres semi-précieuses et de
mosaïques byzantines, la maison contiendra une chambre,
un salon avec bar bien pourvu en alcools, ainsi qu'une
loggia de la période minoenne (1500 avant J.-C.), récemment trouvée dans l'île de Théra, dans les Cyclades, et
amenée clandestinement à Duluth, comme presque toutes
les choses belles et rares aujourd'hui.

« Je n'ai pas besoin de salle à manger ni de cuisine,
déclare Clive. J'aime manger dehors.

« — Oh, tu as tant de sagesse, chéri », répond Chloris qui est profondément amoureuse en dépit de ce qui *pourrait* apparaître comme une différence d'âge d'un quart de siècle, si l'on comptait — mais qui oserait compter en dehors de la haute société de Duluth ?

« C'est vrai, quoi ! Si j'ai envie d'un casse-croûte, je peux toujours en envoyer chercher un pour le déguster dans ma loggia — ou portique peint, qui est l'expression exacte, il me semble.

— Je crois que j'aime encore plus un portique qu'une loggia.

— Chloris !

— Clive !

(Enamourés, ils chevauchent dans les bois bruyants et verdoyants.)

— Je n'ai pas envie non plus d'une chambre d'amis, reprend Clive, revenant au sujet de la nouvelle maison.

— Parce que tu ne veux pas d'hôte pendant la nuit ? réplique Chloris en éclatant de rire, cherchant à lui tirer les vers du nez.

— Tu cherches à me tirer les vers du nez, fine mouche ! Non, en effet. Je te veux toute à moi. Dans *ma* chambre. *Mon* lit. A *moi* ! Divorce de Bellamy. Epouse-moi !

— Oh, enfant ! » Chloris fronce les sourcils. Clive n'en démord pas depuis que leur histoire d'amour a commencé, cet après-midi-là à l'Eucalyptus. « Nous avons un mariage ouvert », lui explique-t-elle une nouvelle fois.

« Eh bien, je veux que tu le refermes. Sur toi et moi. »

L'ardeur du jeune homme l'émeut. Elle se demande comment elle a pu jamais détester son nez plat et énorme. Cependant, Mrs Bellamy Craig II est une institution, non seulement à Duluth mais aussi loin que Georgetown et Sausalito. Mrs Clive Hoover (le nom la fait penser, avec culpabilité, à Wayne Alexander et à la « bio » interrompue peut-être à jamais de Betty Grable) pourrait-elle remplacer Mrs B. C. II ? Cela semblerait-il normal ? Cela serait-il juste ? Bellamy s'en ficherait, certes. Mais s'il prenait une autre femme, celle-ci deviendrait alors... Aussi chaud soit ce verdoyant jour de juin, Chloris frissonne. C'est comme si quelqu'un s'était mis à danser le « hully-gully » sur sa tombe.

« Regarde ! » lance Clive.

Chloris regarde, et là, droit devant elle, dans une clairière où se trouvait autrefois un salon de thé japonais, se dresse quelque chose d'énorme, de rouge et de rond. Quelque chose d'absolument déplacé. Mais de connu. Chloris se creuse la cervelle. Pendant qu'elle le fait, Clive dit : « Encore un engin spatial ! C'est une invasion, ma parole ! »

C'est alors que « Chico » Jones apparaît. Il faisait justement le tour de l'engin, walkie-talkie en main, et parlait au capitaine Eddie resté au quartier général. « Non, dit-il pour répondre à l'exclamation de Clive, ce n'est pas un autre engin spatial. C'est le même. »

Chloris et Clive attachent leurs chevaux. Puis, rajustant leurs fringues, ils rejoignent « Chico » près de l'engin spatial, qui est aussi caoutchouteux et d'aspect déplaisant qu'avant.

« Quand est-il venu ici ? demande Chloris.

— Il n'y a pas longtemps », répond « Chico » d'un air vague. Mais il commence à avoir une petite idée du moment où il est venu là. Dans une minute, bien entendu, le capitaine Eddie sera fixé et le dira à « Chico ».

La voix du capitaine Eddie sort du walkie-talkie qui craque. « Votre position actuelle est-elle conforme à la position précédemment suggérée ici ?

— Oui, chef. Dans tous les paramètres.

— Ne bougez pas », dit alors le capitaine Eddie. Les trois s'immobilisent sur place, puis l'engin spatial monte lentement en l'air. Pas de bruit de moteur ou quoi que ce soit. Non, la chose s'en va, tout simplement. Puis elle disparaît.

« Je serais curieux de savoir selon quel principe ça marche », remarque Clive, qui eût aimé être ingénieur s'il n'en avait été découragé par sa mère, Beryl, dans sa quête effrénée d'une position sociale de plus en plus élevée.

XXVI

Le prince régent emmène Beryl, marquise du Cyel, vers
le belvédère de la roseraie de Windsor. C'est le genre de
jour sombre que Mondrian aurait pu peindre.

« Beryl, vous êtes vraiment mon type de " feuille ",
savez-vous ? dit-il avec cet accent aristocratique qui lui fait
prononcer ainsi " fille ".

— Au point de m'effeuiller ? (L'esprit de Beryl lui vaut
une place sans pareille à la cour Régence. Le prince régent
hurle de rire à cette repartie.)

— Vous me faites rire, vous me faites pleurer ; je ne sais
ce que je ferais si vous deviez jamais me quitter.

— Sire, où irais-je, puisque, auprès de vous, je suis déjà
au sommet ? »

Le prince régent, flancs soulevés par la béatitude,
s'assied sur un banc sous une statue de marbre de la reine
Victoria. Il fait asseoir Beryl à côté de lui. « Je crois qu'il
faut que je vous dise que je vais envahir la France *avant*
que Napoléon Bonaparte envahisse l'Angleterre.

— Non...

— Si ! »

Les paupières de Beryl se rétrécissent. Dans le genre
espionnage, elle tient là un sacré morceau. « Avez-vous...
dressé un plan ?

— J'ai tout là. (Il sort de sa poche une feuille de
papier.)

— Par écrit ?

— Mais oui, petite rusée ! »

Beryl comprend aussitôt qu'elle doit, par amour pour
Napoléon et la France, s'en emparer. C'est son type de
« feuille » à elle...

XXVII

Cependant, à Duluth, le capitaine Eddie a saisi le principe selon lequel l'engin spatial s'est déplacé du désert aux bois. Mais pour en être tout à fait sûr, il a vérifié dans son vieux manuel de physique du lycée, où il lit que, selon le corollaire de Pynchon à la loi de la gravitation universelle, quand tout objet (micro) représente un engin spatial (macro) sur un plan où la pesanteur veut avec exactitude que cet objet ne bouge pas si rien ne le propulse, *macro* se déplace dans le plan réel exactement selon le déplacement de *micro* dans le plan de représentation. Mais la loi de la coïncidence fictive veut que l'inverse ne soit pas vrai. Même si *macro* se déplace, *micro* ne le peut, retenu qu'il est par la pesanteur dont *macro* est libéré par la propulsion. Naturellement, le capitaine Eddie avait appris tout cela au lycée, mais il trouve que c'est une bonne idée de consulter à nouveau ses vieux manuels, rien que pour confirmer ses « instincts ».

Après s'être assuré par walkie-talkie auprès de « Chico » que l'engin se trouvait effectivement dans les bois de Duluth où, sans réfléchir, le capitaine Eddie avait planté la punaise rouge, celui-ci la retire et la tient en l'air pendant quelques instants. Où la planter, maintenant ? Si la carte allait plus loin que Duluth et ses environs, il la planterait en plein océan Pacifique, à trente kilomètres et quelques plus au nord. Mais il est limité à Duluth et ses environs. Le désert qui s'étend juste après Kennedy Avenue paraît l'endroit le plus logique. Après tout, c'est là que se sont posés la première fois les centipèdes monstrueux, ainsi que le capitaine Eddie se représente son équipage d'après le rapport du Dr Gars.

Mais, soudain inspiré, le capitaine Eddie plonge la punaise rouge dans ce coin du lac Erié où se jette le

Colorado, et que borde le cinquième arrondissement où vit la communauté noire.

« Là ! s'exclame le capitaine Eddie. Comme ça, ces centipèdes vont peut-être finalement se noyer. »

XXVIII

Au Bistro Garden, le déjeuner a traîné en longueur. Edna a renvoyé par deux fois la salade du chef. Une première fois pour faire enlever les miettes de fromage ; la seconde, pour faire retirer la laitue.

« Vous avez toujours fait très attention à ce que vous mangiez », lui dit Rosemary, admirative. Elle aime qu'une actrice ait du tempérament.

E. G. Marshall, qui a terminé son déjeuner, repasse près de leur table et leur lance : « A la revoyure.

— J'auditionne quand vous voulez pour votre one-man show », lui répond Edna avec un clignement d'œil.

Ensuite, Edna joue cartes sur table avec Rosemary. « Je n'ai pas assez de répliques à dire dans mes scènes avec le juge. »

Rosemary soupire. Elle connaît cela par cœur. Elle envoie la réponse toute prête : « Pour mes vedettes, j'écris, comme vous le savez, des dialogues sur la base du deux à un par page. Première page de dialogue : le juge a deux répliques et vous, une. Page suivante : vous en avez deux et lui, une. »

Edna connaît *cela* par cœur. « Oui, mon ange. Mais il existe aussi quelque chose qu'on appelle le nombre de mots. Mes répliques sont toujours coupées. J'ai deux fois plus de points de suspension que lui. Par exemple, il a une longue tirade, après quoi je dois dire : " Vous voulez dire que… points de suspension. "

— Mais en réalité, ce n'est pas trois points de suspension. C'est trois points de suspension suivis d'un point d'interrogation, ce qui vous donne beaucoup à jouer, en tant qu'actrice.

— Ne jouez pas à la plus fine avec moi, Rosemary, réplique Edna en montant sur ses grands chevaux. Techniquement, j'ai une réplique, c'est vrai, mais ce n'est que trois mots stupides suivis de trois points de suspension aussi stupides. Quant à pouvoir jouer sur un de vos points d'interrogation à la noix... (Edna s'interrompt)... Mon Dieu ! Voilà que ça recommence. »

Edna regarde bouche bée un couple que mène à une meilleure table que celle des deux femmes le créateur du Bistro Garden, Kurt.

« Que se passe-t-il ? » Rosemary ne voit qu'un élégant jeune homme habillé par Armani et au large nez plat, accompagnant une femme chic et assez âgée habillée par Valentino.

« C'est Mrs Bellamy Craig II, la personne la plus élevée socialement de *Duluth*. Je parle du vrai Duluth. Là où je vivais. C'est une des personnes que je vois dans l'objectif de la caméra. Mais là, il n'y a plus de caméra. Elle est bien ici ! Ce qui signifie que je peux recommencer à travailler dans l'immobilier à *Duluth !*

— Et abandonner votre carrière ? réplique Rosemary, stupéfaite quoique toujours inflexible. Un contrat vous lie à Universal, mon chou. Vous nous devez treize épisodes de « Duluth »...

— Vous pouvez vous les mettre où je pense », rétorque Edna en se précipitant vers Chloris et Clive assis à leur meilleure table.

Rosemary est inquiète. Il va falloir beaucoup de travail pour écrire une suite permettant à Joanna Witt de sortir de « Duluth » au point où en est présentement le feuilleton. Mais, volontaire, elle décide que s'il le faut, elle y arrivera. Ce n'est pas pour rien que Rosemary Klein Kantor est la reine de la télévision diurne. Quand il s'agit de son art, elle peut devenir impitoyable.

Clive et Chloris viennent juste de descendre de leur Jet

privé que Clive a acheté pour réduire ses impôts : non seulement on obtient un taux annuel de dépréciation et d'annulation par écrit énorme pour un Jet, et l'on peut déduire le salaire de l'équipage dont ils vous rendent ensuite une partie, mais on peut encore se faire quelques gains supplémentaires en louant son Jet à des gens qui ont du fric à claquer.

Chloris meurt d'envie depuis des jours d'une salade du chef au Bistro Garden. Depuis que Clive est amoureux d'elle, Chloris n'a plus que le ciel comme limite. La veille de leur cavalcade dans les bois de Duluth, ils ont déjeuné au Bistro Garden. Puis, après avoir fait les soldes de printemps de l'élégante boutique Ted Lapidus, ils sont repartis en Jet à *Duluth,* utilisant avec aisance le gauchissement fictionnel anomal qui rend précisément Edna meumeu.

Edna commence à voir double, puisque, conformément au gauchissement susmentionné, elle est dans deux fictions à la fois. Mais s'il y a une fille qui est bonne joueuse, c'est bien elle. « Chloris chérie ! C'est moi.

— Qu'est-ce que ça veut dire ? demande Clive, conscient de la déconvenue de Chloris.

— C'est la vedette de télévision Joanna Witt, lui explique-t-elle. Mais lorsqu'elle est dans " Duluth ", le feuilleton télévisé, elle se prend parfois, j'ignore pourquoi, pour feue Edna Herridge, agent dans l'immobilier. Bonjour, Edna ; ou bien devrais-je vous dire Miss Witt ? »

Toutefois, la double exposition, maintenant totale, est trop pour Edna, qui s'évanouit et s'écroule par terre. Rosemary Klein Kantor et deux garçons se précipitent. « Je suis désolée, fait Rosemary. Miss Witt n'est pas elle-même, aujourd'hui.

— Les quaaludes », souffle Clive à Chloris. En son temps, il a beaucoup plus traîné dans certains quartiers de West Hollywood qu'il n'aimerait que Chloris le sût. Pas plus, et heureusement, qu'il ne reconnaît *cette* Rosemary Klein Kantor qui elle-même ne les reconnaît pas, la

102

traditionnelle loi de la fiction tenant parfaitement le coup dans ce cas en raison, en grande partie, de son nez petit...

XXIX

Le maire Herridge pénètre dans la cuisine de sa modeste mais confortable maison. Les deux fils et la fille qui sont en train de déjeuner (ils sont à la maison car les vacances d'été viennent juste de commencer) bondissent sur leurs pieds en s'écriant joyeusement « Embrasse-moi, Papa ! », lequel Papa embrasse avec chaleur les trois petits moutards tandis que Mrs Herridge, debout devant son fourneau, tourne son minestrone Campbell préparé avec amour. Il y a une larme de joie au coin de son œil tandis qu'elle contemple ce chaleureux tableau. Elle a épousé un gagnant, et elle le sait. Mais il y a encore mieux : avec ce gagnant, elle a produit trois petits moutards absolument formidables. Alors que tous les autres moutards de Duluth ont été envoyés en colonie de vacances ou en centre d'éducation surveillée, les moutards Herridge vont rester à la maison avec leur Papa et leur Maman qui les aiment. « J'ai vraiment tiré le gros lot, se dit-elle tout en remuant le consommé. Et je suis la première dame de Duluth, par-dessus le marché. »

Mais voilà que la joyeuse vie de famille est brusquement interrompue par l'arrivée de Bill Toomey, le bras droit du maire. On a beau être dimanche matin (l'heure d'aller au temple), les affaires de la ville n'arrêtent jamais.

« Monsieur le maire, puis-je vous parler en privé ? ('Jour, Mrs Herridge ; 'jour, les trois moutards.)

— 'Jour, Bill Toomey ! » réplique d'une même voix chantante la joyeuse famille, toujours contente de voir le bras droit de Papa, même si cela signifie que Papa n'ira pas au temple en leur compagnie, où pourtant il chante les hymnes à pleins poumons. (Ils sont luthériens.)

Le maire et Bill Toomey passent dans le bureau du premier.

« Qu'y a-t-il, Bill ? (Le maire allume son long cigare noir.)

— L'engin.

— Quel emmerdement ! Eh bien... ?

— Il a encore bougé.

— Il n'est plus dans les bois ?

— Non. Il se trouve dans le lac Erié, à présent, à quelques mètres du bord.

— *Sous* l'eau ? (Un instant, le maire Herridge est plein d'espoir. En un sens, lui et son rival juré, le capitaine Eddie, se ressemblent pas mal.)

— Non. Il flotte sur la surface. Les pêcheurs râlent salement.

— Ils ne votent jamais pour moi, de toute façon. Que fait le chef de la police ?

— Il chante comme un canari. Il semblerait qu'il ait prédit, ce matin même, que l'engin finirait dans le lac Erié.

— Alors, ça ne peut signifier qu'une chose : il est de mèche avec les communistes qui sont dans l'engin. Bill, c'est la chance que nous attendions ! » Le maire Herridge ne se sent plus de joie. Comme tous les politiciens, il ne raisonne qu'en termes d'élections. Il a décrété depuis longtemps que, pour les besoins de sa cause, l'engin spatial était empli de communistes russes, et il s'est senti extrêmement gratifié qu'au moins un des nombreux présidents des Etats-Unis lui ait donné publiquement raison.

« Appelle KDLM. Je passerai au bulletin d'informations de dix-huit heures demain soir. Etant donné qu'il s'agit d'un cas de première urgence, dis-leur que je veux les quatre-vingt-dix secondes entières du temps d'antenne de crise, entre l'incendie en centre-ville et les annonces d'enfants disparus.

— Tout ce que vous voulez, patron.

— Mais je ne veux pas de Léon Citrouille pour l'interview.

— Tenez-le pour mort. Et maintenant, Monsieur le maire, si vous avez encore un instant...

— Ma foi, il *faut* que je rejoigne femme et petits moutards au temple... (Les yeux du maire Herridge s'emplissent de larmes, comme à chaque fois qu'il pense à sa famille et à combien il est proche d'eux.) Un instant pour quoi, Bill ?

— Pour l'opération Chili-con-Carne. (Il s'agit du nom de code secret du plan pour mettre à feu et à sang les barrios et pour en finir avec le capitaine Eddie.)

— Ça va, j'ai un instant, répond le maire Herridge en écrasant son cigare dans le cendrier de bronze que lui a offert le syndicat des routiers l'été précédent. Envoie, Bill. »

XXX

Darlene s'est mise à fréquenter assidûment les teintureries Acmé. Mais aucun des employés, tous noirs, ne lui consacre même le temps qu'il faut pour dire l'heure. « Big John ? Qui c'est ça, mon chou ? » est la réponse la plus longue et la moins mordante qu'elle ait réussi à arracher à un employé Acmé dans le quartier McKinley.

Affligée, Darlene traverse la très animée McKinley Avenue, avec son grand nombre de magasins élégants et de cinémas. C'est un superbe jour d'été. Elle est censée enquêter sur un meurtre commis au McKinley Plaza Hotel, mais le cœur n'y est pas. La vérité est que son cœur est ailleurs, dans un endroit bien précis. Darlene est amoureuse, éperdument. Elle ne s'est plus livrée à une seule fouille intégrale depuis qu'elle a découvert l'amour parfait dans la penderie du Bar lunaire.

Bien que Darlene ait perdu tout intérêt pour les immigrés clandestins, eux n'ont nullement perdu leur intérêt pour elle. La nuit, Pablo court les barrios, poussant à la révolte ses congénères déjà passablement échauffés. On trouve au fond de la moindre masure une affiche de Darlene, couverte de crachats, et pire ! Les femmes des immigrés clandestins commencent à l'avoir mauvaise. Qui est cette belle et blonde gringa qui fait sortir le macho bestial de leur mari ? murmurent-elles en repassant leurs tacos. Quel étrange pouvoir possède-t-elle sur leur homme ? se demandent-elles en découpant leurs tortillas. Qu'est-ce que ça signifie ? s'interrogent-elles en pliant leurs enchiladas d'une main experte. Chacune d'entre elles donnerait la prunelle de ses yeux pour embraser encore son homme à ce point, car la haine n'est-elle pas, comme on dit nulle part ailleurs que dans les barrios, l'équivalent de l'amour ?

Inconsciente des dangers qui l'attendent lorsqu'elle traverse McKinley Avenue et pénètre dans les barrios, Darlene entre, comme dans un rêve (et elle est bien dans un rêve d'amour), dans ce qu'à Duluth on appelle « Little Yucatán ».

D'indéchiffrables yeux noirs d'obsidienne, plantés dans d'antiques visages mayas ou aztèques, reconnaissent immédiatement le lieutenant Darlene Ecks, brigade des homicides, dont la médaille des services civiques n'est pas passée inaperçue dans la presse locale de langue espagnole. Darlene, un sourire ébloui sur ses lèvres humides, s'arrête dans un marché coloré où piments, poivrons et haricots noirs sont achetés et vendus par des femmes portant les robes noires très colorées de leur pays natal. C'est alors que Pablo et deux de ses complices se matérialisent juste derrière un étalage de pois chiches.

Pablo murmure en espagnol (langue qu'ils parlent tous lorsqu'ils sont entre immigrés clandestins) : « La voilà ! Nous allons pouvoir en faire ce que nous voulons ! » Un petit sourire se peint sur son visage ; pourtant, pour des raisons qu'il ne peut sonder (n'est-ce pas l'occasion rêvée ?), il sent se rétrécir son petit organe et se durcir ses *cojones* pruniformes. Honteux, il prend conscience qu'il a encore peur d'elle, mais il sait qu'il n'y a qu'une façon d'exorciser cette peur. Lentement, il sort un long couteau de sous son vêtement. « Ce coup-ci, c'est le bon » souffle-t-il à ses deux complices. Le serpent à plumes que Darlene lui a un jour repoussé à l'intérieur du corps va être vengé, et dans le sang.

Darlene, toujours aussi béate d'amour, entre dans une ruelle dont elle ignore que c'est un cul-de-sac, suivie par les trois jeunes Mexicains.

A mi-chemin, Darlene se rend compte que la ruelle est un cul-de-sac. Elle fait demi-tour pour revenir vers le marché, mais aperçoit trois silhouettes qui lui barrent la route. Des immigrés clandestins, remarque-t-elle en un éclair. Bien qu'elle ait renoncé aux fouilles intégrales, elle ne peut s'empêcher d'avoir ce qu'à défaut d'un adjectif ou d'un cliché meilleurs, il faut appeler un réflexe pavlovien. Après tout, cela ne fait-il pas six ans qu'elle est le caïd des femmes de la police ? Elle ne peut se dérober au devoir. Elle avance vers eux.

Mais lorsqu'elle voit les trois couteaux braqués, les trois rictus menaçants, elle s'arrête net.

Darlene appelle au secours, mais il n'y a pas de secours pour Darlene dans les barrios ; rien que la haine et la mort.

XXXI

Bill Toomey amène le maire Herridge au gymnase du lycée. Bien que le gymnase soit fermé, puisque c'est les vacances d'été, l'odeur de chaussettes sales et de marijuana est absolument étouffante.

Le maire Herridge tient un mouchoir sur son nez en entrant dans la salle de basket-ball. Mais aussitôt, il s'immobilise sur place, incapable d'en croire ses yeux. Bill Toomey a encore réussi son coup : douze policiers en uniforme et douze policiers femmes en uniforme sont alignés devant eux. Chacune des douze femmes est le portrait craché de Darlene Ecks. Chacun des douze hommes pourrait être son frère jumeau. Les vingt-quatre policiers sont blonds, certains oxygénés, il va sans dire, mais l'effet est le même, et tous ont les yeux bleus. L'équipe tout entière est dans une forme superbe.

« Seigneur ! s'écrie le maire Herridge à travers son mouchoir et en veillant à ne pas salir le nom de Dieu. Où les as-tu trouvés, Bill ?

— FBI, CIA, DIA, DEA[1], agents du Trésor, agents des stups — chacun des organismes fédéraux d'espionnage a donné son alter ego de notre Darlene.

— Comment allons-nous nous y prendre pour que le capitaine Eddie ne s'aperçoive de rien ?

— Très simple. S'ils se font coxer, ils raconteront qu'ils sont des agents fédéraux enquêtant sur les communistes qui se trouvent dans l'engin spatial. Mais ils ne se feront pas prendre, parce que nous comptons sur l'effet de surprise. Dès l'instant où vous donnerez le feu vert, l'opération Chili-con-Carne se mettra en branle. Les policiers masculins fouilleront intégralement les femmes. Les policiers féminins fouilleront intégralement les hommes. Avant la nuit, Duluth sera en flammes. C'est alors que nous lancerons la Garde nationale. Une bombe nucléaire sur les barrios, et vous remporterez les élections comme candidat de la Loi et de l'Ordre.

— Bill, des comme toi, on n'en fait plus.

— Non, répond Bill, conscient de sa valeur. En attendant, les gens que voici subissent un entraînement intensif dans le désert de Duluth. »

1. DIA : Defense Intelligence Agency ; DEA : Department of Economic Affairs. (NdT)

Bill se tourne et s'adresse d'une voix forte aux vingt-quatre alter ego de Darlene hautement entraînés. « Hommes et femmes de la brigade spéciale, j'ai l'honneur et l'avantage de vous présenter maintenant son Honneur le maire de Duluth, le maire Herridge. »

« Chers amis... ! » commence le maire Herridge de sa voix d'orateur, coulant comme du miel d'une carafe de verre Steuben scintillant et créée selon un dessin original de Bernard X. Wolff.

Et le discours ne fait que commencer...

XXXII

Chloris est seule avec Wayne dans son salon coûteux, mais chic, qui domine la ville. Des serviteurs mexicains installent un buffet dans la salle à manger qui jouxte le salon. Chloris offre une petite soirée intime en l'honneur de Rosemary Klein Kantor, venue de La Nouvelle-Orléans pour le week-end. Les rumeurs disent qu'elle songe à s'installer à Duluth, perspective qui divise l'Eucalyptus. Mais, l'un dans l'autre, Chloris accueille bien l'idée d'un auteur célèbre de plus dans sa ville.

« Comme cela, j'aurai quelqu'un à qui parler métier » dit-elle à Wayne. Chloris ne se sent pas très bien face à lui, ce qui se comprend puisqu'elle l'a plus ou moins laissé tomber, et que Wayne n'aime pas être plaqué.

« Il faudra d'abord que t'apprennes à lire ! » réplique-t-il sèchement. Une réplique sèche de Wayne est bien plus sèche que celles de beaucoup d'autres gens.

Chloris sourcille. « Tu sais comment me blesser, n'est-ce pas ?

— Oui.

— En fait, reprend Chloris pour se défendre, je sais lire un très grand nombre de mots *courts*. Après tout, j'ai appris à lire à l'école. Mais j'ai tellement eu de choses à quoi penser depuis l'école que je ne m'en rappelle pas, sauf, pour une raison inconnue, les mots de trois lettres. Et je sais aussi les prononcer à voix haute. Ce n'est pas si mal, non ? »

Malicieux, Wayne prend son carnet de notes et y écrit en grandes majuscules : C-A-T. « Quel est ce mot ? » lui demande-t-il en lui montrant la page.

« Je refuse d'être mise à l'épreuve sous mon propre toit ! » Elle ne se laisse pas faire, la petite Chloris. Elle n'est pas très sûre non plus de quel mot il s'agit. Elle l'a déjà vu auparavant, bien entendu, et très souvent. Elle sait aussi qu'elle a toujours aimé la façon dont cette première lettre fait le dos rond. C'est une de ses lettres préférées. La lettre du milieu, elle ne l'a jamais aimée, car elle l'a fait fréquemment trébucher. Quant à la dernière lettre, peu lui importe.

« *Quel est ce mot ?* répète Wayne en la regardant intensément.

— N'emploie pas ce ton avec moi, Wayne !

— J'emploierai le ton qui me plaira, espèce de petite garce qui roule les gens !

— Dans ce cas, je vais appeler le maître d'hôtel.

— Vas-y !

— Ce mot, dit Chloris en retroussant sa lèvre supérieure aussi près de ce que son chirurgien plastique lui autoriserait comme grimace, est " cat ".

— Non, ment Wayne d'un air triomphant. C'est " cow ". Et c'est bien ce que tu es : une vache !

— Comment pouvons-nous nous quereller ainsi ? » Chloris fond en larmes. De plus, elle est pratiquement sûre à cent pour cent que le mot écrit sur la feuille de carnet est « cat ». Ce qui signifie que si Wayne est capable de lui mentir sur ce mot, il doit l'être sur tout le reste. C'est étrange, se dit-elle, comme les gens ne se connaissent jamais vraiment, à Duluth. Elle se mouche le nez avec soin.

Wayne fait les cent pas. « Et si je révélais au monde

entier que non seulement Chloris Craig n'écrit pas les livres signés " Chloris Craig ", mais qu'elle ne sait même pas lire, que ce soit ses propres livres ou d'autres ?

— Tu sais, Wayne, que c'est là du chantage ? (Chloris reste extrêmement calme.)

— Et alors ?

— Cela peut te mener en prison...

— T'ai-je demandé de l'argent ?

— Pas encore.

— Alors, tu ne peux rien prouver.

— Mais je peux *dire* que tu m'en as demandé. Qui ira croire Wayne Alexander et mettre en doute la parole de Mrs Bellamy Craig II ? »

Wayne s'immobilise. « Que lui trouves-tu, à cette tapette ?

— Quelle tapette ? (Chloris est maintenant totalement maîtresse d'elle-même. Elle a des nerfs d'acier.)

— Clive Hoover.

— Oh, Clive ? Il est charmant. Il m'amuse. C'est tout. Nous ne sommes que des amis. Nous jouons au trictrac à l'Eucalyptus, où aucun journaliste n'a jamais mis les pieds.

— Nies-tu que tu as une liaison avec lui ?

— Mais ne viens-tu pas de me dire que c'était une tapette... ? Tu devrais le savoir, toi qui travailles dans un journal... »

Clive Hoover, objet de la querelle, entre dans la pièce. Il porte un caftan de soie violette et six rangs de perles. Le front de Chloris se fronce un bref instant. Après tout, il y a peut-être quelque chose de vrai dans ce que dit Wayne. Mais non ! Comment cela serait-il possible ? Ces heures de passion qu'ils ont connues ensemble ne peuvent pas avoir été simulées. Pourtant, pourquoi Clive lui a-t-il volé son godemichet électrique ? Elle jurerait que c'est Clive qui le lui a pris, la première nuit qu'ils ont passée ensemble. Au début, elle avait été enthousiasmée par le symbolisme de ce geste, mais maintenant... Wayne Alexander a réussi sa mission : il a semé la semence du soupçon dans un terrain fertile.

« Chérie ! » Clive embrasse Chloris sur la joue. Ce faisant, il lui souffle dans l'oreille : « Que fait ici ce sale type ? »

Comme la plupart des gens qui n'entendent que d'une oreille, l'ouïe de Wayne est exceptionnelle. « Je suis ici pour parler du nouveau livre de Chloris sur le meurtre de Betty Grable.

— Oh. » Clive est interloqué. Il ne voulait pas que Wayne entende ce qu'il disait, car sa politique consiste à être dans les petits papiers dudit sale type qui, après tout, est un journaliste qui peut faire ou défaire une figure de la vie sociale, Clive étant tout au fond, pour dire la vérité, animé de la même ambition sociale que feu sa mère.

« Oui, Wayne m'apporte une aide inestimable dans mes recherches, déclare Chloris.

— Qui est cette Betty Grable ? » Clive est trop jeune pour se souvenir de Betty. Impatient, il entortille ses perles autour de ses doigts tandis qu'on lui explique à grand renfort de détails qui elle était. « Et alors, fait-il quand ils se taisent enfin, qui l'a tuée ?

— Moi, je le sais, répond Wayne d'un air suffisant. En fait, je suis le seul être vivant actuellement qui le sache.

— Eh bien, qui est-ce ? Après tout, je te paie pour faire des recherches », rétorque Chloris, qui peut rétorquer sèchement, elle aussi.

Mais à ce moment, Rosemary Klein Kantor, en robe d'intérieur de chez Pucci, entre en boitant, un large sourire sur les lèvres. Tous l'accueillent chaleureusement. Clive en est à la moitié de la dernière livraison du *Duc fripon* dans *Redbook,* où il a reconnu sa mère grossièrement déguisée sous les traits de Beryl, marquise du Cyel. Il le fait savoir à l'auteur.

« Pas possible ! Votre mère ? répond Rosemary avec un air songeur. Ma foi, cela se peut. Comme vous le savez, je croyais qu'elle était passée dans *la Comtesse Mara,* mais ces derniers temps, en assemblant cette histoire absolument

112

fantastique sur ma machine à traitement de texte, j'ai bien eu l'impression qu'elle n'y était en fait jamais entrée, bien qu'une place y fût réservée à son nom... Mais au fait, oui ; vous avez raison. Elle est bien devenue la marquise du Cyel au milieu de la deuxième livraison. Je m'en suis rendu compte sur le moment. Vous a-t-elle envoyé un message depuis l'Angleterre de la Régence ?

— Pas encore. Mais je pense qu'elle sait à présent que je la lis, ce qui est tout de même quelque chose.

— Eh bien, je ne vous gâcherai pas le plaisir en vous disant comment cette histoire se termine. » En réalité, Rosemary ne sait jamais à l'avance comment ses histoires se termineront, ou même si elles se termineront. Le résultat est que certaines ne se terminent jamais, au grand dam des personnages qui n'ont plus qu'à tourner en rond dans les limbes d'un oubli d'où ils ne peuvent passer à de nouveaux rôles. Dans la banque de données de la machine de Rosemary, dix mille romans historiques sont en dépôt, et une fois qu'elle prend les commandes, volant avec dextérité intrigues, personnages, phrases et mots, personne, et encore moins elle, ne sait ce qui va se passer ensuite.

Chloris avise le carnet de notes de Wayne sur le sofa. Elle le prend et montre à Rosemary le mot qu'il a écrit. « Chérie, j'ai laissé mes lunettes en haut. Pouvez-vous me dire quel est ce mot ?

— " Cat ", répond Rosemary dont la capacité de lecture est de beaucoup supérieure à la moyenne de Duluth.

— Cochon ! lance Chloris en se retournant vers Wayne, qui serre les dents.

— Non, pas cochon ; chat, comme dans jouer au chat et à la souris, rectifie Rosemary. Quel magnifique caftan, ajoute-t-elle à l'intention de Clive. (Plus que les gens riches, Rosemary aime les gens vraiment très riches.)

— Merci, Rosemary. J'ai toujours eu le goût des choses rares. Des tissus exquis. Des bijoux de prix. »

Chloris essaie de ne pas regarder Wayne dans les yeux,

mais elle n'y arrive pas. Clive papillonne de-ci de-là dans la pièce. « Les objets d'art uniques. Les bibelots. Les chefs-d'œuvre de l'ébénisterie. Telle est l'essence même de ce que je suis. Sinon, pourquoi serais-je à Duluth ?

— Ma politique » dit Rosemary en s'asseyant sur une chaise droite et en disposant sa jambe boiteuse sur une ravissante sellette à traire Chippendale, à la grande horreur de Clive qui arrête de virevolter et de Chloris qui est trop bien élevée pour faire une remarque mais qui mitraille du regard une Rosemary qui, comme toujours, domine la situation, « a toujours été de refuser de renoncer à mes principes.

— Qui sont ? lui demande Wayne Alexander en reprenant son carnet de notes sur le sofa.

— Bien connus du plus grand nombre de mes lecteurs, je crois. » Bien que Rosemary n'aime rien tant que se répéter, elle préfère le faire au moment qu'elle choisit. Néanmoins, elle se montre polie envers Wayne, car elle aussi veut garder la presse de son côté. Il n'est pas un critique littéraire de La Nouvelle-Orléans qui n'ait été invité douze fois au moins chez Rosemary pour manger des ketmies de son jardin tout en écoutant ses invraisemblables histoires sur la grande époque où elle était la seule aux Etats-Unis à s'élever contre Hitler. « J'étais très seule, c'est vrai, dit-elle en balançant sa mauvaise jambe sur le Chippendale qui grince sinistrement. Mais je suis habituée à me battre seule. Je ne fuis pas le combat. J'ai su que Hitler n'était pas clair dès 29. Je veux dire 39, alors que je n'étais pas plus grande qu'une azalée, dans la plantation de ma mère près de Baton Rouge... Ah, le parfum de ces azalées ! Savez-vous qu'aujourd'hui encore, leur forte odeur me rappelle ces jours heureux... ?

— Les azalées ne sentent rien », fait Clive qui commence à se barber. Il s'en fait aussi pour la sellette Chippendale.

« C'est bien ce que j'ai dit. (Rosemary, comme tous les grands auteurs et tous les manieurs de mots chèrement payés, ment avec autant de rapidité que de candeur.) Le parfum des pivoines me rappelle toujours notre plantation au printemps...

— Les pivoines ne poussent pas en Louisiane » rétorque un Clive plus mordant que jamais et qui a décrété que Rosemary était une rien du tout. Il se rappelle également que Beryl, sa mère, n'eût jamais accepté un roman de Klein Kantor dans leur maison de Tulsa. Et maintenant, la pauvre est coincée dans *le Duc fripon !* Clive ressent de la pitié pour sa défunte mère. Après tout, elle lui a laissé un empire.

« Ces pivoines-là poussaient à grands frais dans nos serres immenses ! » réplique d'un ton mauvais Rosemary en faisant s'effondrer la sellette sous le poids de sa mauvaise jambe.

A La Nouvelle-Orléans, Rosemary Klein Kantor est surnommée par tout le monde « La reine des fines mouches ».

XXXIII

« Chico » Jones et son collègue policier descendent Kennedy Avenue dans leur voiture de police. En passant à proximité de l'endroit où l'engin spatial s'était posé la première fois, « Chico » déclare : « Je me demande ce qu'il y a dans cet engin.

— L'engin spatial ?

— C'est ça, oui. Je ne crois pas que ce soit des centipèdes.

— Non, réplique le collègue qui est abonné à la revue *La mécanique à la portée de tous.* Car enfin, comment un centipède pourrait-il conduire un tel engin ?

— Il n'a pas l'air davantage russe.

— Quoiqu'il soit *rouge,* et caoutchouteux...

— C'est vrai. Il faut absolument que le chef le sorte du lac Erié.

— En effet. Les pêcheurs affirment qu'il a chassé tout le saumon. »

A ce moment, une voiture volée fuse devant eux et fonce vers la Route 99, qui traverse le désert juste à cet endroit dans la direction de Pittsburgh.

« Suis cette voiture ! » ordonne « Chico ». Sur des pneus qui fument et dérapent, la voiture prend le virage en épingle à cheveux qui relie Kennedy Avenue à la Route 99. En moins de temps qu'il n'en faut pour le dire, le conducteur de la voiture volée les distance.

« Tant pis, fait " Chico " d'un air triste. Retournons en ville. »

« Chico » est loin de se douter que Darlene se trouve dans un hangar abandonné, à la limite des barrios.

Darlene a peur, vraiment peur. Ce n'est pas vrai, se dit-elle ; ce n'est pas en train de se produire. C'est un rêve. Mais ce n'est pas un rêve.

Les menottes de Darlene serrent ses propres poignets, mais c'est si différent de la fois précédente, où Big John les lui mit avec tant d'amour ! Le Bar lunaire, on dirait que c'était un autre monde, songe-t-elle tandis que Pablo et ses deux complices utilisent leurs longs couteaux pour réduire en lambeaux l'uniforme Mainbocher toujours à la mode.

« Gueule autant que tu veux, gringa ; personne ne peut t'entendre ! lui crie Pablo. Ce hangar abandonné est à des millions de kilomètres de tout. » L'anglais de Pablo s'est considérablement amélioré depuis qu'il dirige la Société des Terroristes Aztèques.

Darlene ne porte plus maintenant que son soutien-gorge et son short de jockey. Les immigrés clandestins rient en voyant ce dernier. « Ce doit être une dégénérée, dit en espagnol un des complices à l'autre.

— Cela explique sans doute la haute perversité de son esprit, origine de ces attaques manifestement psychotiques, il n'y a pas d'autre terme, contre notre virilité latine.

— La vengeance est toute proche. Et la liquidation »

rétorque le premier. Leur espagnol est excellent, se dit Darlene qui est capable de commander un repas ou d'arrêter un assassin en espagnol, mais qui a autant de mal à parler couramment espagnol qu'ils en ont à parler couramment anglais.

A l'époque où Pablo Gonzales subit la fouille intégrale, le seul mot anglais qu'il maîtrîsait réellement était « quoi ? » Depuis, il en a appris un grand nombre, qu'il sert aussitôt à Darlene.

« OK, gringa. Voyons un peu ces roberts ! (Il arrache le soutien-gorge. Elle retient son souffle. Il retient le sien.) Sainte mère de Dieu ! Quelle grosseur !

— La perfection même, déclare le premier complice qui s'appelle Calderón Gonzales et qui est un jeune type costaud. Mamelons rosés, continue-t-il ravi, tels que nous n'avons jamais l'occasion d'en voir sauf dans les magazines de cul que le primat du Mexique nous interdit.

— Lui obéis-tu donc ? » demande le second complice, un nommé Jesús Gonzales (tous s'appellent Gonzales mais ils n'ont aucun lien de parenté, ce qui ne les empêche pas de se ressembler comme des frères). Jesús caresse l'un des nichons rebondis de Darlene tandis que Pablo se régale d'une bouche affamée avec l'autre, comme un cochonnet non sevré.

« Et comment, que je lui obéis ! » répond Calderón en descendant le short de jockey.

Tous trois contemplent dans des ravissements la fourrure dorée du petit delta, sec comme la Vallée de la Mort pour le moment. Darlene n'aime pas du tout cela. Bien qu'elle suive, en gros, le cours nonchalant de leur conversation, elle ne connaît pas vraiment assez leur langue pour participer à ce qui, fondamentalement, tourne maintenant à la discussion théologique.

« Je crois cependant, reprend Calderón en ouvrant bien large le delta de Darlene, exposant ainsi le croquignolet clicli, que l'intention du primat n'est pas tant de nous interdire les photos de *Playboy* que...

— Je préfère *Hustler !* s'écrie Jesús.

— Quelle vulgarité ! Non, je crois qu'en publiant cette bulle, son Eminence songeait surtout aux valeurs humanistes et séculières exprimées par Señor Hefner dans le *texte* de *Playboy*, plutôt qu'à ces clichés fondamentalement anodins de blondes minettes.

— En parlant de blonde minette, remarque Pablo, on a tiré le gros lot. Ecarte-nous un peu ces jambes, Calderón. »

Calderón, crypto-admirateur de la philosophie de *Playboy*, si différente de celle de saint Thomas d'Aquin, écarte les jambes de Darlene. Darlene a trop peur pour crier. De plus, elle est un rien curieuse de voir à quoi ressemble une bite de clandestin en érection. Une grande surprise lui est-elle réservée ? Yeux grands ouverts, elle regarde les trois pantalons et les trois caleçons tomber sur les trois paires de souliers pointus, qu'un immigré clandestin ne retire jamais de son propre chef pendant un viol ou même une visite de famille, en raison de l'embarrassante présence de cors multiples.

Le *membrum virile* de Pablo, en érection totale, mesure 7,62 cm. Les deux autres membres sont un petit peu plus grands. Darlene remarque que le prépuce de Calderón ne bouge pas, quel que soit l'état de la verge, tandis que le membre de l'exégète du cardinal est légèrement incurvé vers la gauche. Ma foi, se dit Darlene philosophiquement, je ne vais toujours pas *sentir* grand-chose...

Pablo, lubrique, membre en main, prend place à la lisière du vaste pot à miel de Darlene.

XXXIV

La réception organisée par Chloris pour Rosemary Klein Kantor n'arrive pas à démarrer. Pour commencer, l'hôtesse de marque n'a pas arrêté de parler depuis le bris de la sellette Chippendale.

Heureusement, pense Chloris, Clive a cessé de faire le papillon, et il fixe à présent d'un air sinistre le lac Erié, où l'engin spatial est tout à fait visible. Clive n'arrive pas à se décider : quel rouge, des deux, est de plus mauvais goût, celui de l'engin ou celui du rougeoyant coucher de soleil ?

Cinq bonnes étrangères, sous la conduite de Carmencita à la noire prunelle, la Passionara des barrios, pourvoient au moindre caprice gustatif de deux douzaines de couples de la meilleure société duluthienne qui ont fondu sur le buffet comme les sauterelles de la Bible. Même Bellamy a renoncé à son régime Jean Harris pour le pâté à l'oignon et au cœur d'élan qui constitue le sine qua non de la cuisine de Chloris.

Chloris remarque tristement que personne ne fait halte très longtemps près de Rosemary ; seul Wayne n'a pas quitté son côté. Il flaire un bon papier, mais sans trop savoir vraiment.

« Je me trouvais à Hiroshima lorsque la première bombe atomique est tombée. Vous vous rappelez sans doute l'article que je signai dès le lendemain : " Coup d'éclat à Hiroshima, par Rosemary Klein Kantor ". Je travaillais pour Hearst, à ce moment-là. Bon sang, Ernie Pyle fulminait que je l'eusse cloué au poteau !

— Ernie Pyle n'était-il pas déjà mort, à ce moment-là ? demande Wayne qui, pendant ses études, était relativement bon en histoire du journalisme américain, même si le cours avait été fort succinct.

— C'est bien ce que j'ai dit, réplique Rosemary, irritée. S'il n'était pas mort, comment eussé-je pu le clouer au poteau ? C'est Quentin Reynolds qui fut livide…

— Mais je crois pouvoir affirmer que Mr Reynolds était à Londres, non ?

— Quentin Reynolds était et est là où je dis qu'il était ou est. Il roulait sous la table plus vite que moi, en ce temps-là. Où en étais-je ? Ah, oui. Hiroshima. J'y avais été parachutée au Japon par le général Doolittle quelques

119

mois plus tôt. Déguisée, bien entendu. Je parlais couramment japonais, à l'époque, et mes papiers sortaient de *Madame Butterfly*. Je vous assure que j'étais délicieuse dans mon kimono bleu et vert, avec les baguettes plantées dans mes cheveux épais et brillants. »

XXXV

« Chico » Jones et son collègue policier circulent sans but sur les bords des barrios, empêchant quelques crimes, en provoquant quelques autres. On ne sait jamais ce qu'on déclenche quand on agit, comme dit « Chico » quand il est d'humeur à réfléchir.

« Au fait, qu'est devenu ce mec qui a violé Darlene ? demande le collègue.

— Je veux bien être pendu si je le sais ! Je suppose qu'il se planque. Il a les narcs au cul.

— Il paraît qu'il est l'homme le plus riche de la communauté de couleur. (Le copain de " Chico " est blanc et très sensible à la sensibilité de " Chico " concernant le mot " noir ", que " Chico " déteste, préférant " de couleur " qu'il trouve plus descriptif.)

— Ça, pour être riche, il l'est ! Mais il est avide. De fric. De femmes. De pouvoir.

— C'est moi que tu décris là... » réplique le copain en rigolant.

C'est alors, à la limite même des barrios, que « Chico » entend un cri qui lui est familier. « Mon Dieu ! s'exclame-t-il. Mais c'est le cri de Darlene. Ils l'ont attrapée !

— Où ? »

Ils allument leur phare de recherche. A quelque distance, ils distinguent un hangar abandonné.

« Ce hangar abandonné, dit " Chico " d'un air sinistre. Je parie qu'elle est là-dedans. » Nouveau cri de terreur.

Mais cette fois, on dirait une sirène de la police. Un cri qui fendrait le tympan de tout individu normal. C'est le cri spécial et inimitable de Darlene.

« Chico » jette la voiture de police en plein dans un mur du hangar abandonné. Légèrement groggys par le choc, les deux policiers sortent de la voiture en miettes et, arme au poing, se mettent en quête d'une ouverture par où pénétrer dans le hangar abandonné.

XXXVI

A l'intérieur, c'est allé de Charybde en Scylla pour Darlene. La partie viol a été assez rasoir, mais pas si terrible. Pendant une minute ou deux, elle a eu l'impression d'être piquée par des crayons pointus. Résultat : elle a les nerfs à vif parce qu'elle est toute frustrée, et aussi parce qu'elle a la trouille. Pablo a mis à peu près dix-huit secondes pour éjaculer ; les deux autres ne sont guère restés en selle plus longtemps.

Mais ensuite, ces gloutons ont voulu remettre cela. Darlene a alors dû se livrer à la fellation sur les trois, ce qui leur a pris quelques secondes de plus que pour le viol vaginal. Ils ont beau être minuscules, ils n'en sont pas moins virils, songe Darlene. Mais même, elle commence à s'irriter. Ce n'est que lorsque le troisième violeur, Jesús, sort de sa bouche et que la chevelure blonde ravissante de Darlene prend tout le bénéfice de sa virilité (et dire que ce matin même, elle s'est fait coiffer comme la princesse de Galles !) qu'elle se dit : ça commence à bien faire !

Darlene commence aussi à l'avoir mauvaise. Trop, c'est trop, décrète-t-elle. Ils se sont servis. Pablo s'est vengé de la façon dont elle lui avait rentré son sexe à l'intérieur. Mais maintenant, c'est l'heure d'en finir. Salut, les mouettes. Dodo, les petits. Ciao et sans rancune. Seulement, ils n'ont aucun moyen de savoir que Darlene, leur Némésis, n'est plus la même femme, qu'elle n'est plus Némésis mais chatte en chaleur.

Les trois jeunes gens remontent leur slip et leur pantalon, et ferment la boucle d'argent coloré de leur ceinture.

« Et maintenant, nous allons vraiment nous amuser, déclare Pablo.

— Non ! non ! » fait Darlene, aussi bonne joueuse que possible. Elle comprend mal l'espagnol de Pablo. Celui de Calderón est trop orné pour elle. « Vous avez pris du bon temps, muchachos. Vous avez violé une superbe gringa blonde, rêve de tous les jeunes hommes au sang chaud du sud de la frontière. Alors... olé ! » s'écrie-t-il pour bien leur montrer qu'elle ne leur en veut pas. En revanche, elle n'aime pas du tout l'allure de ce couteau que tient Pablo...

Pablo s'accroupit à côté d'elle. Il soulève son magnifique sein gauche. Délicatement, il taquine le mamelon du bout du couteau. Une petite goutte de sang sort. Darlene pousse un grand cri. « Espèce de pervers ! Et moi qui vous prenais pour trois tireurs corrects ! Trois violeurs réglos. Mais ça... ! »

Calderón, en qui elle croyait pouvoir se fier (à cause de la tournure spirituelle et religieuse de son esprit ?), lui a ouvert bien large les jambes et fixe avec deux gros yeux tout ronds l'intérieur souillé. Elle aimerait bien qu'il n'inspecte pas comme cela. Mais quand il dirige son couteau directement vers le clitoris, Darlene pousse son cri de sirène de la police.

« Personne ne peut t'entendre, cochonne de gringa ! s'écrie Pablo en ricanant comme le dégénéré qu'il est. Ce hangar est abandonné. »

Mais la voix de Darlene a été entendue. Déjà puissante en temps ordinaire, elle devient, devant l'éventualité d'une mutilation de son corps superbe, plus forte que la sirène réglementaire des voitures de la police.

Rétrospectivement, les trois terroristes aztèques reconnaîtront que leur erreur numéro un fut de ne pas la bâillonner, funeste décision de Pablo qui, pervers et cochon de mâle sexiste, voulait jouir de ses cris et de ses appels à la pitié pendant qu'il la mutilait. Et quand il se retrouve obligé d'écouter cette sirène qui lui sort de la gorge, il déchante bientôt. Il commence par ricaner, mais lorsqu'il a l'impression que ses tympans vont éclater, il lâche le sein gauche de Darlene comme si c'était de la bouillie brûlante. Même le flegmatique Calderón doit se boucher les oreilles avec ses mains. Ce bruit est vraiment assourdissant, de même qu'effrayant.

Alors que Darlene ne va plus avoir de souffle, « Chico » et son collègue font irruption dans le hangar abandonné. « Attention ! » crie « Chico » en tirant sur Pablo, en tirant pour tuer, ce qui constitue la P.N. du DPD dans les rapports avec les immigrés clandestins et autres individus basanés. Mais « Chico » le manque de quatre mètres, étant incapable de toucher une porte de grange à un mètre, comme il dit toujours. Et c'est vrai. Il en est incapable.

Darlene crie encore une fois, n'ignorant pas la force de son cri lorsqu'elle l'emploie pour démoraliser l'adversaire.

Les trois muchachos lâchent leur lame et bondissent par la fenêtre la plus proche, « Chico » et son collègue les poursuivant aussitôt. A ce moment, « Chico », qui est enclin aux accidents, se froisse une cheville. « Sus, vieux ! » crie-t-il à son collègue. Et le collègue de fouetter des deux, laissant « Chico » sur un tas de vieux pneus dont il met un long et pénible moment à s'extirper.

A l'intérieur du hangar abandonné, Darlene bout littéralement. Me voilà, moi blonde déesse, violée par des Mexicains, et ce crétin de « Chico » qui entre ici pour tirer dans tous les coins et ressortir sans même me demander si je vais bien ou me retirer ces menottes ! Darlene grince des dents. Décidément, ce n'est pas son jour.

Soudain, elle aperçoit un rat, qui la contemple avec des yeux clairs et intelligents. Les rats, Darlene, ce n'est pas son truc. En fait toute la famille des rongeurs, y compris le tamia rayé que certains aiment tant, la laisse froide. Rapide comme l'éclair, Darlene croise ses longues et belles jambes. Après tout ce qui s'est passé entre ces deux jambes dans l'heure qui vient de s'écouler, elle ne supporterait pas que cette bestiole tente sa chance, elle aussi.

Lentement, le rat approche d'elle, yeux brillant comme des braises. Darlene sent un cri monter en elle. Mais ce rat comprendra-t-il le sens du cri ? Ce rat saisira-t-il la menace véritable contenue dans ce cri, qui peut pourtant vider en une seconde une pièce de tous les immigrés clandestins qui l'occupent ? Le rat verra-t-il la différence entre une sirène ordinaire et celle du DPD ? Ça se gâte une nouvelle fois, se dit Darlene en emplissant ses poumons.

Mais avant qu'elle lâche l'air accumulé, « Chico » rentre en boitillant dans le hangar abandonné. Le rat se barre, furibard.

« Darlene !

— "Chico"... (Il lui retire ses menottes.)

— Mon pauvre bébé ! » Il la serre tendrement. Mais elle n'a aucune envie d'être serrée tendrement par quiconque, si ce n'est Big John, et encore, pas dans les circonstances présentes.

« "Chico", j'ai été violée. Par les trois. Deux fois chacun.

— Qu'as-tu dans les cheveux, là ? (" Chico " renifle la chevelure d'or qu'il admire tant.)

— Devine.

— Beurk ! (Il fait une grimace, puis fronce méchamment les sourcils.) Que je mette un peu la main sur celui qui a fait ça et je lui brise le...

— C'est le troisième violeur. Il a fait ça sur mes cheveux. Par erreur. Le chef s'appelle Pablo. Ils ont cru que je ne connaissais pas l'espagnol. » Darlene a remis son short de jockey. Elle fait tout son possible pour reconstituer son uniforme Mainbocher en lambeaux quoique encore à la mode. « Je dois avoir une de ces têtes !

— Tu es encore à croquer, répond " Chico ", toujours mordu.

— Comment m'as-tu retrouvée ?

— Par hasard. J'ai entendu ton cri. Mon collègue et moi, nous passions juste dans le coin.

— Tirons-nous d'ici. J'ai besoin d'un bon bain bien chaud et peut-être d'une piqûre de rappel antitétanique. Ils s'apprêtaient à me couper les nichons...

— Ils n'auraient pas osé !

— Tu parles ! J'ai senti en eux une très grande hostilité. Surtout chez le chef, Pablo. Je me souviens vaguement de l'avoir fouillé intégralement. Mais il y en a eu tellement. Bof, c'est le métier qui veut ça !

— Crois-tu que c'était un coup monté ? (" Chico " tient les menottes ; il y a dans son œil une lueur que Darlene reconnaît et n'aime pas.)

— Oui, je crois qu'ils attendaient depuis quelque temps de me coincer toute seule et, bien entendu, tout est de ma faute. Je n'avais qu'à pas abandonner le cas d'homicide que le capitaine Eddie m'avait confié. Mais cela ne me disait rien... Allez, en route, à présent.

— Nous devons attendre que mon collègue revienne.

— Il ne les retrouvera jamais, dans ces barrios. Alors, prenons la voiture. Il comprendra que nous sommes partis tout de suite et... enfin merde, quoi, " Chico " ! Je suis en état de choc. J'ai été violée. Mutilée... enfin, presque.

— Nous avons bousillé la bagnole.

— Comment ? »

Mais dans le regard de « Chico », Darlene lit autre chose. Il lui tend les poignets et la supplie : « S'il te plaît, mets-les-moi.

— Non ! » réplique-t-elle d'un ton rauque.

« Chico » la supplie piteusement. En fin de compte, Darlene lui colle les bracelets, tristement, avec lassitude, n'en pouvant presque plus.

« Insulte-moi » lui murmure-t-il.

Avec conviction, pour une fois, Darlene dit à « Chico » tout le mal qu'elle pense de lui pour avoir bousillé la voiture, s'être foulé la cheville et la forcer à demeurer sur les lieux de son supplice.

« Chico » se tortille de jouissance sous ces injures

verbales. Mais l'arrivée du collègue met fin à la gaudriole. Le collègue est en nage et à bout de souffle.

« Ils se sont tirés...

— Bien sûr ! hurle Darlene. Le DPD va à vau-l'eau !

— Allons-y, maintenant, dit " Chico " en se relevant.

— Qu'est-ce que tu fous avec ces menottes ? demande le collègue qui ignore tout du SM.

— Je regardais si j'arrivais à... » Mais comme il n'y a pas d'explication plausible, « Chico » se tourne vers Darlene. « Poussin, tu peux ouvrir ces menottes, s'il te plaît ?

— Je n'ai pas la clé. »

« Chico » la dévisage, bouche bée. « Mais je te l'ai donnée après t'avoir retiré ces menottes.

— Mais non ! Tu ne m'as pas donné la clé, réplique une Darlene furieuse dans sa précision. C'est toi qui l'as gardée.

— Je vais regarder dans tes poches » dit le collègue. Mais la clé a disparu, et deux membres du meilleur corps de Duluth sont obligés d'aider leur collègue menotté et boitillant à quitter le hangar abandonné pour se rendre jusqu'au plus proche arrêt de bus de l'ethnique avenue Kennedy.

Pendant qu'ils attendent le bus, Darlene a un sanglot.

« Qu'y a-t-il, ma douce ? lui demande " Chico ".

— Je n'avais pas mon diaphragme.

— Vous ne prenez pas la pilule ? lui demande le collègue.

— Je déteste la pilule. Oh, mon Dieu ! » Darlene est prise de détresse. D'abord Big John. Maintenant, trois immigrés clandestins. Si elle a un enfant, de qui sera-t-il ? Doucement, elle se met à pleurer et « Chico », avec ses menottes aux poignets, ne peut rien faire ou dire pour la consoler.

XXXVII

Au Bistro Garden, l'heure du déjeuner a fait place à l'heure du dîner. Edna était trop mal pour quitter la table et retourner au Montecito. Par bonheur, Kurt, le propriétaire au grand cœur, a permis aux deux femmes de rester à leur table pendant que le personnel nettoie les autres tables et les prépare pour la foule du soir.

« Vous vous sentez vraiment mieux... ? » Rosemary est assez inquiète. Après le mariage qui doit avoir lieu dans la quatrième partie du feuilleton, elle pourra éliminer Edna. Mais la perdre avant ce mariage nuirait considérablement à l'ambiance dudit feuilleton, que *Variety* a d'ores et déjà qualifié de « plein de classe ».

Edna sourit bravement. « Oui. Ça va mieux, maintenant. Tout d'un coup, j'étais dans deux endroits à la fois ; j'étais deux personnes à la fois...

— Je sais ce que c'est » réplique Rosemary en mentant, comme toujours. Car chacune des identités Klein Kantor, qui sont, littéralement et simultanément, légion, est totalement séparée de toutes les autres identités Klein Kantor. Elles ont cependant certains traits en commun. Par exemple, quelques mois plus tôt, la Rosemary de Hollywood faillit vendre en option *le Duc fripon* pour un feuilleton à tourner en Angleterre, avec Lew Grade. Mais l'affaire foira à la dernière minute, et elle ne se vit donc jamais dans l'obligation, de par la loi fictive de l'unicité, d'être face à face avec la Klein Kantor de *Duluth*. Seule cette pauvre Edna a succombé à cette loi, et ce sera pour elle (et pour tout le monde) un grand soulagement quand elle rentrera dans ce camion de déménagement juste à côté de Barham Boulevard, et sortira en même temps de « Duluth » et de *Duluth*. « Je vais prendre une soupe à l'oignon, maintenant » dit Edna au garçon.

Lorsque la soupe à l'oignon arrive, Edna prend sa

cuiller, rompt avec soin la croûte du délicieux pain grillé français généreusement saupoudré de fromage assaisonné, puis se met en devoir de tourner sa cuiller dans la soupe brûlante, lentement, de droite à gauche puis de gauche à droite, jusqu'à ce que la soupe soit froide, et elle repose enfin sa cuiller. Elle a fait ce qu'elle aime le plus faire avec une riche soupe à l'oignon. Le garçon remporte la soupe qu'Edna n'a pas goûtée. Rosemary se demande vaguement si Edna ne serait pas également anorexique. Rosemary comprend le talent, et l'admire.

XXXVIII

Pablo et ses deux complices se sont fondus dans les barrios. De tous côtés ils sont protégés par un million d'immigrés clandestins, avec leurs yeux aztèques immémoriaux et leur infrangible code de l'*omertà*.

Dans les barrios, Pablo vit comme un dieu. Chacun de ses souhaits est exaucé par des señoritas à la noire prunelle. Dès qu'il entre boire une *cerveza* dans une *cantina*, jeunes et vieux l'entourent pour moult *abrazos*. Il a installé son quartier général au club italo-américain Daridere, autrefois repère des démolisseurs italiens qui se sont installés à présent dans la banlieue afin que les immigrés clandestins puissent transformer en Little Yucatán ce qui était auparavant Little Italy.

Mais Pablo est frustré. Assis en compagnie de Calderón, ils regardent les couples jeunes et joyeux danser la tarantelle colorée, mais lui broie du noir au-dessus de sa *cerveza*.

« Qu'est-ce qui ne va pas, chef bien-aimé ? Tu parais bien abattu après le succès de ton viol de notre Némésis...

— Je *suis* abattu, Calderón.

— Tu en voulais plus ?

— Bien bien plus.

— Tu voulais, tout au fond, la mutiler avec ton couteau ?

— Oui.

— Comme l'on dit aux Antilles : " Il y a toujours une autre occasion. "

— Elle va être désormais sous haute protection.

— Nous attendrons. Prenons notre temps. Déroutons les gringos. J'ai versé de l'eau de robinet de Mexico dans le réservoir de Duluth.

— Tu es un homme, Calderón. (Pablo donne à son ami la suprême accolade.)

— Toi aussi, Pablo.

— Oui. Nous devons instaurer un règne de terreur. Mais si peu d'entre nous sont prêts à perdre l'espoir d'obtenir une carte de séjour authentique, ainsi que la sécurité sociale. (Pablo contemple d'un œil froid ceux de son peuple qui dansent sur un orchestre de mariachi sous des lampions de toutes les couleurs.) Ils ne pensent qu'à une chose : vivre pour le moment présent. Ils n'ont pas dans le ventre ces flammes qui me dévorent.

— Elles me brûlent aussi, Pablo. Quand je songe à la cauchemardesque culture que ces gringos protestants — non, ils ne sont même pas protestants. Ils sont... ils sont...

— Des humanistes laïques, réplique Pablo qui, à la différence de Calderón,, n'a pas encore tout à fait liquidé saint Thomas d'Aquin.

— C'est cela ! Des humanistes laïques, appelés aussi : athées ! (Calderón crache par terre de dégoût.) Quand je regarde Duluth et vois ce qu'ils ont créé : salons de massage, librairies pour adultes seulement, orchestre symphonique..., je suis révolté, Pablo ; révolté par une culture sans fondement solide dans la foi. Oh, pas simplement la foi religieuse... » Calderón n'ignore pas que s'il lance Pablo sur la religion, Pablo va démarrer sur saint Augustin et qu'on ne pourra l'arrêter qu'à l'apparition des stigmates sur sa main gauche, premier signe, dès son enfance, qu'il était appelé à un destin assez particulier par rapport à la moyenne des immigrés clandestins de Duluth.

« En vérité, je te le dis, tu es plus thomiste que tu ne t'en doutes » réplique Pablo distraitement. En pensant quelle joie ce serait de mutiler Darlene, son serpent à plumes gigote dans son pantalon.

« Non, pas vraiment. Je suis plutôt un chrétien des premiers siècles. En ce temps béni, les valeurs morales étaient vraiment absolues. Il régnait un consensus moral naturel et spontané. Ici, rien de tel... (Calderón crache de nouveau dans la sciure du sol pour bien montrer son mépris pour Duluth)... Et pour dire la vérité, nous ne valons guère mieux au sud de la frontière, dans notre Mexique natal.

— Ce qu'il nous faut, dit Pablo qui commence à ne plus penser à Darlene réduite en morceaux assez petits pour être expédiés par paquets postaux à ses collègues du DPD, c'est un programme. Le terrorisme aveugle ne nous apportera pas de réponse.

— Au terrorisme, aveugle ou non, nous nous sommes heureusement très peu livrés, chef bien-aimé. Ce n'est pas un petit viol à la chaîne de rien du tout qui va déstabiliser le système.

— Tu as accompli ton travail au réservoir, ne l'oublie pas. Mais maintenant, il nous faut une véritable organisation. Et de la stratégie.

— Pour faire quoi ?

— Pour nous emparer de l'hôtel de ville et du quartier général de la police. Pour occuper les résidences somptueuses de Garfield Heights.

— Et ensuite ?

— Nous retiendrons en otages les gringos riches et puissants.

— Et après, chef bien-aimé ?

— Quoi, et après... ? (Pablo est irritable. Il ne trouve aucun défaut à son plan magistral. Mais Calderón a tendance à pinailler.)

— *Que* demandons-nous ?

130

— Euh... (Pablo se renfrogne. C'est l'action qui a toujours été son fort, pas la théorie.) L'égalité ?

— Sous quelle forme ?

— Des salaires égaux.

— Ce qui signifie que nous devenons citoyens américains.

— Oui.

— Mais tu hais ce pays et tout ce qu'il représente. Dans ces conditions, pourquoi obtenir la citoyenneté ? A quoi bon avoir un numéro de sécurité sociale puisque ce n'est un secret pour personne qu'au moment où toi et moi pourrons en bénéficier, à soixante-deux ans...

— Soixante-cinq si nous voulons le plein bénéfice, corrige Pablo.

— Soixante-deux où soixante-cinq, chef bien-aimé, ce gouvernement ne paiera pas un sou à quiconque lorsque nous aurons cet âge, et toute une vie de cotisations à la sécurité sociale aura été bouffée depuis longtemps par l'inflation et le gâchis bureaucratique.

— A Washington, ils parlent avec la langue fourchue, acquiesce Pablo qui se rend compte que son loyal second a de la suite dans les idées.

— Que dirais-tu, suggère prudemment Calderón, — et je sais que cela va contre ta nature fondamentalement spirituelle — de frapper un grand coup matériellement et de prendre, contre rançon, le maire Herridge, le capitaine Eddie Thurow, les Bellamy Craig II socialement très importants, et le nouveau-venu de l'Oklahoma enrichi par le pétrole, Clive Hoover ?

— Cette tantouse ! (Dans les barrios, on sait tout. Si une simple épingle tombe par terre quelque part dans Garfield Heights, cela se sait aussitôt dans cette zone étrangère et misérable quoique joyeuse et pleine d'exaltation.)

— En réalité, non. Le caftan de soie était trompeur. Ma Carmencita, qui servait les canapés, l'a entendu confier à son " inamorata " Chloris Craig qu'il avait simplement voulu dire quelque chose.

— Combien demanderions-nous en échange ?

— Un million par tête. (Calderón voit gros. Et pense beaucoup.)

— Combien de têtes ?

— Autant que nous pourrons en réunir. C'est là que ta stratégie compte, chef bien-aimé.

— Il faut faire vite. (Pablo réfléchit.) Les barrios sont une boîte d'allumettes. Une seule, et… pffft !

— Nous devons frapper avant de la gratter.

— Admettons que nous avons l'argent. Et après ? (Pablo n'est vraiment pas du tout dans la théorie. Il n'est qu'action.)

— Nous retournons au Mexique. J'aimerais ouvrir une chaîne de salons de massage. Des jolis, comme ils en ont ici…

— Je croyais que tu étais du genre chrétien des premiers siècles.

— En l'absence de consensus moral général, l'impératif catégorique est notre propre intérêt. (Ce n'est pas pour rien que le père de Calderón, à Guadalajara, est un prêtre jésuite.)

— Nous devons dresser un plan », ajoute Pablo.

XXXIX

Beryl, marquise du Cyel, écarte le rideau de velours rouge bordé d'hermine ; sur la table de malachite, se trouve le coffret d'ivoire incrusté dans lequel le prince régent serre ses papiers les plus importants, ainsi que le Grand Sceau d'Angleterre.

Beryl regarde de-ci de-là dans la somptueuse pièce. Tout à coup, elle a peur. De quoi ? Le prince régent est inconscient. Elle a versé une drogue dans la carafe de brandy qu'il vient de s'enfiler. Reggie, comme elle l'appelle, elle et les autres intimes du prince, est effondré dans un fauteuil à côté de la cheminée. Ses mentons débordent sur sa poitrine ; il ronfle bruyamment.

Surmontant cette peur irrationnelle soudaine, Beryl prend la toute petite clé qu'elle a fauchée dans la poche de Reggie et, aussi silencieuse qu'une souris, la tourne dans la toute petite serrure. Elle ouvre le coffret. A l'intérieur, elle trouve des millions en billets, quelques bijoux, des lettres d'amour, principalement d'elle à lui quoiqu'il semble y en avoir quelques-unes de lui à elle, mais jamais postées. Elle aimerait avoir le temps de les lire. *But* la France *before* le plaisir. Fourrant un bon million de livres sterling dans son décolleté d'une main, elle fouille de l'autre jusqu'à ce qu'elle trouve, sous le Grand Sceau, la feuille de papier portant cette inscription : « Plan secret pour l'invasion de la France ». Hâtivement, elle glisse le document sans prix dans son décolleté, qui commence à lui faire une sacrée devanture.

Comme un coup de pistolet, une bûche claque dans la cheminée. Elle sursaute. D'une main tremblante, elle referme et verrouille le coffret, remet la petite clé dans la poche de Reggie, se glisse hors de la pièce et sort du château de Windsor pour rejoindre la voiture qui attend de la conduire à Douvres d'où le bateau la transportera jusqu'en France auprès de son amour de toujours Napoléon Bonaparte. Tout se passe comme sur des roulettes, mise à part une chose. On l'a vue sortir des appartements du prince régent avec une poitrine assez peu naturelle. Beryl ayant des ennemis, la nouvelle se répand.

Beryl, marquise du Cyel, est arrêtée à la douane de Douvres.

« Milady, déclare le commandant du port, nous avons des raisons de croire que vous êtes une espionne pour le compte de la France. »

Beryl s'en sort grâce à son bagou, mais il lui faut jouer serré pendant un bon moment. Heureusement, ses charmes de séductrice lui viennent à point nommé, et même pendant les moments les plus intimes qu'elle passe avec le commandant du port, elle parvient à garder sa poitrine et son contenu, ce qui constitue le fait de la semaine, reconnaissons-le. Il est vrai que Beryl n'a pas sa pareille.

La machine à traitement de texte de Rosemary clignote tant qu'elle peut ; elle ne sort pas le genre de scènes dont *le Duc fripon* a besoin. Rosemary voudrait un ferry-boat ; la machine lui refile une trirème...

« J'enrage ! » s'écrie-t-elle, exaspérée. Mais *Redbook* n'attend pas la valeur des auteurs qu'il publie, et la pauvre Beryl est poussée sur la trirème. « Cela suffira bien pour la faire arriver jusqu'en France » se dit Rosemary. Ah, les épreuves de l'écrivain... !

XL

Clive et Chloris ont pris l'habitude de se retrouver secrètement à l'Eucalyptus. C'est-à-dire que tout le monde sait qu'ils se retrouvent là mais pense que c'est en réalité en vue du tournoi annuel de tric-trac auquel ils participent effectivement.

C'est juillet et il fait très chaud. Clive porte un costume de toile léger de couleur beige à revers plissés de chez Carlo Paluzzi, tandis que Chloris porte un petit machin doré, un froufrou estival que lui a coupé la princesse Galitzine.

« Et la maison, ça avance ? demande Chloris comme si elle ne s'était pas rendue sur les fondations plus de dix fois avec Clive.

— Mr Jackson est en Afrique, où il tente de me trouver du porphyre nubien, plus beau, paraît-il, que le souda-nais.

— J'aime le porphyre. » Chloris est toujours directe. Un serviteur noir lui apporte un Docteur Pepper.

Les deux amants sont assis côte à côte sur l'un des

confortables sofas de cuir installés en face des larges baies vitrées à travers lesquelles on aperçoit les palmiers qui bordent le populeux front de mer. L'engin spatial est toujours là, sur le lac, inerte.

« As-tu eu des nouvelles de Rosemary ?

— Pas depuis la réception. (Chloris fronce les sourcils.) Je ne sais ce qui lui a pris.

— Elle m'a envoyé un exemplaire du dernier numéro de *Redbook* contenant un épisode du *Duc fripon.*

— Ta mère Beryl y est-elle ?

— Oui.

— Comment va-t-elle ?

— Bien. » Clive a accompagné Beryl jusqu'à Douvres, mais il ne demande qu'à la plaquer là, car si elle a effectivement un message pour lui, elle n'est vraiment pas pressée de le lui transmettre !

« Rosemary est partie avec Wayne Alexander, à la fin de ta soirée, dit Clive. Ma bonne mexicaine est amie de ta bonne Carmencita, et elle me l'a dit.

— Bien » répond Chloris qui s'exclame presque : Bon débarras ! Elle en a par-dessus la tête, de Wayne. L'ennui, c'est qu'elle ne veut pas lâcher Betty Grable. Elle devra donc faire la paix avec lui. La veille au soir, elle a regardé avec Clive *Maman était « New look »* en cassette vidéo, et Clive voit à présent ce que Chloris voit en Betty ; il est aussi curieux qu'elle de découvrir qui a bien pu trucider cette merveilleuse fille.

« D'après les rumeurs, reprend Clive, Wayne va écrire un grand papier pour le *Courrier* sur les débuts de Rosemary comme correspondante de guerre.

— Cela ne m'étonne pas de lui.

— Je préférerais qu'il écrive quelque chose sur moi, réplique Clive avec un vague regret.

— Mais voyons, chéri, il faut d'abord que tu accomplisses quelque chose !

— Je sais. Je sais. Ne retourne pas le couteau dans la plaie. Je crois que c'est pour cela que j'étais tellement... à vif pendant la soirée. Et en partie le caftan...

— Une erreur.

— Oui. Cela a créé une impression fausse.

— Pour ne rien dire des perles...

— Oh, mais elles sont vraies !

— Seigneur ! Moi qui croyais que c'était du Teclas ! (Chloris est très impressionnée.)

— Non, mon ange. Ces perles, c'est du vrai de vrai. Je les tiens de la grand-mère Hoover.

(Toujours ce nom, pense Chloris.)

— En effet. Si l'on a quelque chose comme ça, montrons-le !

— Mais surtout, je voulais dire quelque chose. Dire : et maintenant ? J'ai accompli tout ce que je m'étais fixé : l'argent ; la maison, quand elle sera terminée ; les deux jets Lear ; la position sociale...

— Tu as atteint le sommet à Duluth, réplique Chloris qui l'y a mis. Je me sens comme Jeanne d'Arc envers le dauphin de France.

— Mais cela suffit-il ? » Clive a fort à faire avec sa crise d'identité. Du moins voudrait-il qu'elle le crût. En réalité, Clive est aussi affairé que l'industrieuse abeille ; il agrandit l'empire que sa mère lui a laissé. L'ascension sociale n'est que la façade qu'il montre au monde. Mais même si Chloris a envie d'aider Clive, elle n'est, après tout, qu'une femme. Pendant qu'il lui parle de sa dernière combine pour payer moins d'impôts, elle bâille, bouche close mais narines écartées toutes grandes.

Distraitement, Chloris regarde par la fenêtre. Par oisiveté, elle examine l'engin spatial qui flotte au-delà des palmiers. Soudain, une ouverture ronde s'ouvre sur le côté de l'engin, au niveau de l'eau.

« Clive...

— Je voulais une vie de splendeur. Tissus rares. Rencontres palpitantes. Dénouements dévastateurs. Et qu'est-ce que j'ai ? (La question est de pure forme, mais Chloris y répond du tac au tac.)

— Eh bien, pour commencer, tu as une place au

premier rang pour voir l'ouverture de la porte de l'engin spatial.

— Quand ? (Clive fixe l'engin. L'ouverture ronde ressemble à un trou noir sur le flanc de la cabine.)

— A peu près au moment où tu m'expliquais en long et en large comment ta combine pour les impôts avait foiré.

— Tout compte fait, je crois que cela va marcher, finalement... »

XLI

Le capitaine Eddie et « Chico » Jones se trouvent au bord du lac ; les noirs du coin, assis sous les palmiers qui bordent le lac Erié, contemplent l'engin spatial et attendent qu'il en sorte quelque chose. Jusque-là, rien. En attendant, tous les jeunes noirs écoutent leur transistor dont la musique « disco » fait frissonner les feuilles de palmiers.

Le capitaine Eddie met ses jumelles devant ses yeux et les règle sur le trou noir et rond.

« Que voyez-vous, chef ?

— Rien. Rien qu'un trou noir.

— A-t-on été averti de cette ouverture ? (La question est posée par Wayne Alexander, à présent allié du capitaine Eddie dans la lutte contre le maire Herridge pour gagner le cœur et l'esprit de Duluth en novembre prochain.)

— Le DPD ne peut rien révéler à ce sujet » répond le capitaine Eddie prudemment. Prudent, il doit l'être, car cela ressemblerait bien au FBI de savoir qu'il allait se passer quelque chose et de ne rien lui en dire pour le rendre ridicule.

Dans un grand barouf de sirènes, le maire Herridge et

l'équipe de l'information de la chaîne KDLM arrivent au bord du lac.

Les noirs rigolent doucement entre eux en voyant toute cette activité de la part de « l'Homme ». Pour eux, ils se contentent de pêcher tranquillement sur la plage, dans le soleil de la fin d'après-midi. Ce qu'il y a dans l'engin leur est égal, pour la bonne raison que ce qu'il y aura dedans ne pourra être que blanc, ce qui signifie un peu plus d'ennuis pour les frères. Lorsque se répandit le bruit qu'il y avait des centipèdes à l'intérieur de l'engin, Big John aurait dit à certains membres de la communauté de couleur : « Vous pouvez parier vos miches toutes noires que ça va encore être des centipèdes *blancs !* » Gros succès auprès de son auditoire.

Pendant que l'équipe technique s'installe (il est dix-sept heures ; on approche de l'heure de grande écoute), le maire Herridge s'approche à grands pas du capitaine Eddie. « Eh bien, chef, puis-je savoir ce que vous avez fait, jusqu'à présent ?

— Jusqu'à présent, rien. Et vous, Monsieur le maire ?

— J'ai averti le Pentagone. Le FBI. La CIA. Et un des présidents.

— Lequel ?

— Le gros. Vous savez... euh... comment s'appelle-t-il, déjà ?

— Bref...

— L'armée de l'air arrive d'une minute à l'autre. Ils ont dit qu'ils voulaient être les premiers à établir le contact.

— Je regrette, mais en tant que chef de la police, c'est à moi que cela revient. Trouve-moi un bateau, " Chico ". Un bateau à moteur. Ce chris-craft, là, fera très bien l'affaire.

— Oui, chef. » « Chico » se dépêche d'aller réquisitionner le bateau pour le capitaine Eddie. Le maire risque d'être pris de vitesse. Il crie à l'un de ses assistants qu'il veut un bateau, lui aussi.

Presque en même temps, maire et chef de la police grimpent dans leur bateau respectif et foncent sur l'engin.

Le capitaine Eddie arrive le premier. Le moteur est coupé; l'esquif monte et descend sur les vagues, à proximité de l'ouverture ronde dont le bord est à une trentaine de centimètres de la surface du lac.

« Bonjour ! » fait le capitaine Eddie, légèrement nerveux même si « Chico » est juste derrière lui avec une mitraillette braquée au cas où ces étrangers très illégaux feraient du vilain. « Il y a quelqu'un ? »

Aucune réponse dans l'engin, même pas l'écho.

Le capitaine Eddie scrute l'intérieur sombre.

« Voyez-vous quelque chose, chef ?

— Non. As-tu apporté une lampe, " Chico " ?

— Non. J'ai cru qu'ils auraient de la lumière. A l'intérieur, veux-je dire.

— Il se peut que leur générateur soit à bout de course. » Le capitaine Eddie n'est pas rassuré. Qu'y a-t-il là-dedans, nom d'une pipe ? Est-ce, ou sont-ils, dangereux ?

Le bateau du maire a rattrapé celui du capitaine Eddie. « Eh bien, chef, avez-vous fait quelque chose, finalement ? » Le maire est toujours agressif avec le capitaine Eddie; il lui impute tout ce qui va mal en ville, depuis les vols à la tire jusqu'aux incendies volontaires.

« J'essaie d'établir le contact. Mais personne ne répond.

— Idiot ! (Le maire Herridge pose délicatement un pied sur le bord rond de l'ouverture en veillant à ce que la matière caoutchouteuse rouge ne salisse pas trop sa chaussure.) Bienvenue à Duluth ! La Venise du Minnesota ! »

A l'intérieur, silence.

« Et maintenant, qu'allez-vous faire ? (Le capitaine Eddie savoure la déconfiture de son rival.)

— Je vais bien trouver. Ne vous en faites pas, chef ! » Le maire retire son pied du bord.

Sur la plage, cependant, Darlene et une autre femme de la police se présentent au rapport. Elles sont légèrement en retard parce que Darlene n'a pas eu ses règles, ce qui ne lui dit rien qui vaille. En route pour les bords du lac, Darlene s'est donc arrêtée dans une clinique où ses pires craintes se sont vues confirmées : elle est enceinte.

Léon Citrouille, de KDLM, est ravi de voir Darlene, une des figures préférées de l'équipe de l'information de la télévision locale.

« Voici le lieutenant Darlene Ecks. Ça fait un bail, Darlene !

— Bonjour, Léon. Bonjour, amis téléspectateurs. (Elle parvient à accrocher un pauvre sourire sur son visage à l'intention du public.)

— A votre avis, Darlene, qu'y a-t-il dedans ?

— Dans quoi ? » Darlene n'est capable de penser qu'à une seule chose en ce moment : le bébé qui est en train de se former dans son ventre, et quelle sera sa couleur, noir ou brun ?

« Dans l'engin spatial » précise Wayne Alexander en entrant dans le champ de la caméra au grand dam de Léon, étant donné que la télévision fait tout ce qu'elle peut pour ignorer la presse écrite et vice versa. Mais Wayne est ambitieux, même s'il n'a qu'une seule oreille.

« Oh, vous parlez de ça..., fait Darlene en reconnaissant Wayne. Bonjour, Mr Alexander !

— Le chef de la police et le maire se trouvent en ce moment dans ces deux embarcations, ajoute Wayne dont les premières phrases d'articles sont lues dans tous les cours de journalisme du pays.

— Dans ce cas, je crois qu'ils vont bientôt pouvoir répondre à votre question. » Darlene aimerait bien arriver à s'intéresser à cet engin spatial, mais cela ne l'a jamais passionnée. Encore moins aujourd'hui.

Léon n'est pas très content ; il se sent même un peu au désespoir. En général, Darlene et Wayne sont excellents sur le petit écran ; ils peuvent causer, causer jusqu'à plus soif. Et pendant plusieurs secondes de suite ! Mais aujourd'hui, c'est à croire qu'il a deux mannequins mécaniques entre les mains. « Quelle est la position, demande-t-il à Wayne, du *Courrier de Duluth* sur... »

Mais Léon se fait avoir car Wayne lui répond, triomphant : « Pour les prochaines élections, le *Courrier* soutient à cent pour cent la candidature du capitaine Eddie Thurow, chef de la police. »

Léon a l'air d'avoir reçu un coup de masse d'armes.

« Hip hip hip, hourra ! » fait en fondant en larmes Darlene qui, bien que catholique romaine pratiquante, a déjà subi un avortement. Elle ne peut envisager de faire une seconde saloperie au Seigneur.

« Je voudrais ajouter, poursuit inexorablement Wayne en fixant bien la caméra, que ma grande enquête en trois parties sur le célèbre auteur de La Nouvelle-Orléans, Rosemary Klein Kantor, commence à paraître dans le *Courrier* dimanche prochain...

— Est-ce elle qui a écrit *le Duc fripon* ? demande Darlene à travers ses larmes. (Incapable de retenir le moindre nom d'écrivain, elle est tout aussi incapable d'oublier le moindre titre de livre.)

— Oui, ainsi que deux cents autres histoires romantiques en costumes, et de nombreux articles de journalisme de choc digne du Prix Wurlitzer.

— Cela me dépasse ! s'écrie un Léon hors de lui. Vous nous parlez tous deux d'un auteur de romans alors que l'événement le plus palpitant qui soit est en train de se passer sous nos yeux, sur le lac Erié !

— Mais il ne se passe rien pour le moment, Léon, réplique Wayne, au meilleur de sa forme. Je crois que vos téléspectateurs aimeraient donc apprendre que Rosemary Klein Kantor n'a jamais été correspondante de guerre au Japon, où elle se serait fait sa réputation le lendemain du jour où la bombe fut lâchée sur Hiroshima. En réalité, elle se trouvait à l'hôtel Mark Hopkins de San Francisco, d'où elle rédigea un compte rendu bidon de l'explosion de Hiroshima qu'elle fit ensuite passer sur les téléscripteurs grâce à... (Wayne s'interrompt et pousse un petit rire.) Mais je ne veux pas révéler tout mon article, qui est aussi chaud qu'une tarte sortant du four. »

C'est toi que je vais faire griller, se dit Rosemary, assise dans le luxueux bureau où est installée sa machine à traitement de texte, avec vue sur le parc Audubon de La Nouvelle-Orléans. Elle décroche son téléphone sur le bureau Régence et compose le numéro personnel de Louis Nizer, l'as des avocats.

« Le *Courrier de Duluth* sera dans mes poches avant de faire ouf ! crie Rosemary vers le poste de télévision où passe maintenant une publicité. Attendez un peu ! »

Cependant, le directeur de la programmation, tout en haut de la tour du McKinley Communications Center, a déjà fait savoir à Léon qu'il avait intérêt à balancer ces deux rigolos et à en revenir à l'engin spatial, auprès duquel le capitaine Eddie et le maire Herridge se bouffent le nez.

« Vous êtes le maire. C'est vous qui êtes venu accueillir ces... choses à Duluth. A vous d'y entrer, alors !

— Mais c'est vous qui êtes responsable de la sécurité, et qui sait quel genre de came ces individus tentent peut-être de faire entrer illégalement dans Duluth ? A vous d'entrer, alors, et arrêtez-en-moi quelques-uns. Compris ? »

Les deux canots tanguent tant et plus, à tel point que le maire Herridge, qui n'a jamais eu le pied marin, a l'estomac à l'envers. Il se tourne vers son assistant. « Appelez-moi Bill Toomey. Dites-lui de se ramener en vitesse. Et qu'il m'apporte les clés de la ville. J'ai oublié de les prendre. »

L'assistant essaie vainement de joindre Bill Toomey par walkie-talkie. « Il n'est pas dans son bureau, Monsieur le maire.

— Mais si, voyons ! Il doit y être. Il... » Tout à coup, comme si une main glacée serrait son estomac déjà barbouillé, le maire Herridge se rappelle quelque chose. « Quel... quel jour sommes-nous ? » Pourtant, il connaît déjà la réponse.

« Lundi.

— Non, non ! Quel jour dans le mois ?

— Le quatre juillet, Monsieur le maire. Vous étiez censé vous trouver au stade pour saluer le drapeau. Et puis nous avons appris que la porte de cet engin s'était ouverte, et... »

142

Le maire Herridge s'assied sur le walkie-talkie, le brisant. Il s'éponge le front. Il se sent malade comme une bête. Il a fallu qu'il lance Bill Toomey aujourd'hui, le jour de la fête nationale !

D'ici la nuit, les barrios seront en flammes. Quelle impression cela va-t-il faire dans les télévisions du monde entier ? Et sur ces étrangers venus des galaxies lointaines, donc ! Même si à longue échéance, c'est le capitaine Eddie et ses services qui seront accusés, cette échéance-ci est la plus brève des brèves échéances.

Le maire Herridge doit faire quelque chose. Très vite. Puisqu'il est trop tard pour interrompre l'opération Chili-con-Carne, il faut faire diversion. N'importe quoi. Il regarde le trou noir et rond dans le flanc de l'engin. Il frissonne car, disons-le, c'est un trouillard. Mais ce coup-ci, c'est le bon. Avanti !

Le maire Herridge se redresse en tremblant. Un instant, il pense vomir. Il se dit que l'engin spatial ne tanguera toujours pas autant que ce petit chris-craft... Il se raccroche à de bien minces prétextes.

« Messieurs ! » La voix de miel officielle du maire Herridge fait frémir à coup sûr toute colonne vertébrale reliée à une paire d'oreilles assez proche pour l'entendre. Même l'échine du capitaine Eddie a le frisson, bien qu'à contrecœur. « Le maire de Duluth va pénétrer dans cet engin pour accueillir ces visiteurs inconnus à la Venise du Minnesota. »

Sur ce, le maire Herridge saute sur le bord de l'ouverture, puis pénètre d'un pas ferme dans l'intérieur obscur. « Il y a quelqu'un ? » demande-t-il d'une voix joyeuse.

Silence. Et soudain, le trou rond et noir disparaît. La porte de l'engin s'est refermée si vite qu'il est impossible à quiconque de voir à l'œil nu selon quel principe cela fonctionne. Là où, un instant plus tôt, il y avait une ouverture ronde, il n'y a plus maintenant qu'une surface bombée d'une matière rouge et caoutchouteuse.

« Vingt dieux ! souffle " Chico " au chef. S'il ne ressort pas de là, vous serez élu les doigts dans le nez !

— Exact. (Mais le capitaine Eddie est nettement plus fin et plus clairvoyant que son fidèle second.) D'un autre côté, s'il en ressort en ayant conclu je ne sais quel marché avec ces inconnus, je ne vaudrai pas cher en novembre prochain.

— Je n'avais pas pensé à ça...

— Ramenez-nous sur la rive, » dit le capitaine Eddie en se tournant vers le pilote du canot.

Sur cette rive, les visages noirs montrent de la joie devant ce qui vient de se passer. Si leurs bulletins de vote n'étaient régulièrement brûlés à chaque élection municipale, le maire Herridge n'eût jamais été élu. A présent, leurs votes perdus vont peut-être, métaphysiquement sinon électoralement, compter enfin.

Léon ne se sent plus. Six heures du soir. L'heure du bulletin d'informations régional. Tous les téléviseurs de Duluth sont allumés. « Notre populaire maire de Duluth vient de pénétrer dans l'engin spatial en vue de conférer avec les inconnus. Aussitôt à l'intérieur, la porte s'est refermée derrière lui, si vite que personne n'a pu suivre à l'œil nu. Nous allons donc repasser la séquence au ralenti. » Ce n'est pas pour rien que Léon s'occupe des sports depuis cinq ans.

A l'Eucalyptus, Chloris et Clive suivent le bulletin de dix-huit heures. Les autres membres du club jouent au trictrac et au bridge. L'engin ne les intéresse pas. Mais Chloris et Clive possèdent une certaine curiosité intellectuelle, qui les situe à part.

« On voit mieux à la télévision que par la fenêtre, dit Chloris.

— Oui. »

Ils regardent le ralenti. Il n'y a pas de porte à proprement parler. La matière rouge caoutchouteuse se reconstitue en un clin d'œil et le trou se referme, non sans que Chloris, Clive et tous ceux qui regardent la séquence aient le temps d'apercevoir un petit homme replet serrer la main du maire Herridge à l'intérieur de l'engin.

« Ma foi, ces étrangers sont du moins des êtres humains comme nous, déclare Clive.

— Et ils sont blancs, ajoute Chloris d'un air entendu et à voix basse, pour ne pas être entendue par les serviteurs noirs.

— Il me fait penser à quelqu'un, cet homme qui a accueilli le maire.

— Oui, dit Léon, presque comme s'il avait entendu Clive. Il ressemble effectivement à quelqu'un, et vous pouvez parier jusqu'à votre dernier dollar que nos analystes hautement entraînés de KDLM-TV vont analyser cette image grain par grain, jusqu'à ce que nous soyons certains à qui, et, plus important encore, quelle est cette chose qui a accueilli notre courageux maire. »

Sur les bords du lac, la vie redevient normale. Tout le monde tient pour acquis que le maire ressortira de l'engin, ou pas.

Le capitaine Eddie marche d'un pas vigoureux vers sa voiture. Il aperçoit Darlene. « Tu as pleuré, petite. J'ignorais que tu étais si attachée à feu notre maire. » Le capitaine Eddie a décidé de se comporter en public comme si le maire ne devait plus revenir.

Darlene met ses bras autour du cou du chef et sanglote dans son col. « Je suis enceinte !

— Bon sang, je suis désolé !

— Et je ne sais lequel c'est.

— Il y a eu les trois Mexicains...

— Et... Big John.

— Ce qui fait... (Le chef compte lentement sur les doigts de la main qui serre Darlene contre sa paternelle poitrine)... quatre. Eh bien, avorte. Oui, je sais que Duluth est catholique. Mais on peut quand même avorter en cas de viol et/ou de croisement de races. Tu as ton boulot, mon petit.

— Mais je veux le bébé, geint Darlene, s'il est de... de...

— De Big John ? »

Darlene opine. Puis elle se détache du capitaine Eddie. Elle sait qu'il est écœuré par ce qu'il vient d'entendre.

Le capitaine Eddie est écœuré, effectivement. Mais il n'en veut pas à Darlene. C'est le choc qu'elle a subi, se dit-il. « Tu t'en sortiras sans mal, mon chou. (Se tournant vers " Chico ".) Va trouver le juge fédéral Hawkins. Dis-lui qu'il me faut un mandat pour fouiller cet engin spatial.

— Oui, chef.

— On ne chôme pas » fait le capitaine Eddie en montant dans sa voiture et en adressant un sec « Sans commentaires » à Léon qui est parvenu à lui fourrer un micro dans la bouche, ce qui gâche quelque peu le côté sec du « sans commentaires ».

Mais le capitaine Eddie est loin du compte. S'il savait, il hurlerait d'angoisse car le maire Herridge, même *in absentia*, l'a complètement blousé.

Inconscient de ces périls, le capitaine Eddie rentre au quartier général de la police pour attendre les instructions du président qui se trouve être de service en ce moment. Il est certes possible, puisque c'est le quatre juillet, jour de l'Indépendance et jour férié, qu'il n'y ait aucun président des Etats-Unis à la Maison Blanche, ce qui ferait parfaitement l'affaire du capitaine Eddie, qui n'est nullement pressé de sauver le maire Herridge.

XLII

Le poste de commandement de Bill Toomey est situé dans le quartier de Little Yucatán, où il a investi la salle de bal Daridere. C'est là qu'il dirige le centre de communication radio auquel sont reliés les vingt-quatre agents placés sous ses ordres. Tandis que Bill aboie ses ordres, un agent mâle déguisé en Darlene et en uniforme du DPD fait aligner contre un mur de la salle de bal une demi-douzaine de señoritas à la noire prunelle et complètement nues. La fausse Darlene s'en paie de toute évidence une bonne tranche en pinçant et en trifouillant de ses doigts épais et insensibles. « Nous cherchons de la drogue, señoritas ! lance-t-il en un espagnol de Berlitz. Et, ajoute-t-il avec un petit sourire, je cherche aussi une vierge à emmener au grand bal de la police. »

Etudier la gynécologie n'aurait pas fait de mal à ce garçon, songe Bill Toomey, admiratif. Les señoritas hurlent d'horreur pendant que le faux flic poursuit sa quête de drogue et d'hymens intacts.

Voilà la manière de faire des ennemis au DPD et au capitaine Eddie, songe Bill Toomey avec satisfaction. Il n'a aucun doute sur le fait que le maire Herridge remportera les élections dans un fauteuil, en novembre prochain. Seulement, Bill Toomey ne sait pas encore que le maire Herridge a disparu. Peut-être pour de bon. Bill Toomey adore le sol où le maire Herridge pose les pieds.

Pendant ce temps, Pablo et Calderón se font alpaguer dans leur poste de commandement, la cave mal éclairée d'un magasin d'articles indiens. Une fausse Darlene ouvre brusquement la porte de leur planque et braque un pistolet sur les jeunes gens estomaqués. Il va sans dire qu'elle ignore qu'elle vient de mettre la main sur la direction de la Société des Terroristes Aztèques. Il faut dire aussi qu'elle débarque d'un patelin voisin appelé Fond du Lac.

Désireux de créer la rage totale dans les barrios, Bill Toomey s'est livré pendant plusieurs semaines à une série de discussions en profondeur avec une équipe de psychologues du FBI dont le travail dans les prisons d'Amérique et d'ailleurs fait l'envie de leurs collègues du KGB. Et puisque les fouilles intégrales passablement hasardeuses et impromptues de Darlene ont été l'étincelle de départ de l'opération Chili-con-Carne, l'équipe partira de là.

Après nombre d'essais et d'études, l'équipe a réussi à dénicher douze mâles ressemblant à Darlene et dont la passion pour la chair féminine basanée ne connaît pas de limites. Plus important encore : chacun d'entre eux est un chauviniste mâle qui se fait un point d'honneur absolu en ne tolérant jamais que sa partenaire féminine parvienne à l'orgasme.

Afin de trier les simulateurs et les simples arrivistes (et il y en a toujours quelques-uns), on a fait donner du détecteur de mensonges et les pommes pourries ont bien vite été séparées des bonnes pommes. Bill Toomey est très satisfait des douze membres blonds (certains teints, bien entendu) de sa troupe de choc. S'ils ne peuvent offenser au dernier degré la pudeur innée des señoritas à la noire prunelle, nul ne le pourra.

D'ici ce soir, Bill Toomey, qui a fait des études classiques, espère voir les rues des barrios emplies de bacchantes hurlantes, femmes de toutes les nuances du basané, bien décidées à mutiler et trucider tous les hommes blancs de Duluth, particulièrement ceux qui portent l'uniforme du DPD.

Mais les douze femmes choisies ont présenté quelques problèmes. D'abord, il fallait rejeter les saphiques pures et dures. Heureusement, le mouvement féministe n'a rien su de l'opération, qui était ultra-secrète ; il n'y eut donc aucune manifestation ou protestation contre cette discrimination. Dans le plus grand secret, Bill Toomey fit bien comprendre aux vingt-quatre fausses Darlene qu'elles allaient se battre contre le terrorisme et que dans cette bataille, *tout est bon.* Vingt-quatre langues léchèrent avidement quarante-huit lèvres en apprenant cette bonne nouvelle.

Ces douze femmes ne prisent guère le mode masculin. Bon nombre d'entre elles sont des garçons manqués : très portées sur la compétition, et ayant gardé un ressentiment de l'époque où, jeunes donzelles, les jeunes gars pouvaient déjà courir plus vite qu'elles et gueuler plus fort. Cette rancœur, et non la concupiscence, règne sur leur psyché.

Rase-mottes, nom de la fausse Darlene qui capture Pablo et Calderón, est une infirmière stagiaire de l'hôpital de Fond du Lac où elle est connue comme « une vraie peau de vache ». Rien n'est trop bon pour elle quand il s'agit de miner le moral des hommes.

Rase-mottes est enchantée de sa mission. Cela la change de la routine de l'hôpital. D'autre part, elle n'a jamais eu affaire de près au prétendu « amant latin », sa propre vie amoureuse étant bien emplie par un veuf d'origine suédoise qu'elle refuse d'épouser parce qu'elle veut garder son indépendance mais avec qui elle passe les samedis soirs à regarder la télévision et les dimanches à se reposer tout en mangeant des gaufres.

Voici Rase-mottes aux prises avec ses deux premiers « amants latins ». Elle est ravie, quoique légèrement surprise par leur évidente terreur. Où est passé le machisme latin ?

Rase-mottes est loin de se douter que *Pablo et Calderón la prennent pour la vraie Darlene,* revenue pour se venger. Bien qu'avec sa perruque à la princesse de Galles, Rase-mottes ne ressemble que de loin à Darlene, les deux immigrants clandestins la prennent pour la vraie. Il faut dire que toutes les gringas blondes tendent à se ressembler aux yeux du violeur aztèque impénétrable moyen.

« O.K., bande de violeurs ! Face au mur ! »

Le mot « violeurs » provoque presque une crise cardiaque chez Pablo. Notre compte est bon, se dit-il en s'appuyant contre le mur, tant ses genoux flageolent. Ce qu'il ignore, c'est que toutes les fausses Darlene ont reçu pour instructions de traiter les immigrés clandestins de violeurs pour qu'ils soient sur la défensive. Pablo et Calderón sont convaincus que leur dernière heure a sonné.

Rase-mottes n'ayant pas reçu de formation policière, elle ignore les nombreux signes auxquels on reconnaît les terroristes à l'œuvre. Ainsi, à la grande surprise de Pablo, elle ne prête aucune attention aux bombes qu'ils ont fabriquées ou au véritable arsenal de fusils et de grenades lacrymogènes. Elle attend peut-être que nous soyons morts, se dit Pablo. Ensuite, elle ira raconter qu'elle nous a abattus au cœur de nos activités terroristes.

Rase-mottes aime assez l'allure de Pablo. Il a le blanc de

ses yeux étroits tout lumineux de peur. Elle note que Calderón est plus musclé, mais que ses traits sont moins fins.

Rase-mottes s'approche, revolver braqué sur le cœur de Pablo. Puis — elle a été bien entraînée par Bill Toomey —, elle tape très fort avec son talon sur ses souliers pointus, juste là où elle sait que se trouvent les cors. Pablo hurle de douleur. Rase-mottes se tourne vers Calderón : nouveau hurlement. Les deux garçons sont pliés en deux par la douleur, mais un coup de pistolet léger infligé à leur visage les fait se redresser rapidement.

Rase-mottes retire des fusils posés sur une chaise sans même se demander ce qu'ils font là (ce n'est pas sa mission), puis place la chaise devant les deux muchachos et commence son numéro.

« Déloquez-vous, sales violeurs !

— Ce fut un accident, dit Pablo en déboutonnant avec des doigts tremblants sa chemise kaki de révolutionnaire style Fidel Castro. Nous ne savions pas que c'était vous. Je vous jure. Je veux dire, dans le hangar abandonné…

— On a cru que c'était une copine à vous qui se faisait passer pour flic » ajoute Calderón pour aider.

Rase-mottes n'a aucune idée de ce qu'ils racontent. D'ailleurs, elle s'en fiche. « Magnez-vous, leur lance-t-elle d'une voix aiguë. J'ai encore beaucoup d'autres visites à faire avant ce soir ! »

XLIII

Edna est assise dans une automobile, dans les décors de « Duluth », dont c'est le quatrième épisode. Elle est sur le point de tourner une scène où la voiture qu'elle conduit passe au-dessus d'un pont parce qu'elle est ivre, mais elle en ressort vivante parce que Rosemary veut la conserver pour la scène du mariage dans l'épisode suivant.

Mais il y a un petit accroc technique. Le film qui doit donner l'impression que la voiture roule effectivement sur une petite route de campagne est cassé. Edna n'a donc rien à faire pour le moment, sinon attendre qu'elle puisse tenir son rôle. Un rôle facile. Pas de dialogue. Un grand cri. Un gros plan. Terminé pour la journée.

Rosemary est exceptionnellement gentille depuis l'hallucination au Bistro Garden. Les répliques d'Edna sont à présent beaucoup plus longues que : « Vous voulez dire, points de suspension, point d'interrogation. » Rosemary s'est livrée à un tas de variations intéressantes comme : « Pour l'amour du Ciel, Silas, vous ne pouvez pas vouloir dire que, points de suspension, point d'interrogation. » Comme toutes les actrices de premier plan, Edna aime pouvoir utiliser le prénom du personnage avec lequel elle joue aussi souvent que possible ; cela donne un côté immédiat au rôle et tient éveillé l'autre acteur.

Edna aime l'affairement du plateau de télévision, aux studios Universal. On ne regarde pas aux frais. Elle change de costume une fois au moins toutes les heures. Edna est enfoncée sur le siège de la voiture. A travers le pare-brise, elle voit la caméra, qui attend de pouvoir filmer ses cris. Elle constate avec surprise que la lampe rouge est allumée. Cela signifie que la caméra est branchée alors qu'on ne filme même pas.

Automatiquement, Edna tourne son côté gauche de trois quarts, son meilleur profil, vers la caméra. Ce faisant, une silhouette familière apparaît à l'intérieur de l'objectif.

« Mr Thurow, chef de la police ! » s'exclame-t-elle. Elle a eu beau essayer (et elle y a réussi depuis le Bistro Garden) d'exorciser sa vie antérieure dans *Duluth,* celle-là revient sans arrêt, et elle vit deux drames à la fois, au grand dam du metteur en scène et des autres cabotins qui partagent avec elle la distribution. Ce sont les risques du « show business ».

XLIV

Le capitaine Eddie roupille dans son bureau ; le poste de télévision est allumé. Il a eu une journée bien remplie et, somme toute, heureuse. Etant donné qu'on est au 4 juillet, l'armée ou le gouvernement ne lui ont encore rien demandé. Le maire Herridge est bien au chaud dans son vaisseau spatial et le monde tourne rond. Le capitaine Eddie dort à poings fermés lorsque « Duluth » commence.

Bien que la loi fictive de simultanéité exige que le temps nécessaire à un personnage situé à un certain plan pour parler à un autre personnage situé dans le champ de force immédiat soit toujours le même, un temps d'arrêt dans le tournage de l'épisode où Edna passe avec sa voiture par-dessus le pont peut être utilisé avantageusement *si* chaque personnage est en conjonction précise avec l'autre. Quand le capitaine Eddie ouvre soudain les yeux, il devient visible à Edna, qui devient elle-même visible pour lui.

« Edna Herridge ! Mais que fais-tu à la télé ?

— Je joue dans ce feuilleton, " Duluth ".

— Ma foi, félicitations ! C'est un peu mieux que l'immobilier ici, à Duluth. Pas vrai ?

— Eh bien, ce n'est pas la même chose. » Edna regarde nerveusement autour d'elle pour voir si le moment de sa séquence est venu. Heureusement, le film qui doit être projeté derrière elle n'est toujours pas réparé. Elle a le temps de parler avec le capitaine Eddie, ce dont elle se réjouit. Elle a toujours bien aimé le capitaine Eddie. Ils ont grandi ensemble. Sont allés dans la même école, aux mêmes soirées dansantes, ont fumé pour la première fois de l'herbe ensemble, au bon vieux temps d'Eisenhower. « Ecoute, Eddie…

— Oui, Edna… » Le capitaine Eddie est encore un peu abasourdi par son petit somme et toutes les activités de la journée. Mais il se rend compte qu'il y a quelque chose d'anormal. Car enfin, les gens qu'on voit à la télévision ne peuvent pas vous voir ni vous parler, même si vous les voyez et que vous pouvez *leur* parler, à défaut de converser avec eux. Je dois rêver, se dit le capitaine Eddie, très décontracté, qui a complètement oublié qu'il a assisté à l'enterrement d'Edna l'hiver précédent.

« Je n'ai pas beaucoup de temps. Ma scène va commencer d'une minute à l'autre...

— Que se passe-t-il, dans cette scène ?

— Je suis ivre et ma voiture passe par-dessus un pont... (Edna commence à se sentir irritée par ces bavardages.)

— Ta voiture... ? (Le capitaine Eddie fronce les sourcils ; il commence à se rappeler vaguement une histoire de congère.)

— Tu sais que mon frère et moi, nous ne nous sommes jamais très bien entendus.

— C'est le secret de Polichinelle ici, dans *Duluth*, réplique le capitaine en hochant la tête.

— En partie, c'est à cause de cette garce qu'il a épousée. Et en partie à cause de ces insupportables moutards.

— L'un d'eux suit le programme de désintoxication à la méthadone, actuellement.

— J'espère qu'il fera une surdose de ça ! » Edna n'a jamais beaucoup aimé les enfants, dans *Duluth*. Mais dans « Duluth », elle est folle de son fils tandis qu'en tant que Joanna Witt, l'actrice, elle entretient d'excellents rapports sur un pied d'égalité avec chacun de ses deux enfants, à New York.

« J'ai vu mon frère il y a peu de temps. Il veut ta peau.

— Plutôt deux fois qu'une. Mais j'ai une ou deux cartes dans ma manche...

— Tais-toi, Eddie. Ça va être à moi. Il a engagé une bande de voyous qui se feront passer pour policiers. Ils doivent ratisser les barrios... » La voix d'Edna change brutalement. Elle roucoule à l'intention du chef de plateau : « Je suis prête, mon chéri. Quand tu voudras... (Elle revient vers l'objectif.) Ils vont s'en prendre aux

Mexicains. Ils vont susciter un bain de sang. Et te mettre tout sur le dos, à toi et au Duluth Police Department. »

Mais Edna revient dans « Duluth ». Bouche bée, le capitaine Eddie fixe l'écran tandis que la voiture d'Edna semble rouler de plus en plus vite. Gros plan sur son visage. On voit bien à son œil noyé qu'elle a trop bu.

« Edna, mon Dieu ! » Le capitaine Eddie a l'impression qu'il va se passer un malheur.

Les yeux d'Edna s'élargissent comme des œufs qu'on casse dans une poêle. Elle hurle. Le capitaine Eddie crie : « Attention ! »

Mais la voiture d'Edna a défoncé la rambarde du pont. Il y a ensuite un plan de la voiture en train de s'enfoncer lentement, suivi d'une publicité, que le capitaine Eddie coupe. Il réfléchit longuement. Puis le téléphone sonne sur son bureau. Il décroche. Une voix fait : « Ici Wayne Alexander.

— C'est où, ici, Wayne ?

— Les barrios sont en train d'exploser. Vos hommes et vos femmes font des fouilles nues intégrales de tous les immigrés clandestins *et* légaux qu'ils trouvent.

— Ce ne sont pas des hommes à moi...

— Ecoutez, je les ai vus de mes propres yeux dans Little Yucatán. Ils sont en uniforme, nom d'un chien ! »

Le capitaine Eddie raccroche. L'avertissement d'Edna était vrai. Mais il l'a reçu trop tard. Le capitaine Eddie consulte sa montre. Minuit. Il décroche sa ligne privée. « Trouvez-moi " Chico " Jones. Et que ça saute ! »

Puis le capitaine Eddie s'approche de la carte de Duluth et ses environs. Il contemple la punaise rouge plantée à quelques mètres de la rive du lac. « Espèce d'enculé ! » crie-t-il à l'intention du maire qui, mort ou vif, se trouve à l'intérieur de cette punaise de cabine spatiale.

Soudain, une idée lui vient. Pourquoi se retourner les sangs quand on peut retourner la situation comme un gant ?

Le capitaine Eddie retire la punaise. Un instant, il la tient au-dessus du marais désert situé au fin fond des bois

154

de Duluth. Personne n'approche jamais de ce marais, et il peut en un rien de temps en faire interdire l'accès à cause de... de la radioactivité due à la centrale nucléaire de Duluth. Ensuite, personne ne reverra ni n'entendra jamais plus parler de cet engin et du maire Herridge. D'un air mauvais, il enfonce la punaise aussi profondément dans le marais qu'il le peut. Il espère ainsi donner une sacrée leçon aux immigrés et au maire Herridge.

« Chico » Jones se présente au rapport. « Que se passe-t-il, chef ?

— Sors ma voiture. Nous allons dans les barrios.

— A minuit, chef ? Et sans armes ?

— Quatre voitures. Gaz lacrymogènes, empoisonnants, innervants...

— Ah, je préfère » répond un « Chico » rayonnant.

XLV

Rase-mottes contemple avec tristesse Pablo nu, et elle voit ce que Darlene a vu ou n'a pas vu. Calderón, quant à lui, présente certes les signes distinctifs de son sexe, mais ils sont dans un état de contraction maximum.

Pablo et Calderón ont dépassé le stade de la simple gêne. Menottes aux poignets, impuissants, ils savent que Darlene va se venger des viols qu'ils lui ont fait subir. Ils la comprennent, au demeurant. Œil pour œil, bite pour chatte. C'est le code selon lequel ils ont vécu ; c'est celui selon lequel ils vont mourir.

« J'espère que nos souffrances seront brèves » dit Pablo. Mais sa tentative de trouver quelques mots bien choisis pour en finir avec dignité est ruinée par le tremblement convulsif de ses jambes, qui vire à la danse de Saint-Guy lorsque Rase-mottes, sortant un couteau pointu de son réticule, l'approche du centre du machisme de Pablo, ou ce qu'elle prend pour tel.

Rase-mottes plonge la main gauche dans le buisson épais et déniche l'objet qu'elle cherche. Elle saisit les minuscules organes génitaux et les prend dans sa main ; ils la lui remplissent à peine. De l'autre main, elle brandit la lame au-dessus du pubis que rien ne protège. Le cri que Pablo ne peut retenir eût été musique céleste aux tympans de Darlene, qui eût cependant souligné avec quelque fierté que son propre hurlement de sirène de voiture de police au moment de la mutilation entre les mains de Pablo avait du moins réussi à faire surgir les forces de l'ordre, alors que le cri de Pablo n'est que simplement agréable aux oreilles de Rase-mottes qui, d'une main adroite et experte, rase en trois coups de couteau l'intégralité des poils pubiens de Pablo, faisant apparaître ce qu'elle désigne, méprisante, comme : « Plus petit que le fœtus moyen au début du quatrième mois. »

Pablo bafouille en espagnol des prières de pitié. Mais Rase-mottes est déjà passée à Calderón. En lui rasant le pubis du même couteau, elle constate que dans le genre « amant latin », Calderón est presque intéressant. Elle attrape le bout de la chose.

« Qu'est-ce ? Serait-ce un cas de ce que nous connaissons, dans la profession médicale, sous le nom de psilanthropisme ? » Calderón hoquette un « oui », yeux exorbités sous le front maya étroit. Tout ce qu'il adore, elle le tient présentement entre ses mains : le serpent à plumes, les sombres divinités du sang.

« Je sais comment y remédier. » D'un coup de poignet, Rase-mottes tire sur le prépuce récalcitrant, qui se fend comme une lèvre gercée en hiver. Jet de sang. Calderón s'écroule, évanoui.

Rase-mottes est ravie. Mais elle n'a pas tout à fait fini. Elle a eu beau s'en tirer à bon compte plus d'une fois en assassinant littéralement des hommes hospitalisés à Fond du Lac, il demeure certains périmètres aussi bien que certains paramètres qu'elle ne peut pas ne pas observer. Mais ici, pour cette mission spéciale, tout est permis.

Sous les yeux de Pablo qui sait que Darlene entend le faire mourir à petit feu, avec dix mille petites coupures, Rase-mottes ouvre son réticule et en sort son petit appareil préféré.

« Non ! hurle Pablo. Je suis prêt à mourir en homme. Mais pas... pas ça ! » Les cris et les prières de Pablo tombent cependant dans les oreilles d'une sourde, qui s'apprête.

XLVI

Peu après minuit, les barrios sont en flammes. Le quartier ethnique qui longe Kennedy Avenue a pris comme du bois sec quand on y jette une allumette, et c'est exactement ainsi que le feu a pris. Un des sosies de Darlene, agissant sur ordre de Bill Toomey, a mis le feu quelque part. « Mais veillez bien à ce que ça flambe du côté du désert, lui a aboyé Bill par radio. Nous n'avons pas envie que ça gagne du côté de McKinley Avenue. »

Il va sans dire que Léon et l'équipe de KDLM sont sur place et en transe. Bien que le moindre incendie soit prisé par les gens de télévision, un sinistre plus important représente à coup sûr de nouveaux supports publicitaires. Et si le sinistre dure plus d'une semaine, virant à l'holocauste en bonne et due forme, les chiffres valsent.

« Ceci est un véritable sinistre ! » s'écrie très fort Léon dans son micro.

Pendant ce temps, le capitaine Eddie et ses hommes sillonnent les barrios. Ils n'ont attrapé jusqu'à présent qu'un seul des hommes de Bill Toomey, et il est d'un flegme parfait. Toomey a bien entraîné ses troupes.

« FBI » dit le captif en sortant ses papiers d'identité et sa carte du FBI.

« Ne le lâchez pas, fait le capitaine Eddie. Ces papiers d'identité peuvent être faux. De même que l'uniforme. » Comme tous les chefs de police du pays, le capitaine Eddie hait et redoute le FBI bien plus qu'il ne redoute et hait les communistes.

Le ciel, au-dessus des quartiers ethniques, rougeoie. « Hum ! Ils ont donc osé » dit le capitaine Eddie à moitié pour lui-même, à moitié pour « Chico ».

« Osé quoi, chef ?

— Mais j'ai encore une ou deux cartes dans ma manche » dit le capitaine d'un air menaçant. Il ordonne aux hommes qui se trouvent dans la flottille de voitures de police d'arrêter tous les faux policiers, hommes ou femmes, qu'ils trouveront dans les barrios.

Tandis que le capitaine Eddie s'adresse à ses troupes à un jet de pierre du Daridere, un jet de cocktail Molotov le vise. Heureusement, le cocktail le manque de peu. Dans la grande flamme que provoque son explosion, le capitaine a les cils grillés, et l'on aperçoit deux jeunes Mexicains agiles s'enfuir par les ruelles tortueuses des barrios où nul gringo n'ose s'aventurer sans armes.

« Et ne perdez pas de vue non plus les immigrés clandestins, délibérément montés contre le DPD par ces faux policiers qui s'en sont pris à eux.

— Pourquoi ? demande " Chico " — naturellement.

— Pas le temps d'expliquer » répond le capitaine Eddie en sautant dans sa voiture de commandement et en donnant des ordres de tous côtés.

Pendant que la flottille de voitures de police part sur les chapeaux de roue, les deux jeunes Mexicains qui ont lancé le cocktail Molotov se tiennent dans l'ombre et observent intensément la scène. L'un est Pablo. L'autre, Calderón. Ils ont constaté avec stupéfaction que la blonde superbe qu'ils avaient prise pour Darlene ne les a pas mutilés ni tués dans la cave du magasin d'articles indiens.

« Nous n'avons eu que ce que nous méritions » commente Pablo dont le visage redevenu impassible est éclairé par un hangar en train de brûler dans la rue voisine. Pablo a le sens de la justice.

« Cette gringa n'a peut-être pas le même code de conduite » suggère Calderón qui, une main dans la poche, tient son *membrum virile* torturé, encore mouillé par le sang. Serpent à plumes, je te plumerai...

« Il se peut aussi qu'elle revienne une seconde fois pour nous achever, fait Pablo qui examine toujours tous les aspects d'une question. Mais je mourrai avant plutôt que de subir de nouveau ce que j'ai subi.

— Mais *qu'as-tu* subi, muchacho ? » Calderón est sincèrement curieux de le savoir. Lorsqu'il s'est réveillé, après un évanouissement de trente minutes, il a trouvé Pablo à terre, pelotonné dans la position fœtale, sanglotant incontrôlablement et bafouillant des mots dépourvus de sens.

« Tu n'en as aucune idée. Personne au monde n'en aura jamais aucune idée. Mais (et Pablo prononce un serment solennel) je mourrai si je ne suis pas vengé ! »

Rase-mottes, qui continue sa tournée et s'en paie une sacrée tranche, est loin de se douter de ce qu'elle a fait au dirigeant d'un million d'immigrés clandestins. Certes, elle remarque le nombre élevé d'incendies qui font rage dans cette partie de la ville, mais c'est tout à fait comparable, se dit-elle, à un samedi soir moyen dans le centre de Fond du Lac.

XLVII

Tout en haut du McKinley Communications Center, le président de KDLM-TV ainsi qu'une douzaine des personnalités les plus importantes de la ville sont assemblés dans la salle du conseil d'administration. Les murs sont recouverts de contre-plaqué dont les panneaux entourent les fenêtres par lesquelles on voit, sous une lune gibbeuse, les barrios qui flambent.

Pensifs, les dirigeants de Duluth contemplent leur cité, et chacun se demande (à sa manière) : qu'est-ce que cela signifie ?

Bellamy Craig II commande une boisson alcoolisée forte à Rastus, le fidèle serviteur noir, puis prend place en tête de table. La douzaine de personnalités très importantes s'assied à sa gauche et à sa droite, chacun ayant devant lui un bloc-notes et un Docteur Pepper, fermé. Seul Bellamy a droit à l'alcool. Il est vrai qu'il est propriétaire, au moyen d'une série complexe de titres d'administrateurs, de la chaîne de télévision et du *Courrier de Duluth*. Chloris, qui est présente, était loin de se douter jusqu'à ce soir de l'étendue de ses pouvoirs. Bellamy contrôle totalement les moyens de communication de Duluth et de sa région.

Chloris est impressionnée. Elle porte une veste Mao de Givenchy qui convient parfaitement, lui a assuré la vendeuse le jour où Chloris l'a achetée, pour les révolutions culturelles sans chichis ou pour les pas trop longues marches. A côté d'elle, sur le sofa qui se trouve derrière le siège de Bellamy qui ressemble à un trône, Clive porte une tenue d'équitation, éperons compris. Aussi dévouée soit-elle à Clive, ce soir, c'est le soir de Bellamy. Elle n'a jamais encore vu son mari dégager une telle impression de pouvoir à l'état brut. Jusque-là, elle n'était jamais vraiment parvenue à saisir ce que faisait Bellamy, à part être à la tête de la société de Duluth (ce qu'il laissait en fait à Chloris) et jouer au polo. Maintenant, elle le sait. Et elle est démesurément fière d'être son humble compagne.

Une fois sa boisson servie sur la table devant lui, Bellamy déclare : « Il faut économiser nos forces. La nuit va être longue. Vous pouvez vous retirer, Rastus. » Le serviteur noir quitte la pièce avec force courbettes.

Bellamy appuie sur un bouton du petit tableau qu'il a devant lui. Un écran de télévision convexe descend du plafond, provoquant des « ah » et des « oh » de la part des très importantes personnalités très impressionnées.

160

Bellamy avale une gorgée de sa boisson. Puis, indiquant l'écran : « Nous allons pouvoir suivre les événements dans tout Duluth au cours de cette nuit. Mes équipes de télévision sont stationnées aux points stratégiques de la ville. En appuyant sur ces différents boutons, nous pouvons voir n'importe quel quartier. Que regardons-nous en premier ?

— Garfield Heights, lance Chloris. Comme cela, nous nous assurerons que des pillards n'ont pas pénétré dans notre enclave protégée. »

Murmure de satisfaction dans l'assistance. Bellamy, toujours aimable envers Chloris en dépit, ou même peut-être à cause de leur mariage ouvert, dit « Très bien » et appuie sur un bouton.

L'écran s'emplit d'un long plan sur Garfield Heights, sereins sous la lune. Puis, grâce à la magie de KDLM, et aussi d'un service privé de surveillance extrêmement coûteux, on bénéficie d'une série de plans sur les différentes rues et les résidences de ce quartier de grand luxe. La paix y règne. Comme d'habitude, deux chars d'assaut de la garde nationale sont stationnés à l'entrée de Garfield Heights, canon pointé. Une seule chose semble bizarre : un nombre anormalement élevé de bonnes mexicaines paraissent courir en tous sens, passant hâtivement d'une maison à l'autre. Avant que Chloris demande pourquoi les bonnes vont et viennent ainsi, Bellamy déclare : « Ne vous tracassez pas. Elles ont uniquement l'air de bonnes mexicaines. En réalité, ce sont des agents travestis de l'escouade spéciale du capitaine Eddie dont l'unique tâche est de garder Garfield Heights. »

Applaudissements de l'assemblée. « Bellamy pense vraiment à tout » dit Chloris à voix basse à Clive, qui fait la tête. Elle me traite comme un gigolo, comme un mignon. Si seulement elle savait ! Mais elle ne sait rien. Elle ignore tout, se dit un Clive morose.

« Je crois que le moment est venu de voir ce qui se passe sur les lieux du sinistre » déclare Bellamy.

L'écran brille soudain de flammes jaunes, rouges et

orange, ainsi que de merveilleux effets de fumée. Pour ce qui est de la beauté pure, rien de tel qu'un barrio en train de flamber. Applaudissements frénétiques de la part des dirigeants de Duluth dans la salle du conseil d'administration. Bien qu'à eux tous, ils possèdent chaque construction et chaque masure de cette partie de la ville, ils sont jusqu'au dernier, en tant que propriétaires, assurés à 200 %. D'ailleurs, l'un d'eux mange presque le morceau lorsqu'il déclare : « Je ne voudrais pas être la Lloyd's de Londres, ce soir. » Cette sortie pleine d'esprit est saluée par des ricanements.

Le capitaine Eddie, qui se tenait à l'arrière-plan d'où il dirigeait l'incendie, au grand dam du chef des pompiers, un de ses rivaux traditionnels, approche de la caméra, où on lui confie un casque et un micro afin qu'il puisse à la fois parler à Bellamy et l'entendre.

« Bonsoir, chef. » Bellamy parle toujours aux inférieurs comme à des inférieurs. Cela signifie qu'il est très poli dans la façon dont il leur parle, mais impoli par sa manière de ne pas écouter ce qu'ils disent, puisqu'il sait qu'ils mentiront au sujet de tous les bibelots qu'ils ont cassés et de toute la nourriture qu'ils ont raflée. « Comment va le sinistre ?

— Assez mal, Mr Craig. Mais nous avons les choses en main.

— Je vois. (Bellamy n'écoute pas.) Qui a provoqué l'incendie ?

— Des provocateurs. Appartenant au FBI. Se faisant passer pour agents du DPD. Ils sont venus semer la zizanie *et* provoquer un sinistre dans le but de faire réélire le maire Herridge, qui les y a incités.

— Je vois, fait Bellamy qui n'a rien entendu du tout. Poursuivez votre bon travail, chef. Et rappelez-vous : tout ce que vous voulez, vous l'aurez. Le ciel est notre seule limite.

— Je vous remercie, Monsieur. » Le capitaine Eddie tremble de respect. Bellamy appuie sur un bouton.

« Je voudrais un cocktail alcoolisé, dit Chloris à Rastus, le serviteur noir qui n'a reparu que pour redisparaître.

— Et moi ? demande Clive qui a soif.

— L'affaire est trop sérieuse » lui répond Chloris d'un ton de remontrance.

Apparaissent à présent sur l'écran les bords du lac ornés de palmiers bien éclairés par les lampadaires spéciaux que le capitaine Eddie a fait installer pour être sûr que la population noire ne suivrait pas les chicanos dans la rébellion ouverte contre leurs maîtres blancs. Mais les Noirs ne font jamais la même chose que les chicanos. Si un groupe se révolte, l'autre continue son tricot.

Sous les palmiers qui bordent le lac, « Chico » Jones s'adresse à la caméra. « Lieutenant Jones, homicides.

— Comment cela se passe-t-il avec les bamboulas des bords du lac ? lui demande Bellamy, qui ne prend pas de gants.

— Tout est calme dans le quartier *de couleur*. » « Chico » dit « de couleur » aussi souvent qu'il peut, bien qu'il sache que cela ennuie les frères qui sont, maintenant que la sécurité sociale a subi des coupes sombres, plus noirs que jamais. Un de ces jours, les quartiers noirs exploseront jusqu'au ciel. Mais chacun sait que cela ne se produira jamais le jour où les barrios sont en feu. Ça, des prunes, comme on dit sous les palmiers. Ce soir même, où les Noirs auraient dû faire cause commune avec leurs frères bruns contre l'ennemi blanc commun, ils sont tous réunis à l'auditorium mortuaire Martin King de la Sainte Grâce pour écouter une conférence sur l'Amour Total donnée par la jaune Yoko Ono, qui est en ville pour signer des « frisbees » et offrir son message d'Amour Total à tous les êtres de la Terre et de Duluth.

« Cela fait du bien à entendre, lieutenant... euh...

— Jones, Mr Craig.

— Eh bien, poursuivez votre bon travail, et maintenant...

— Une minute, Monsieur, dit " Chico " en interrompant l'homme le plus puissant de Duluth.

— Disons trente secondes ! fait Bellamy, plaisantin. Le temps, c'est de l'argent.

— Je n'en ai que pour un instant. Je crois devoir vous prévenir, Monsieur, que l'engin spatial a disparu. »

Consternation dans la salle du conseil. « Disparu ? réplique Bellamy qui écoute, pour une fois. Qu'est-ce que vous voulez dire par disparu ? »

La caméra de KDLM effectue un long plan sur le lac Erié : de fait, là où l'engin spatial se trouvait, il n'y a plus que des algues et des détritus, comme avant.

« Mais quand ? Et où est-il ? (Bellamy s'est raidi.)

— Il a disparu d'un seul coup vers vingt-trois heures. On ne sait pas où il est passé. Il est peut-être retourné d'où il venait, ou ailleurs.

— Avec le maire Herridge à l'intérieur ?

— Oui, Monsieur. Pour autant que nous soyons au courant, Monsieur, monsieur le maire était encore dedans. »

Bellamy coupe l'image sur un gros plan de « Chico » Jones, rayonnant de joie devant l'élimination pure et simple du rival de son patron. Mais « Chico » ignore que l'engin est à moins de deux kilomètres de là, dans le marais des bois de Duluth.

XLVIII

Dans les barrios en flammes, Pablo et Calderón, pareils à des ombres insaisissables, vont de QG clandestin en QG clandestin. Les muchachos sont tous à leur poste, attendant un mot de Pablo pour occuper Garfield Heights. Mais le mot ne vient pas. La soudaine offensive des fausses Darlene a fait capoter le plan de Pablo consistant à s'emparer du quartier réservé. De plus, les barrios n'ont

plus besoin d'être en feu puisqu'ils brûlent déjà littéralement.

Pablo rassemble trente hommes. Le noyau dur de sa
Société des Terroristes Aztèques. Ils sont désintéressés. Ils
sont armés. Ils ont des *cojones* à revendre. Pablo les mène
au hangar abandonné que les flammes, et la police, n'ont
pas encore atteint.

« Nous devons transformer en victoire ce qui pourrait
être une catastrophe ! » Pablo parle, juché sur une caisse, à
deux pas de l'endroit où il a violé Darlene par terre. Un
instant, la pensée de ce moment d'extase l'excite. Mais il
fronce les sourcils. Ce n'est plus le viol qu'il a en tête, à
présent, mais la mutilation. Et cette fois, ce ne sera plus
pour le plaisir, ni même pour dire de rigoler un coup.
Cette fois, ce sera pour le Mexique et pour tout ce que le
Mexique a souffert par les mains des gringos, depuis la
guerre de 1847 jusqu'aux restrictions actuelles en ce qui
concerne la sécurité sociale.

Pablo monte la tête des muchachos avec un long
discours, s'étendant particulièrement sur leurs souffrances
passées qui, selon les muchachos eux-mêmes, ne sont rien
à côté des souffrances qu'ils ont subies ce soir même, où
dix-sept d'entre eux ont été déshabillés et humiliés par les
fausses Darlene, fréquemment devant leur femme qui, à
leur tour, ont subi l'humiliation des gros doigts rouges et
farfouilleurs des Darlene mâles.

Pablo fait adroitement enrager les hommes déjà surex-
cités.

« La seule chose dont nous ayons à présent besoin » dit
Calderón, *membrum virile* brûlant, palpitant, et probablement infecté aussi, se dit-il avec tristesse, « c'est un
plan ! »

A ce moment, Carmencita, la femme de Calderón
(comment il va lui expliquer la perte de ses poils pubiens
ainsi que de la plume de son serpent à plumes est un pont
qu'il refuse de traverser tant qu'il n'est pas à pied
d'œuvre), entre, mantille en feu.

Adroitement, Calderón enveloppe Carmencita dans un

sac et la roule par terre jusqu'à ce que les flammes s'éteignent. « Es-tu blessée, ma *paloma* ? » lui demande-t-il tandis qu'elle se relève.

« Non, mon *toro* ; seulement décoiffée. Je vous préviens que les flammes approchent ce hangar abandonné très rapidement. Mais avant de fuir, j'ai des nouvelles pour vous. » Ils parlent tous en espagnol, évidemment, langue plus solennelle que l'anglais.

« Quelles nouvelles ? lui demande Pablo qui reprend aussitôt son rôle de chef.

— La classe dirigeante de Duluth, sous la conduite de cette obscénité vivante, mon employeur Bellamy Craig II (Carmencita crache par terre pour bien montrer son dégoût ; les autres crachent aussi), a fui Garfield Heights, terrorisée...

— Par le feu ? demande Calderón finement.

— Non. Par nous ! » Carmencita rejette la tête en arrière fièrement et pousse le cri de guerre aztèque. Les autres frissonnent ; ils savent au fond d'eux-mêmes que la Femme Mexicaine Debout vaut dix hommes ou même une Darlene.

« Où se sont-ils réfugiés ? demande Pablo.

— Dans la salle du conseil d'administration de KDLM, au sommet de l'immeuble abritant le McKinley Communications Center. Chef suprême, ajoute Carmencita en s'adressant à Pablo d'un air entendu, ils sont, pour une fois, tous ensemble. »

Pablo sourit, durement. « Le moment est venu. L'heure a sonné. L'ennemi est à nous. L'opération Montezuma est lancée. »

XLIX

Inconscientes du danger qui les menace, les très importantes personnalités réunies dans la salle du conseil d'administration sont en train de mâcher des canapés tout en débattant de la marche à suivre maintenant.

Bellamy essaie en vain d'entrer en contact avec le capitaine Eddie qui n'arrête pas de bouger, tirant sans distinction sur les pillards comme sur les simples badauds, les morts ne pouvant rien aller raconter à l'Union américaine des libertés civiles ni même au *Courrier de Duluth*.

« C'est curieux, tout de même, dit Chloris, vexée, à Clive. Yoko Ono ne m'a même pas prévenue qu'elle était en ville !

— Mais vous ne vous connaissez pas, réplique Clive d'un air matois.

— Tout de même... (Chloris n'a pas besoin de préciser qu'elle *est* la vie sociale de Duluth.) Faire une conférence au bord du lac, à des noirs... »

Bellamy, verre en main, rejoint sa femme et l'amant de celle-ci. Il leur sourit fort aimablement. « Alors, on s'amuse bien ?

— C'est incroyablement palpitant, n'est-ce pas ? lui répond Chloris. Tu es tellement maître de la situation, Bellamy. Vraiment. Je ne plaisante pas. »

Clive a envie de vomir. Au lieu de cela, il se rue dans la salle de bains, où il s'enfile une cuillerée de cocaïne pakistanaise dans ses énormes narines. Il se sent immédiatement mieux. « Un museau froid est un signe de santé » n'est pas un dicton réservé aux représentants de la gent canine...

Dans la salle du conseil, il y a un nouveau venu : Wayne Alexander. Il s'approche de Bellamy qui sourit, toujours d'excellente humeur, puis de Chloris qui ne sourit pas, rarement d'excellente humeur. Elle ne lui pardonnera jamais le coup du « C-A-T ». Mais elle se souvient qu'elle doit cacher son jeu si elle veut savoir qui a tué Betty Grable. Chloris affiche un sourire.

Wayne est nerveux. « Je viens seulement d'apprendre, Monsieur, que vous étiez le propriétaire du *Courrier*.

— J'espère que vous n'allez pas imprimer ça, Wayne ! rétorque le patron en éclatant de rire.

— Oh, je n'y songerais même pas, Monsieur !

— Le SEC et le FCC[1] et tous les communistes de Washington iraient raconter que je détiens le monopole des moyens d'information à Duluth s'ils savaient que je possède à la fois le journal et la chaîne de télévision ! Nous devons donc feindre le contraire. (Bellamy rit de son bon rire sympathique.) Au fait, Wayne, nous ne vous avons guère vu à la maison, ces temps-ci. Comment se fait-il ?

— Oh, il y a eu beaucoup de travail au journal, et...

— Allons, allons, mon garçon. » Bellamy est compréhensif. Après tout, il a failli embrasser Wayne un jour, le prenant par-derrière pour Evelyn Stellaborger. « Chloris a ses humeurs. Mais elles passent comme les nuages d'été. N'est-ce pas, Chloris ?

— Mais absolument, Bellamy... » Chloris essaie de se rappeler la dernière fois où elle a couché avec Bellamy. Certainement plus depuis le jour où leur mariage a été déclaré ouvert, ce qui remonte à dix ans au moins. Elle se demande vaguement s'il a fait des progrès. En tout cas, elle est impressionnée par sa puissance ce soir, sa maîtrise de la situation. Il est vraiment au sommet.

« Je voudrais vous signaler quelque chose, Monsieur », dit humblement Wayne à Bellamy. Mais il n'en a pas la possibilité car l'écran de télévision vient de s'allumer. On y voit une large image ronde de ce qui paraît être un poulet en état d'agitation en train de regarder par-dessus son épaule. Quelque chose est écrit autour de l'image ; personne ne peut lire ce que c'est. Puis une voix « off »

---

1. SEC : Securities and Exchange Commission ; FCC : Federal Communications Commission. (NdT)

annonce : « Mesdames et Messieurs de Duluth, le président des Etats-Unis. »

Vient ensuite un lourd silence, dont on profite dans la
salle du conseil pour demander à voix basse : « Lequel ? »

Ils le découvrent sans tarder, même si, comme d'habitude, nul ne se rappelle son nom. De tous les présidents,
c'est le plus vieux ; celui qu'on emploie à la télévision pour
lire de brèves allocutions écrites sur de petites cartes, à
travers des lentilles de contact qui brillent.

« Bonjour tout le monde à Duluth ! » Le vieux président-télé fait voir ses couronnes.

« On pourrait croire, vu l'importance de notre centre
industriel et de notre port, qu'ils nous auraient réservé le
gros ! Comment s'appelle-t-il, déjà ? lance Bellamy, irrité.

— Mais Monsieur, Duluth a voté contre cette équipe
de présidents là. (Wayne suit ce genre de détails.)

— Et vous pensez que c'est peut-être leur manière de se
venger ?

— Oui, Monsieur.

— ... ce qui me rappelle une histoire quand je faisais un
reportage sur une partie de basket-ball pour la radio. Vous
vous rappelez la radio ? La drôle de petite boîte qui n'avait
pas d'image sur le devant... ? Bref, j'étais donc au stade et,
à la mi-temps... »

Bellamy coupe le vieux président-télé qui n'arrête pas
de se souvenir, puis se tourne vers un de ses assistants.
« Appelez-moi la Maison Blanche. Dites que nous voulons
le gros. Lui ou rien. Nous sommes Duluth !

— Oui Monsieur, sir, mister Graig. »

Décidément, quelle maîtrise, pense Chloris.

« Nous disions donc, Wayne, avant que Mister Show-
biz ne nous interrompe, reprend Bellamy d'un ton égal.

— Il y a une nouvelle sensationnelle concernant l'engin
spatial.

— L'ont-ils retrouvé ?

— Non, Monsieur. Mais on pense avoir identifié
l'homme qui a accueilli le maire Herridge à l'intérieur.

— Quel homme ? (Bellamy demande d'un geste à

Rastus de lui apporter un autre verre — son quatrième. Chloris les compte, non sans fierté.)

— Vous souvenez-vous de cette silhouette qu'on entr'aperçoit en repassant la séquence au ralenti ?

— Ah, oui ! Ça... »

Wayne appuie sur un bouton. Le grand écran convexe montre le labo situé à un bout des studios en forme de caverne, eux-mêmes situés dans une autre partie de la tour McKinley. Un technicien conscient d'être à l'antenne avec le directeur de la station s'incline très profondément vers la caméra. « Monsieur Craig, Sir, je suis le chef du laboratoire technique, Monsieur.

— Enchanté. On me dit que vous savez à présent qui est l'homme qui a accueilli le maire Herridge à l'intérieur de l'engin.

— Eh bien, Monsieur, oui et non. Vous allez voir... » Le chef du laboratoire appuie sur un bouton ; sur l'écran derrière lui, clairement visible sur l'écran de la salle du conseil, passe la séquence, très ralentie, de l'entrée du maire Herridge dans l'intérieur obscur de la cabine spatiale. C'est alors que, du fond, avance un petit homme râblé à grosse tête qui tend la main. Aussitôt, l'ouverture dans le flanc de l'engin se referme.

Le technicien en chef regarde l'objectif de la caméra. « Nous avons procédé à une analyse très précise de ce que nous venons de voir, Monsieur. Permettez-moi de vous montrer, Monsieur. »

Sur l'écran du labo, à l'intérieur de l'écran de la salle du conseil, la grosse tête du petit homme râblé s'est immobilisée. Un gros plan encore plus gros est montré. Tous ont la possibilité d'examiner les traits du visage. Cette tête leur est effectivement connue à tous. Le front est bombé. La calvitie gagne. Le sourire est franc et aimable. Les yeux débordent de bons sentiments. Les bajoues sont sans doute un peu trop larges pour le col de chemise serré, mais dans l'ensemble, c'est le visage d'un homme tout à fait charmant.

170

« Je vois avec soulagement, dit Chloris à Clive, qu'il ne s'agit pas d'un monstre.

— Quelques autres vues », dit le technicien. Le visage est montré sous différents angles et différents éclairages. L'agitation croît dans la salle du conseil.

« Nous sommes parvenus à l'irréfutable conclusion, ajoute le technicien chef, que l'homme qu'on voit, accueillant notre maire à l'intérieur du vaisseau spatial ce quatre juillet, n'est autre que notre ancien sénateur du Minnesota...

— Bon Dieu ! s'exclame Bellamy. Hubert Horatio Humphrey ! »

L

Pablo, à la tête des Terroristes Aztèques, avance comme une ombre dans la nuit à travers le complexe désert des gratte-ciel qui composent le McKinley Center, au centre duquel se dresse le plus élevé d'entre eux, la tour du Communications Center, que possède entièrement, par une série de cartels et de prête-noms, Bellamy Craig II.

Les gardiens qui se tiennent à l'entrée principale du centre sont rapidement maîtrisés. Lorsque Pablo sonne à la porte de la tour, le gardien de nuit lui demande par l'interphone ce qu'il veut. Les trente et un immigrés clandestins en armes que commande Pablo se cachent derrière l'énorme statue de Henry Moore que Chloris a offerte à la ville de Duluth pour réduire ses impôts.

« Je viens pour l'émission de Rod Spencer », répond Pablo. Il s'agit d'une émission tardive et très regardée au cours de laquelle Red s'entretient avec des assassins qui ont écrit un livre ou des candidats au suicide, ou encore (Rod ne recule devant rien) des ambitieux. Les spectateurs peuvent ensuite appeler par téléphone et participer à la fête.

« Ça va » fait le gardien de nuit, qui a déjà vu des numéros bien plus étranges que Pablo dans l'émission de Rod Spencer qu'avec d'autres adeptes de « Jésus est parmi nous » il tente de faire interdire.

Dès qu'il a déverrouillé la porte, Pablo lui plante un flingue dans les côtes. Le gardien de nuit lève les mains en l'air. Il connaît cela par cœur, tout comme Pablo ; ils ont tous deux vu une pareille séquence dans un million de feuilletons télévisés. Le gardien sait aussi qu'une caméra de télévision dans le plafond filme tout ce qui se passe. Pablo n'ira pas loin. Et s'il ne portait un nouveau dentier depuis peu, le gardien eût souri d'un sourire finaud.

« Vous devez signer. C'est le règlement », dit le gardien en montrant un cahier ouvert sur une table.

Avec un rictus ironique, Pablo écrit « Benito Juárez », ignorant que personne dans le bâtiment ou à Duluth ne devinera qui ce Benito Juárez est ou était, vu qu'il n'y a rien sur lui dans les archives du FBI.

« L'heure d'arrivée aussi », ajoute le gardien, qui ne rigole pas sur le protocole.

Pablo lui décoche un regard meurtrier, écrit l'heure, puis ligote le gardien. Ensuite il siffle avec deux doigts ; les trente et un loyaux muchachos accompagnés de Carmencita accourent, sortant de derrière la statue de Henry Moore. Ils occupent aussitôt l'entrée de l'immeuble.

Ignorant les ordres du gardien maniaque qui leur aboie de signer, ils suivent en désordre Pablo jusqu'aux ascenseurs.

Pendant une heure, ils vont monter et descendre vainement, sortant à tous les étages, mais incapables de trouver l'ascenseur spécial qui mène à la salle du conseil. Finalement, exaspéré, Pablo déclare : « Nous allons être obligés de nous emparer des studios de télévision et de leur demander où se trouve la salle du conseil », ce qu'ils s'empressent de faire.

Rod Spencer est en train de discuter à l'antenne du pour

et du contre en matière de masturbation avec trois onanistes et trois freudiens dissidents. Pablo, revolver au poing, s'assied à la table ronde autour de laquelle toutes les émissions de Rod Spencer ont lieu.

« Les mains en l'air ! » lance Pablo. Toutes les mains se lèvent, bien que les onanistes aient un peu de mal pour y arriver en raison de leur « affliction primaire », comme l'appelle Freud.

« Bonsoir, lui dit Rod, accueillant. Je suppose que vous êtes un terroriste venu des barrios.

— Exactement. Je suis Pablo. Le chef de la Société des Terroristes Aztèques. » C'est la première fois que Pablo passe à la télévision ; il a l'impression que cela va lui plaire. Lui plaire beaucoup. Il sent aussi que Rod l'a à la bonne. Un Aztèque sent toujours ces choses-là.

« C'est sensationnel de vous avoir comme ça en pleine émission. Etes-vous également onaniste ?

— Comment ? (Pablo trébuche sur ce mot anglais.)

— Il vous demande si vous vous tapez des queues, précise l'un des freudiens dissidents.

— Non, bordel ! » La fierté de macho de Pablo est touchée. Dans les barrios, il n'est de pire insulte que d'accuser un homme de se livrer à cet outrage sur sa propre personne. Un vrai homme aux puissantes *cojones* se livre toujours à des outrages sur les autres.

Les freudiens triomphent. Les onanistes, mains reposées sur les genoux, ont l'air abattus.

« Voilà qui est très intéressant, Pablo, dit Rod.

— Ecoutez, fait Pablo en apercevant Calderón lui adresser des signes empressés derrière le cameraman ligoté. Où est l'ascenseur privé du conseil d'administration ?

— Je l'ignore... » dit Rod. Mais le pistolet qui lui est soudain collé entre les deux yeux lui redonne sa présence d'esprit légendaire. « Il se trouve dans l'armoire à balais au bout à gauche de la rangée d'ascenseurs du foyer extérieur des studios de KDLM-TV au cœur du centre-ville de

173

Duluth. Mais pourquoi, ajoute Rod, questionneur invé-
téré, voulez-vous savoir où se trouve l'ascenseur secret ?

— Parce que — et tout le monde le saura, puisque nous
sommes sur une chaîne nationale...

— Locale, corrige tristement Rod. Il se *peut* que nous
acquérions le statut national, mais si j'étais vous, je ne
compterais pas trop dessus. Chicago nous fait une grosse
concurrence, et... »

Cela dépasse complètement Pablo qui, fixant la caméra,
déclare : « Nous allons nous emparer et retenir en otages
les dirigeants de la communauté de Duluth réunis dans
cette salle. Nous demanderons jusqu'à un million de
dollars par tête. Et un avion pour nous emmener en...
euh... » Pablo ne sait pas pour lequel des nombreux
ennemis des Etats-Unis il optera ; aussi bondit-il sur ses
pieds et crie : « Suivez-moi, muchachos ! » Le studio est
bientôt vide de tout terroriste.

« Je crois, reprend Rod très calmement, que nous allons
prendre quelques appels de téléspectateurs, à présent.
Mais... (il tend l'oreille malicieusement)... est-ce un
godemichet électrique que j'entends sous la table,
Glenda ? »

L'onaniste coupable rougit de culpabilité.

« Le Dr Freud considérait la masturbation comme pire
que l'alcoolisme, déclare l'un des freudiens. Il faut dire
qu'il considérait aussi toute forme de rapport sexuel ne
menant pas à la procréation comme — et j'utilise son
propre terme — de la perversion.

— On croirait entendre Moïse, fait un des onanistes.

— Je crois, commente Rod d'un air inspiré, que Freud
est beaucoup plus important que Moïse dans la région de
Duluth, de nos jours. »

LI

Darlene éteint en même temps téléviseur et godemichet électrique — les deux appareils sont reliés au même bouton à côté de son lit.

Darlene est songeuse. Elle n'avait jamais pensé qu'il y eût quoi que ce fût de mal dans la masturbation. *Cosmopolitan,* Masters et Johnson, *Good Housekeeping :* tous l'y ont encouragée, l'ont poussée, même. Or voilà que dans l'émission de Rod Spencer, son émission préférée en matière d'interviews, des psychologues viennent lui raconter que c'est mal, et que c'est une perversion par-dessus le marché.

Quant à Pablo, elle suppose que son apparition a été montée de toutes pièces pour les besoins d'une campagne publicitaire quelconque. D'un autre côté, elle s'étonne qu'un violeur et un auteur en puissance de crimes sexuels (elle l'a reconnu immédiatement, même habillé, car elle a l'œil du bon policier) puisse apparaître chez Rod Spencer. Mais bien sûr, Rod ignore probablement ce qui s'est passé dans le hangar abandonné.

Darlene décide d'appeler Rod. Ce n'est pas la première fois qu'elle l'appelle en direct. Elle compose son numéro. Occupé. Elle raccroche. Puis le téléphone sonne chez elle. « Flûte ! » s'écrie-t-elle en regardant l'heure. Une heure du matin. Elle décroche.

« Darlene ! C'est " Chico ".

— Oui, " Chico " ?

— Tu sais ?

— Je sais quoi ?

— La Société des Terroristes Aztèques s'est emparée de la salle du conseil d'administration de KDLM-TV dans la tour du Communications Center. Tous les dirigeants de la ville sont pris.

— Nom d'une pipe ! (Depuis sa grossesse, Darlene a

châtié son langage. D'une part, elle se sent chaleureuse et maternelle. Et elle doit aussi donner le bon exemple à bébé.) Où es-tu ?

— Dans l'entrée de la tour McKinley. Avec le capitaine Eddie.

— J'arrive tout de suite. » Darlene raccroche.

Elle s'habille en vitesse, tout en se demandant ce que ce docteur (comment s'appelle-t-il, déjà ? Freud) a bien voulu dire par « affliction primaire ».

LII

C'est à la fois la consternation et le chaos complet lorsque Pablo et sa bande font irruption dans la salle du conseil, armes à feu et rasoirs au poing.

Pour le malheur des très importantes personnalités, Bellamy Craig II n'a jamais pu encaisser son employé Rod Spencer et, au lieu de regarder sa propre chaîne, il avait mis la chaîne Petroleum Broadcasting System où passait le festival Robert Aldrich, offert par Exxon.

Robert Aldrich a des liens de parenté avec la famille Rockefeller, ainsi que Chloris n'a pas manqué de le faire remarquer dès le début de la deuxième bobine de *L'ultimatum des trois mercenaires*, avec Joseph Cotten, superbe comme toujours, dans le rôle du secrétaire d'Etat. « Il est donc tout à fait normal, a-t-elle ajouté, que son cousin David Rockefeller ait engagé l'entreprise familiale, Exxon, à financer cette rétrospective.

— Voyons, Chloris, lui a répliqué Bellamy avec un petit rire, ce n'est pas comme cela que les programmations marchent ! N'oublie pas que Mr Aldrich est un des plus grands du cinéma... »

Pablo, donc, fait son entrée. Dans la consternation et le chaos complet qui s'ensuivent, Clive décide que ce n'est pas du tout son genre de réjouissances. Pareil à une apparition spectrale, il quitte la salle discrètement. Qu'il soit en tenue de cheval aide. Ce type-là a l'air d'un ouvrier opprimé, se dit Calderón tandis que Clive lui adresse un « buenas noches » bien poli et dévale l'escalier de secours, suivi par Wayne dont l'unique oreille fait naître la compassion de Calderón, qui a si récemment perdu la plume de son serpent.

Cependant, Pablo fait régner l'ordre au milieu du chaos. D'un côté de la salle, les trente et un terroristes s'accroupissent confortablement contre le mur, sombrero sur les yeux. De l'autre côté, treize très importantes personnalités sont pétrifiées de peur et d'étonnement. Pablo dicte ses conditions. Il a déjà augmenté ses tarifs.

« Pour la vie des quatorze gringos que vous êtes, je demande cent millions de dollars. En espèces. Puis je veux un avion qui nous emmènera tous vers... la destination de notre choix. Ensuite, vous serez libérés. »

« Mais supposez » dit Bellamy qui a déjà vu *L'ultimatum des trois mercenaires* et qui sait quel sort affreux attend le président des Etats-Unis de cette fiction où il est pourtant si merveilleusement interprété, une fois qu'il a été pris en otage, « que vous ne soyez pas à la hauteur du marché que vous nous proposez...

— C'est à vous que la question se pose, pas à nous » lui répond Pablo qui n'a pas vu *L'ultimatum des trois mercenaires,* auquel cas il serait moins sûr de lui car s'il y a une leçon à retenir de ce film incroyable, c'est que personne, mais alors personne, même les présidents des Etats-Unis, quels qu'ils soient, n'a la moindre chance face à ceux qui dirigent les salles de conseil de la nation.

« Et maintenant, installez-vous confortablement » ajoute Pablo à l'intention des otages, qui ont le droit de s'asseoir sur les canapés disposés à l'un des bouts de la salle d'où ils voient parfaitement l'écran de télévision.

« Toi, lance Pablo à Rastus, le serviteur noir tremblant, approche un peu. »

Le serviteur noir obéit sans empressement. « Monsieur ?

— Bien que tu ne sois qu'un nègre qui vit avec un transistor collé sur l'oreille et qui ne pense qu'aux plaisirs du commerce charnel, tu n'en es pas moins opprimé, et donc notre frère.

— Oui, Monsieur. Puis-je vous préparer une boisson alcoolisée ? Un Campari-soda ? Un savoureux daiquiri ? Ou bien un Pink Lady, par hasard ?

— Non. Des margaritas pour tous mes hommes, et pour Carmencita, la femme de Calderón ! » Les Aztèques s'écrient en chœur « ollé ! ».

Rastus s'en va préparer les margaritas en espérant contre tout espoir que « ces métèques enragés », comme il les désigne pour lui-même, ne verront pas la différence entre le sel de céleri, dont il a en grandes quantités, et le sel gemme, dont il n'a presque plus, pour garnir le bord des verres.

Pablo regarde Chloris, qui regarde Pablo. Bellamy regarde par la fenêtre, se souvenant, mais un peu tard, que l'idée de mariage ouvert est venue de lui, pas d'elle.

Pablo sent se réchauffer légèrement ce sur quoi Darlene s'est livré à ses actes impudiques. Il pourrait prendre cette superbe gringa, magnifiquement vêtue de ce qu'il reconnaît immédiatement comme le modèle Mao le plus coûteux de Givenchy. Pablo imagine le plaisir qu'il éprouverait en arrachant Givenchy en petits morceaux tandis que la femme crie. Ensuite, le viol, suivi par la lente mutilation au couteau, en commençant, comme toujours, par le nichon gauche. Mais le couteau lui rappelle celui de Darlene. A ce souvenir, il rougit. Comment pourrait-il violer cette gringa, n'importe quelle gringa, sans poils pubiens ? Comment pourra-t-il encore faire quoi que ce soit à une femme après ce que Darlene lui a fait ? Il n'a toujours pas compris que sa tortionnaire était Rasemottes, une fausse Darlene, et non la vraie. Tout désir le quitte. La crête du serpent déplumé retombe.

Chloris se dit : il est mignon ; vraiment mignon. Viril.

Maître de lui. C'est une petite déception pour elle lorsqu'il la quitte du regard et se tourne vers Bellamy. « Il faut parler affaires, gringo.

— Très bien. Vos exigences seront satisfaites. » Bellamy, qui a une confiance toute limitée en Pablo, ne le laisserait pas approcher plus près que la distance à laquelle il pourrait le jeter, ce qui, vu la carcasse légère de Pablo et les biceps de Bellamy, serait assez loin. « Je parlerai donc au président.

— Bon. Mais lequel ? » Même Pablo est au courant du chaos qui règne dans la capitale.

Bellamy appuie sur un bouton du tableau qu'il a devant lui. A la grande horreur générale, le vieux président-télé est toujours en train de bavasser. Cela fait plus d'une heure qu'il déblatère. « Juste après ça — non, c'était peut-être juste avant ; oui, c'est ça ; je ne veux pas gâcher la fin (clins d'œil du président)... juste avant ça, donc, j'entre dans le bureau de Jack L. Warner, à Burbank, et je lui dis : " Mr Warner... (je n'aurais jamais osé l'appeler Jack)... " »

Bellamy coupe le président.

« Ce n'est pas le bon ? demande Pablo dans un moment de sympathie.

— Non, répond Bellamy qui commence à fouetter salement. Et je ne sais comment entrer en contact avec le gros.

— Messieurs, les margaritas ! » annonce Rastus. Les immigrés clandestins (dont dix-sept sont nu-pieds étant donné que leurs cors, écrasés par les fausses Darlene, leur font mal) se ruent sur les boissons. Rastus est soulagé en constatant qu'ils aiment le sel de céleri qui borde les verres. « Sais-tu qu'il y a moins de sodium dans le sel de céleri et que c'est donc meilleur pour la santé ? » demande Calderón à Carmencita.

Elle répond par une embrassade passionnée qui fait sourciller le garçon.

« Quel homme ! lui murmure-t-elle. Je te sens gros

comme un taureau même à travers ton épais pantalon. T'enflammé-je à ce point, mon *toro*?

— Oui. » Calderón pousse un gémissement ; bien que mou, son *membrum virile* mesure deux fois sa taille et lui fait très mal.

LIII

Dans le hall de la tour du McKinley Communications Center, le capitaine Eddie examine le livre des entrées. « Benito Juárez, murmure-t-il, songeur. Ça ne me dit rien du tout.

— Probablement un pseudonyme » fait « Chico ». L'entrée de l'immeuble est emplie de ce qu'il y a de mieux à Duluth. Matériel anti-émeutes. Gaz empoisonnés. Et même une bombe à neutrons. Heureusement, personne ne sait comment l'amorcer.

Darlene se fraie un chemin à travers tous ses collègues. « Lieutenant Ecks au rapport, fait-elle lestement.

— Salut ma belle » répond le capitaine Eddie qui se sent dans une impasse, n'ayant aucun moyen de savoir quelle marche suivre. Par bonheur, Darlene a vu l'émission de Rod Spencer. Elle explique rapidement à son chef de quoi il retourne.

Le capitaine Eddie enregistre tout cela avec son habituelle agilité d'esprit. « Ainsi, ce n'est pas Benito, mais Pablo.

— En effet. Et il ne rigole pas, chef.

— C'est assez clair. Il faut que nous entrions en contact avec lui. Que nous déterminions ses exigences précises pour qu'il relâche les otages. Mais comment ? »

Le capitaine Eddie et « Chico » ne voient pas comment s'en sortir. C'est Darlene qui sauve la mise. « Je connais une façon, dit-elle lentement et en retournant la solution dans son esprit. Cela pourrait peut-être marcher.

— Quoi ? demande le capitaine Eddie, à cran et prêt à tout essayer.

— Nous pourrions appeler la salle du conseil et demander Pablo.

— Pourquoi n'y ai-je pas pensé ? » « Chico » est empli d'admiration. Mais le capitaine Eddie le refroidit.

« Le problème, c'est que le numéro est secret. Je le sais : une fois j'ai tenté d'y joindre Mr Craig. Et au téléphone, ils ne veulent même pas me donner, à moi le chef de la police, ce numéro ! Seul le FBI peut l'obtenir sans une décision de justice. Or le FBI et moi, de toute évidence, sommes plutôt en froid... »

LIV

Lorsque le maire Herridge pose le pied à l'intérieur de la cabine spatiale, un homme — un homme, Dieu merci, et non un monstre ! — s'avance afin de l'accueillir. « Bonjour. Quel plaisir de vous voir ! » Dans la pénombre, le maire Herridge ne parvient pas à distinguer nettement les traits de l'individu qui lui serre la main avec vigueur, mais de toute évidence, ce n'est pas la première fois qu'il rencontre cette créature venue des espaces infinis. Le congrès des maires américains à Tacoma l'an passé, peut-être... ?

« Bienvenue à Duluth, fait le maire d'une voix cassée. On n'y voit goutte, ici. »

Soudain, l'ouverture par laquelle il vient d'entrer se referme, effaçant Duluth et lumière du jour, et il se trouve à bord d'un Boeing 707, en train de serrer la pince à son défunt ami Hubert H. Humphrey. « Hubert !

— Herridge ! Suis-moi dans mon salon. L'aéroport

nous a fait savoir que le comité de réception n'était pas encore en place, étant donné que nous avons une demi-heure d'avance. Pour une fois ! Je suis surpris qu'on t'ait mis au courant. »

L'avion est empli de journalistes qui s'ennuient et de toute l'équipe de Hubert. « Hé, les gars ! lance ce dernier. Voici mon vieil ami Herridge. Il est d'ici ; il exerce les fonctions de juge. On a grandi ensemble, lui et moi. » Ce qui n'est pas vrai puisque Hubert a grandi dans le Dakota du Sud, alors que Herridge est vraiment du Minnesota, où Hubert vint s'installer afin de s'y faire élire sénateur et d'aller à Washington.

Gros applaudissements de la part des journalistes cyniques. Tandis que Hubert conduit Herridge vers l'avant de l'appareil où il dispose d'un salon particulier, le maire de Duluth éprouve non seulement une sensation de déjà vu, mais se rappelle nettement être monté à bord de l'avion de Hubert à l'aéroport de Duluth en septembre 1968, alors que Hubert, alors vice-président des Etats-Unis, se pré-sentait à la présidence desdits Etats contre Richard M. Nixon, qui le battit. (Cela se passait dans l'ancien temps, quand il n'y avait qu'un seul président à la fois.)

Le maire Herridge se trouve vraiment dans une situa-tion embarrassante. Il a déjà vécu cette scène une fois et il se refuse absolument à la revivre, trop de choses s'étant passées entre-temps, comme par exemple la triste dispari-tion, due au cancer, de Hubert. Devrait-il lui en parler ?

Mais le maire Herridge n'a guère de chances de dire quoi que ce soit car, vivant ou mort, Hubert est un vrai moulin à paroles. Les voici installés dans le salon privé du vice-président, à l'avant de l'avion. Par les hublots, le maire Herridge aperçoit le vieil aéroport de Duluth tel qu'il était ce jour de 68 où Hubert vint. Le maire se sent quelque peu nostalgique en voyant le vieux Duluth qui n'est plus, ayant laissé la place, ainsi qu'il se doit dans une communauté urbaine en pleine croissance, au progrès.

Hubert consulte les tout derniers sondages. « J'ai rattrapé Richard le Roublard dans tout le pays sauf dans le

Sud, où il me manque encore trois pour cent. Ce n'est pas mal, compte tenu de la catastrophe de Chicago. »

Il parle de toute évidence de la Convention démocrate de Chicago, se dit le maire Herridge, où la police s'est déchaînée. Comme tout cela paraît lointain, se dit-il encore en regardant Hubert, qui lui paraît bien jeune puisque lui-même, plus jeune autrefois que Hubert, est maintenant plus âgé que lui. « Je suis sûr que tu vas lui foutre une raclée du feu de Dieu !

— Il le faut, répond Hubert, très sérieux. Pour le pays. Nixon est un escroc.

— Comment le savais-tu déjà ? demande le maire qui s'emmêle dans ses temps.

— Comment le *sais*-je maintenant ? corrige Hubert. Figure-toi que Lyndon et moi, nous ne passons pas notre temps à la Maison-Blanche à nous chanter l'un à l'autre " Salut au chef ". Nous avons collé la CIA au train de Nixon. Bien sûr, il nous a collé le FBI. J. Edgar Hoover est un homme de Nixon. Au fait, tu savais qu'il sortait avec Betty Grable ? Je parle de Hoover...

— Je croyais que Hoover était un pédé.

— Mais bien sûr ! réplique Hubert avec irritation. Cela ne l'empêche pas de se faire une chatte de temps en temps. Clyde Tolson, son compagnon de toujours, en est fou de rage. Et tu sais, ajoute Hubert, je vais mettre fin à la guerre du Viêt-nam. Tôt ou tard. Je le promets.

— Bien » réplique le maire Herridge, qui était belliciste en 68, étant trop vieux pour risquer de la faire, mais qui voit bien aujourd'hui, évidemment, quelle tragédie ce fut, cause de toute l'inflation et du chômage, pour ne rien dire des taux d'intérêt les plus élevés depuis la guerre de Sécession. La ville de Duluth n'est pas parvenue à émettre d'obligations depuis cinq ans...

« Hubert, mon vieux, parlons boutique, à présent. (Le maire Herridge prend le taureau par les cornes.) Et cet engin spatial, alors ?

— De quoi parles-tu ? » demande Hubert en reposant le plus récent sondage Gallup, non sans que le maire

Herridge ait le temps d'apercevoir une expression imperceptiblement retorse dans ce visage habituellement candide.

« Tu sais très bien de quoi je parle.

— Tu es sûr que tu n'es pas en train de dérailler un peu ? On dirait Lyndon, à t'entendre. Il est cinglé, tu sais ? Lyndon croit qu'on l'empoisonne secrètement, ce qui expliquerait pourquoi ses pieds continuent de grandir ! » C'est peut-être une bonne idée, songe le maire Herridge, d'avoir tout un tas de présidents comme maintenant, au lieu d'un seul à la fois qui peut s'avérer être un escroc ou un dingue, ou même les deux à la fois.

« Ses pieds continuent-ils vraiment de grandir ?

— Eh bien, c'est ce qu'il croit. Et je dois ajouter que son bottier de Austin affirme que Lyndon a en effet besoin de porter une taille plus grande qu'autrefois. Alors, peut-être qu'on l'empoisonne effectivement : les communistes, ou J. Edgar Hoover. Après tout, ils ont bien eu Kennedy.

— Qui a tué Kennedy ?

— Lequel ? (C'est maintenant un assaut amical entre les deux amis.)

— L'un ou l'autre.

— Un tueur fou isolé. Dans les deux cas, répond Hubert promptement. Et alors, cette histoire d'engin spatial ?

— Tu admets donc que nous sommes à l'intérieur d'un engin spatial ! (Le maire Herridge a avancé d'un grand pas.)

— Je suis dans l'avion à bord duquel je fais ma campagne, comme tu peux le voir sans peine, mais j'ai une espèce de proposition à te faire de la part de... »

A cet instant, l'avion se met à trembler et à secouer en tous sens. Hubert Humphrey et le maire Herridge sont projetés de-ci de-là comme des dés dans un gobelet, car c'est l'instant précis où le capitaine Eddie déplace l'engin spatial du lac au marais des bois de Duluth. Mais Hubert et Herridge l'ignorent ; la seule chose qu'ils sachent, c'est qu'ils sont pris dans un véritable cataclysme.

184

LV

Beryl, marquise du Cyel, soulève le pesant fusil à mèche chargé et vise le voleur de grand chemin qui chevauche près de la vitre gauche de sa voiture lancée à toute allure vers Paris. Le cocher voudrait se rendre, mais pas Beryl. « Plutôt mourir pour l'empereur ! »

Le cocher profère un juron en français et fouette ses bêtes, tandis que les deux bandits de grand chemin galopent des deux côtés de la voiture en criant : « Arrêtez-vous ou nous tirons ! »

C'est compter sans la fougue de la maîtresse et espionne principale de l'empereur. Ce ne sont pas les cahots de la voiture qui vont faire trembler sa main de tireuse accomplie. Elle vise. Elle tire. Un cri. Un des deux brigands tombe dans la poussière.

Beryl passe sans tarder de l'autre côté de la voiture tout en rechargeant son fusil à mèche, enfonçant la balle avec la baguette et disposant la poudre dans le bassinet. Rosemary est vraiment une romancière de seconde zone, se dit Beryl avec irritation. Dire qu'il faut qu'elle manie ce fusil à mèche du XVIIIe siècle, alors qu'il existe des revolvers parfaitement corrects à l'époque de la Régence ! Mais Rosemary est trop cossarde pour appuyer sur deux ou trois boutons de plus de sa vieille machine à traitement de texte afin d'effectuer les vérifications. Heureusement, Beryl n'est pas le genre de personnage à se laisser impressionner par un vulgaire brigand, et encore moins par une intrigue de la Klein Kantor ! Beryl se rend maintenant parfaitement compte qu'elle est, ou était, Beryl Hoover parce que Rosemary a écrit cet épisode du *Duc fripon après* le décès de Beryl dans *Duluth*. Bien que Rosemary soit consciente que celle qu'elle a prise pour Beryl dans *la Comtesse Mara* était en fait quelqu'un d'autre, elle ne s'est pas encore rendu compte que Beryl Hoover a fait surface en plein milieu du *Duc fripon*. Pour commencer, Rosemary tape trop vite sur son appareil pour prêter attention à ce genre de détail. D'autre part, Rosemary est vexée que Clive ait élu docimicile non pas à La Nouvelle-Orléans, mais à Duluth, auprès de Chloris Craig. Même si Beryl est folle de rage de se retrouver dans une histoire merdique de Rosemary, elle apprécie cette ultime chance de venir en aide à son fils Clive, qui est en danger mortel. La combine, réfléchit-elle en pointant son fusil à mèche par la portière, est de trouver le moyen de le joindre dans *Duluth...*

Beryl tire de nouveau. « Tiens, attrape ça ! »

Le second bandit de grand chemin tombe par terre avec un cri terrible. Le cocher s'exclame : « Vous êtes une sacrée gachette, Milady !

— Ferme-la et fonce ! » Beryl n'admet pas des réflexions d'un employé, Régence ou pas.

L'aube pointe lorsqu'ils arrivent aux Tuileries. Les nuages sont roses. L'herbe est verte. Il y a un délicieux fumet de croissants dans l'air. C'est toujours le signe, songe Beryl en franchissant la porte principale du palais, que Rosemary, qui est au régime, commence à avoir l'estomac creux.

Le chambellan reçoit Beryl en s'inclinant profondément. Ce sont de vieilles connaissances. « Milady, bienvenue au palais de l'empereur de tous les Français.

— Menez-moi à lui.

— Il n'est pas là, Milady. Il vient justement de partir pour Moscou.

— Sera-t-il parti longtemps ?

— Il n'en a rien dit, Milady.

— Vacances de travail ?

— Je crois bien, Milady.

— Je vois. » Beryl réfléchit intensément. Puis elle écrit, en code, le numéro suivant : 757-804-936. « Remettez ceci à M. de Talleyrand, ministre des Affaires étrangères, surnommé parfois le Renard de l'Europe. Il comprendra ce que cela signifie.

— A vos ordres, Milady. »

LVI

Songeur, Clive repose l'exemplaire de *Redbook* dans lequel il vient de lire, sans grand plaisir, la dernière livraison du *Duc fripon* par Rosemary Klein Kantor. Clive sait que Beryl, marquise du Cyel, est sa défunte mère. Mais jusque-là, il est à peu près certain qu'elle ne savait pas qu'il lisait ses aventures. Il se rend à présent compte qu'elle est à la page, puisqu'elle vient de lui envoyer un message. La preuve ? 757 est l'indicatif régional de Duluth.

Clive compose le numéro que Beryl a donné au chambellan pour qu'il le donne à Talleyrand, le Renard de l'Europe. C'est Pablo qui répond, de la salle du conseil d'administration au sommet de la tour McKinley.

« A... allô ? » La voix de Pablo est quelque peu troublée par tous les margaritas qu'il a ingurgités.

« Clive Hoover à l'appareil. Qui êtes-vous ?

— La tantouse ? ricane Pablo.

— Je vous demande pardon ? (Clive voit rouge.) Vous devez être un de ces clandestins, d'après votre accent !

— Dites donc, n'étiez-vous pas ici lorsque nous nous sommes emparés de la salle du conseil ? (Pablo dessoûle vite.)

— En effet. Mais je me suis échappé ! Ce qui est encore loin d'être votre cas... Passez-moi Mr Craig. Et en vitesse, espèce de larbin !

— Clive, mon vieux, quelle joie d'entendre votre voix ! Dieu soit loué ! (Bellamy semble réellement heureux d'entendre la voix de l'amant de sa femme.)

— Comment cela se passe-t-il, là-haut ?

— Ma foi, tout le monde regarde *L'ultimatum des trois mercenaires* sauf moi. Je l'ai déjà vu.

— Moi aussi. J'étais très surpris de voir comme un président peut parler vulgairement devant les plus hauts représentants officiels. (Clive cherche à gagner du temps. Pourquoi Beryl veut-elle donc qu'il parle à Bellamy?)

— Eh bien, les bandes magnétiques de Nixon tendent à montrer que parfois les présidents peuvent parler de cette manière, non?

— Quand même, j'ai trouvé cela de très mauvais goût. Chloris aime-t-elle le film?

— Je crois… La raison pour laquelle je me réjouis que vous ayez appelé est que nous ne parvenons pas à mettre la main sur quiconque. Il n'y a aucun responsable au quartier général de la police, et ma ligne audiovisuelle particulière avec la Maison Blanche est occupée. Cela fait deux heures que le vieux président-télé nous raconte le temps où il était acteur à Hollywood!

— Vous a-t-il déjà raconté l'histoire avec Ida Lupino?

— Nous n'écoutons pas ce qu'il raconte. Mais puisque vous détenez le numéro de téléphone secret de la salle du conseil, je vous prie de prendre contact avec le chef de la police et de lui demander de m'appeler afin que nous parvenions à un accord avec ceux qui nous ont pris.

— Entendu, Bellamy. Je m'en occupe. Un gros baiser à Chloris.

— Vous êtes un amour, Clive. »

Passablement stupéfié, Clive raccroche. Puis il appelle le quartier général de la police, où personne ne sait où se trouve le capitaine Eddie. Aussi, toujours en tenue de cheval, Clive quitte-t-il son luxueux appartement, monte dans sa Porsche et fonce jusqu'à la tour McKinley où, bien entendu, le capitaine Eddie est encore en train de diriger les opérations.

Le capitaine Eddie est ravi d'obtenir le numéro de téléphone secret de la salle du conseil. « Mais comment avez-vous eu le numéro le plus secret de Duluth, seul connu d'une poignée d'initiés?

— Beryl, ma mère, lui répond Clive en clignant de l'œil, me l'a laissé. Parmi ses dernières volontés, en quelque sorte. »

LVII

Les négociations durent depuis cinq jours. L'argent ?
Pas de problème. L'avion ? Pas de problème. Le gros
problème, c'est le départ de Pablo et des otages pour une
destination non encore fixée. Le président des Etats-Unis
chargé du terrorisme (pas le vieux président-télé, non, ni
le gros, mais le chauve) est inflexible. Il a déclaré à la
télévision : « Nous ne laisserons jamais une bande de
terroristes internationaux télécommandés par le Kremlin
quitter la plus grande nation du monde en emmenant avec
eux le gratin de Duluth, la Venise du Minnesota.

— Mais, lui a-t-on répliqué, les Terroristes Aztèques,
ainsi qu'ils se dénomment, sont mexicains, pas russes...

— Ils sont à la solde de Moscou, qui les utilise. Mais
nous, ils ne nous utiliseront pas !

— Supposons qu'ils tuent les otages, Monsieur le
Président chargé du terrorisme.

— Naturellement, nous réviserons nos options si cela se
produit. »

Réponse très dure, évidemment, qui leur est restée en
travers de la gorge, dans la salle du conseil...

Avec une seule petite salle de bains, les quarante-six
occupants commencent vraiment à avoir une sale tête.
Bien entendu, on leur a apporté régulièrement à manger :
tacos et haricots noirs pour les terroristes ; *foie gras des
Landes, terrine de canard et chien mange chien* [1] pour les très
importantes personnalités. Rastus est sur les rotules à
force de prendre commande des boissons.

Pablo a maintenant les nerfs en pelote. Il est dépassé et
il le sait. Il geint. « Alors, qu'est-ce qu'on va faire à
présent, gringo ? » demande-t-il à Bellamy tandis qu'ils

1. En français dans le texte.

regardent le bulletin de dix-huit heures où l'on repasse la déclaration du président.

Bellamy se rembrunit. S'il n'est pas dépassé, il s'en faut de deux doigts. Chloris, elle, fait du yoga, tête en bas. « Il n'y a qu'une chose à faire : exercer une pression quelconque sur ce président.

— Mais comment ? (Pablo connaît tout cela par cœur. Il possède un savoir d'expérience, à défaut d'autre chose.)

— Il faut viser juste. Appelez-moi le chef de la police.

— Si, señor » répond Pablo, soudain poli.

Une fois le capitaine Eddie en ligne, Bellamy lui dit : « Il faut que vous joigniez le Mecton !

— Le Mecton ? Mais vous plaisantez ! Personne ne peut joindre le Mecton ! Nul ne sait même qui c'est. C'est une légende. Un mythe. Une apparition. Un feu follet.

— Je sais. Ne vous emportez pas. Mais il est aussi le seul être vivant qui puisse forcer ce président-là à changer d'avis. Car il est le seul à comprendre tous les détails d'Onyx.

— D'o... quoi ?

— D'Onyx. O, n, y, x. Vous n'avez pas besoin d'en savoir plus, capitaine Eddie. Et vous n'aurez pas besoin d'en dire davantage au Mecton, qui qu'il soit. Dites simplement ce mot : " Onyx ". Ajoutez que Bellamy Craig II veut que l'avion parte d'ici vingt-quatre heures, sinon...

— Je ferai de mon mieux, Monsieur. »

Wayne Alexander, assis sur une chaise à côté du bureau du capitaine Eddie, remarque, pendant que l'officier parle à Bellamy, que la punaise rouge est enfoncée dans les bois de Duluth. Le capitaine Eddie raccroche en fronçant les sourcils.

« Dites-moi, chef : est-ce là l'engin spatial qui a disparu ? demande Wayne en montrant du doigt la punaise rouge.

— Comment... ? Oh, non. J'ai simplement mis là la punaise pour avoir de l'espace. L'engin a bel et bien disparu.

— Avez-vous une déclaration à faire au sujet du maire Herridge ?

— Il était mon adversaire, mais c'était un adversaire digne. C'était un homme politique comme on n'en voit qu'une fois ou deux par décennie...

— Moins vite. » (Wayne n'a jamais appris la sténographie.) Le capitaine Eddie décroche le téléphone. « Trouvez-moi le lieutenant Darlene Ecks !

— A votre avis, que faisait feu Hubert H. Humphrey dans l'engin spatial ?

— Le sénateur Humphrey — Dieu ait son âme — étant mort depuis plusieurs années, l'individu que nous avons vu est quelqu'un qui lui ressemble. Je ne me pose pas d'autres questions. »

« Chico » Jones entre dans le bureau. « Darlene va arriver, chef.

— Bien. Comment sont les barrios ?

— Toujours en flammes, chef. En fait, cela ressemble plutôt à un holocauste qu'à un sinistre, maintenant.

— Cette information est-elle confidentielle ? demande Wayne.

— Non. Vous pouvez *me* citer, répond le capitaine Eddie. A-t-il avoué ?

— Non, chef. Mais il commence à craquer.

— Vous parlez de Bill Toomey, n'est-ce pas ? » Wayne est malin. (Il est aussi attaqué en justice par Rosemary Klein Kantor qui lui réclame dix millions de dollars de dommages et intérêts. Heureusement pour lui, on découvrit, lorsqu'elle attaqua pour plagiat l'auteur de *Hiroshima mon amour* et fit sa déposition au tribunal, qu'elle n'avait jamais mis les pieds au Japon et encore moins à Hiroshima au moment de la bombe A. Après qu'elle eut été déboutée, Rosemary revendiqua avoir gagné moralement, car « il y a le Japon de l'Esprit et voilà la seule vérité ». Pirouette grâce à laquelle elle s'en tira bien. Et, bon an mal an, plus Rosemary raconte de mensonges, plus sa cote monte à la bourse de la célébrité. Ce n'est pas pour rien qu'on la désigne comme modèle des écrivains américains, ainsi que comme Utilisatrice numéro un de l'année des machines à traitement de texte...)

« Nous avons pris Bill Toomey, en effet. Il dirigeait toute l'opération visant à anéantir le DPD.

— Mais pourquoi ?

— Afin de... » Mais le capitaine Eddie sait que la première règle tactique consiste à ne pas frapper sur un adversaire qui se trouve coincé dans une cabine spatiale, surtout une cabine spatiale que vous avez changé de place en douce. « ...Nous ne sommes pas sûrs. Notre seule certitude est qu'il agissait en collaboration étroite avec le FBI, la CIA, le DIA, le DEA et tous les autres organismes. »

Le capitaine Eddie a une inspiration soudaine. « Il est également possible que le président chargé du terrorisme (comment s'appelle-t-il, déjà ?) ait voulu déstabiliser Duluth. Si c'est ce qu'il cherchait, c'est raté. Les barrios sont en feu mais sous notre contrôle. Et le dirigeant des Terroristes Aztèques est fait comme un rat dans la tour McKinley. »

Darlene entre. Elle porte une perruque châtain et des lunettes noires. Etant donné que les fausses Darlene ont mis le feu aux barrios, tout le monde est tombé d'accord pour considérer qu'elle ferait mieux de ne pas ressembler à elle-même jusqu'à ce que cela se calme un peu. « Messieurs, veuillez nous excuser. »

Wayne et « Chico » se retirent. Wayne ne se tient plus de joie. Il tient enfin un gros coup.

Darlene prend place sur la chaise voisine du bureau du capitaine Eddie et se met à pleurer. Elle pleure toujours à peu près à cette heure chaque jour. Le capitaine Eddie la console. Puis il lui dit : « J'ai une mission à te confier, Darlene. Mais il faut avoir du cran. Et de l'imagination. Et de l'intrépidité. »

Darlene se sèche les yeux. « Je suis votre homme, chef.

— C'est bien, ma fille. As-tu entendu parler du Mecton ?

192

— Qui n'en a pas entendu parler ? fait Darlene dont les yeux s'ouvrent tout grands.

— Tu vas disparaître, Darlene. Ni vu ni connu. Je veux que tu portes une grosse perruque frisée. Fond de teint plus sombre. Garde-robe par de la Renta. Grain de beauté par Ilona Massey. Tout le paquet. »

Darlene, toutefois, n'a pas l'air aussi enchantée par cette mission qu'elle le devrait. « Aucun de ceux qui ont tenté de coxer le Mecton n'en est revenu vivant » commente-t-elle. Darlene a envie d'être d'abord une mère, et un cadavre ensuite. La mort n'est pas en tête de sa liste de priorités, cette saison.

« C'est pourquoi je t'envoie toi. Notre but n'est pas de lui mettre le grappin dessus. Dieu nous en garde ! Nous voulons uniquement lui faire parvenir un message. Il aime les belles femmes, dit-on. En un mot : Darlene Ecks. »

LVIII

Tout au bout de Gilder Road, que bordent les bordels, près de Lincoln Groves, se dresse une demeure en faux style victorien, dix fois plus grande que la taille habituelle, qui abrite le plus grand casino de jeu du monde. Il est connu des joueurs du monde entier sous le nom de Ranch du Mecton. Mais personne ne sait qui est ou même ce qu'est cet anonyme Mecton. Au départ, le bailleur de fonds du Mecton, Bellamy Craig II, avança la somme nécessaire pour créer le casino ; c'était l'époque de Nixon et tout était bon à Duluth. Pourtant, Bellamy n'a jamais rencontré le Mecton, avec qui il a toujours traité grâce à un intermédiaire, en général son répondeur téléphonique.

Peu après, Beryl Hoover racheta la part de Bellamy. Bien que Bellamy ne voulût pas vendre, le Mecton lui fit savoir qu'il n'avait pas d'autre choix. Ce que veut le

Mecton, on le fait. C'est une loi que nul, à Duluth, ne songerait à enfreindre. Bellamy Craig II revendit donc ses parts, sans savoir que c'était à Beryl. Le répondeur téléphonique s'était occupé de toute la transaction.

On raconte que le Mecton graisse généreusement la patte du maire Herridge, du capitaine Eddie et du chef des pompiers. Bien que tout le monde sache que le casino flamberait comme du bois sec, les inspecteurs donnent chaque année un avis favorable sur les installations de lutte contre les incendies. Le Mecton s'occupe également de politique. Au moment des élections, de grosses sommes passent entre des mains. Il n'y a pas à dire, c'est une vraie centrale, ce Mecton, pense Darlene en entrant dans le Ranch.

A droite et à gauche, des rangées de machines à sous font les délices de femmes âgées, dont beaucoup sont membres des « Daughters of the American Revolution » s'en payant une bonne tranche en excursion. Les employés de Ranch sont tous vêtus en cow-boys, rappel de l'importance de Duluth du temps de la conquête de l'Ouest comme centre pour le bétail. Darlene, incroyablement belle en brunette, avance langoureusement vers la salle de chemin de fer, où des joueurs fortunés venus du monde entier se pavanent en habits du soir. Des bijoux fabuleux brillent de tous leurs feux. Des rangées de décorations étrangères, de taille réduite, ornent de-ci de-là le revers d'un noble étranger. Tous les regards se portent sur Darlene lorsqu'elle fait son entrée. La robe de bal de la Renta fait l'envie de toutes les femmes, tandis que son contenu soulève la passion de tous les vrais hommes présents — il y en a plusieurs. Darlene a oublié de mettre son diaphragme, mais cela importe peu à présent.

Darlene s'approche de la table de jeu. Un cow-boy lui apporte le traditionnel verre de Dom Pérignon, qu'elle boit à petites gorgées, et avec précautions ; les bulles lui chatouillent toujours le nez. Darlene joue une somme d'argent.

Darlene ignore que le miroir à cadre d'or de style rococo

qui se trouve en face d'elle n'est pas un miroir mais une fenêtre de l'autre côté de laquelle deux yeux froids étudient chacun de ses mouvements.

Darlene gagne quelque menue monnaie. Puis elle passe dans le salon central, où l'on parie sur n'importe quoi. La population de Hong Kong. L'heure d'arrivée exacte de la correspondance de La Nouvelle-Orléans. Le résultat d'un jeter du I Ching. Darlene irradie la beauté et le mystère. Elle fait forte impression au salon central, conçu pour ressembler à une charrette de western, sauf que tous les sièges sont recouverts de velours rouge.

Un cow-boy d'un certain âge, employé important ou peut-être même le directeur de la boîte, s'approche d'elle. « Bonsoir, Mademoiselle. » Pas de noms propres au Ranch du Mecton, règle qui vaut jusqu'au moment de signer un chèque ou de transférer une hypothèque.

« Bonsoir... » Darlene lui sourit mystérieusement.

« Auriez-vous un désir particulier ?

— Oui.

— Lequel ?

— Le Mecton, lui murmure-t-elle de la voix la plus basse.

— Vous ne parlez pas sérieusement ? (Le cow-boy âgé n'en revient pas.)

— Si.

— Personne ne peut voir le Mecton.

— Il le faut. J'ai un message pour lui. De la part de Bellamy Craig II.

— Mais je ne sais même pas s'il est ici, répond le cow-boy âgé qui commence à s'affoler. Il va, il vient ; comme une ombre, dit-on. Que voulez-vous que je vous dise ? Je ne l'ai jamais vu. Mais je vais voir si le bailleur de fonds est visible.

— Celui qui a racheté les parts de Mr Craig ?

— J'en ai déjà trop dit, mademoiselle. Veuillez attendre ici. » Le cow-boy âgé quitte la charrette de luxe. Darlene sirote doucement son champagne. Jusque-là, cette mission lui plaît bien.

Un instant plus tard, deux cow-boys noirs à la mine patibulaire s'approchent d'elle. Elle commence à moins aimer cette mission. Elle n'est pas en mesure de subir un nouveau viol, ne serait-ce que parce que cela pourrait faire du mal au bébé.

Mais si le viol est dans la tête du duo de cow-boys noirs, il a été sublimé. Darlene n'en remarque pas moins que chacun des deux hommes est, discrètement, extrêmement attiré par sa beauté glorieusement blonde — brune, dans le cas présent. « Par ici », fait l'un d'eux.

Encadrée par les deux cow-boys noirs, Darlene avance, tête droite, comme si elle marchait à la potence. Est-ce ma dernière longueur ? se demande-t-elle presque frénétiquement. N'ayant pas apporté, sur ordre du capitaine Eddie, d'arme sur elle, elle se sent nue et sans défense.

Au bout du salon, un des deux hommes ouvre une porte et lui fait signe d'entrer. Cœur battant la chamade, Darlene pénètre dans une pièce vaste et peu éclairée, décorée en art déco, avec de nombreux lampadaires Lalique montés sur pied et plusieurs tables à café. Les cow-boys noirs referment la porte derrière elle ; elle entend la clé tourner dans la serrure. Elle se retrouve seule. Aucun signe du Mecton ou du bailleur de fonds.

Lorsque les yeux de Darlene commencent à s'accoutumer à la riche pénombre de cette pièce art déco, elle remarque la face arrière du miroir à double sens. Elle s'en approche et regarde ce qui se passe dans la salle de chemin de fer. Elle a entendu dire qu'existait ce genre de miroir. Au lycée de Duluth, le responsable des sports en avait installé un dans les douches des filles. Finalement arrêté, il avait été condamné pour dégénérescence.

« Bonsoir. » Une voix d'homme cultivée a retenti derrière elle.

Darlene fait un bond. Puis elle se retourne. Un homme, jeune, vêtu d'une espèce bizarre d'uniforme militaire, se tient devant un bureau laqué noir sur lequel est posé un large vase Lalique dans lequel flotte un unique camélia rouge. Il a un goût exquis, pense-t-elle, même si sa vie est en danger.

« Qui ai-je l'honneur d'accueillir dans mon sanctum sanctorum ?

— Je suis... oh, quelle importance, Monsieur... euh... je n'ai pas saisi votre nom.

— Mais il n'est pas à saisir, Mademoiselle euh...

— Darlene Ecks. Sans doute êtes-vous le... bailleur de fonds ?

— Champagne ? » demande le bailleur de fonds, reconnaissant d'une certaine manière qu'il est bien celui qu'elle croit.

« Avec le plus grand plaisir. » Darlene peut se montrer aussi raffinée que la plus grande dame de Garfield Heights, si elle s'en donne la peine.

Le bailleur de fonds emplit deux verres de la boisson pétillante. En silence, ils portent un toast. Il est impressionné par l'insouciance qu'elle réussit à afficher.

« Et maintenant, reprend-il, parlons affaires. Vous avez déclaré au directeur que vous vouliez voir le Mecton. Pourquoi ?

— Il s'agit des prisonniers de la salle du conseil de KDLM-TV. Vous n'ignorez pas leurs ennuis.

— Selon le bulletin de dix-huit heures, un des présidents refuse qu'un avion leur fasse quitter les Etats-Unis. En voilà un qui joue serré.

— Mr Craig (le connaissez-vous ?)...

— Oui, oui. Je le connais. C'est un des prisonniers.

— Et l'ancien bailleur de fonds du Mecton...

— Jusqu'à ce qu'il dût me revendre ses parts, le Ranch du Mecton étant alors devenu un consortium. Certes, pas aussi vaste que ITT... Pas encore. Mais nous opérons d'ores et déjà dans le monde entier, Mademoiselle Ecks. Puis-je vous appeler Darlene ?

— Oh, avec plaisir. Comment dois-je vous appeler ? »

Mais le bailleur de fonds est trop occupé à parler de lui-même pour donner son nom. « Voyez-vous, le Mecton et moi avons commencé à diversifier nos activités. Nous possédons des mines de charbon. Des fonds océaniques. Des teintureries. Nous venons de faire une offre d'achat à Fiat, en Italie. Nous voyons grand. Nous sommes grands. Je vois, Darlene, tout un monde, le globe terrestre lui-même, entre mes mains — nos mains, devrais-je dire.

— Les miennes aussi ? (Darlene sourit pour montrer qu'elle parle sérieusement.)

— Non, pas les vôtres. Les miennes et celles du Mecton. (Les coins de ses yeux se plissent légèrement.)

— Eh bien, je vous souhaite bonne chance, sincèrement, dans vos... euh... aventures. Mais en ce qui concerne l'aide apportée par le Mecton aux otages...

— Pourquoi les aiderait-il ? »

Darlene plonge. « Onyx » prononce-t-elle d'une voix forte.

« Ce qui veut dire ?

— Le Mecton doit le savoir. Mr Craig affirme que si le Mecton entend ce mot, quel que soit son sens (un nom de code quelconque, sans doute), le président en question laissera l'avion quitter les Etats-Unis en quatrième vitesse.

— Je vois. »

Pendant un long moment, ils s'observent l'un l'autre. Puis Darlene reprend : « Est-ce un uniforme que vous portez là ? C'est rudement joli. Cela ressemble à ce que porte la police montée canadienne, sauf que ce n'est pas rouge.

— Non, non. Ce n'est que ma tenue d'équitation. Excusez-moi, je n'ai pas eu le temps de me changer.

— C'est drôle. C'est la première fois que je vois une tenue d'équitation pareille, bien que je sache que ça existe, évidemment. (Il est maître de lui-même, pense-t-elle. Visage bronzé. Yeux bleus très intenses. Mains petites, mais faibles.)

— Seigneur, quelle belle femme vous faites, Darlene », déclare Clive — mais oui ! Clive Hoover est le bailleur de fonds du Mecton, et ce, depuis que Beryl est passée dans *le Duc fripon*.

A l'époque de Nixon, Beryl Hoover avait fait fortune

(l'histoire selon laquelle elle aurait plumé son mari n'était qu'une couverture) grâce à une chaîne de salons de massage, de librairies pour adultes et de distributeurs de drogues dures dans l'Oklahoma.

Dès que la voix de Clive avait mué (à vingt et un ans ; un peu tard, effectivement), il s'était mis à travailler pour sa mère. C'était un génie des affaires. Mais lorsque Beryl annonça un jour, dans leur somptueuse résidence de Tulsa, que l'heure était venue de se transporter à Duluth, Clive se sentit assez peu rassuré. « Duluth, c'est vraiment la grosse affaire, Mère.

— Nous y sommes prêts. » Puis elle lui parla du Mecton. Son rêve était de s'associer à ce feu follet. Elle savait qu'il n'était pas content de Bellamy Craig II comme bailleur de fonds. Elle était non seulement prête à racheter Craig, mais à faire entrer le Mecton dans quelques-unes de ses propres affaires, histoire de faire passer en douceur la fusion. Beryl Hoover, posant à la riche assoiffée d'ascension sociale, s'en vint donc à Duluth, alla au Ranch du Mecton, et racheta Bellamy par l'intermédiaire du répondeur téléphonique. Puis, peu de temps après sa première et seule rencontre avec le Mecton soi-même, elle périt avec Edna Herridge dans la congère. Clive devint bailleur de fonds.

Au lendemain des funérailles de Beryl, Clive jura que le rêve de sa mère se réaliserait. Se faisant passer pour un gigolo et un « play-boy » oisif, il s'insinua dans le cercle le plus secret des cercles intérieurs de Duluth, à savoir le lit, littéralement circulaire, de Chloris Craig. Ce faisant, Clive est parvenu à duper Bellamy, qui jamais en presque deux cents pages ne s'est douté que ce papillon de société avec qui sa femme folâtre est le fils coriace de la coriace femme qui l'a évincé et est devenue le bailleur de fonds du Mecton. Clive est à présent un des plus grands criminels des Etats-Unis, ce qui veut dire du monde. Pourtant, même lui ne sait pas qui est le Mecton...

La robe de bal de la Renta est maintenant mélangée sur le sol à la virile tenue d'équitation, pendant que sur le sofa, deux corps jeunes et magnifiques sont reliés l'un à l'autre par un certain nombre de points humides et surchauffés. Darlene est impressionnée par l'impétuosité de Clive, et par son ardeur. Clive est tellement emballé par la peau satinée qu'il se retrouve adorant le petit écrin du delta rose. L'un dans l'autre, c'est tellement plus satisfaisant que le viol, songe Darlene, mis à part ces deux heures, hors du temps et de l'espace, qu'elle a vécues au Bar lunaire de l'hôtel Hyatt.

Tandis qu'ils reposent dans les bras l'un de l'autre, leur passion assouvie et rassasiée pour un moment, Clive murmure à l'oreille de Darlene : « Je t'adore. »

— Je t'adore aussi, qui que tu sois. (Même au comble de la passion, Darlene reste un policier attentif. Il faut qu'elle découvre son identité.)

— Puis-je te demander quelque chose ? Quelque chose de très, très personnel ?

— Tout ce qui vous chantera, mon bien-aimé. (Darlene est retombée un instant dans l'épisode du *Duc fripon* qu'elle a lu dans l'avant-dernière livraison de *Redbook*. Elle se retrouve à la villa campagnarde du prince régent ; elle est en train de faire l'amour avec Lord O'Berners quand son implacable ennemie, Beryl marquise du Cyel, ouvre brutalement la porte de la chambre. Si Darlene savait que sa Némésis dans *le Duc fripon* a été autrefois la mère de Clive dans *Duluth !*)

— Pourquoi portes-tu une perruque ? Tu n'es pas chauve, au moins ?

— Oh, tu es... bête ! (D'ordinaire, le langage de Darlene aurait été plus sec.) Je voulais être brune. Pour toi. (Et Darlene d'arracher sa perruque.)

— Une blonde ! » fait Clive, enchanté. En fait, le déguisement de Darlene est caractéristique du capitaine Eddie, qui aime les détails compliqués pour le seul et vain plaisir. S'il avait réfléchi un instant à la question, il aurait deviné que le bailleur de fonds ne pouvait pas avoir déjà vu Darlene, et vice versa. Quant au Mecton, il est hautement improbable qu'il connaisse un humble lieutenant chargé des homicides, qu'il fût blonde ou brune, étant donné qu'à Duluth les cercles sociaux sont concentriques et non contigus.

« Bon. Maintenant, mon chéri, reprend Darlene en se rajustant, il faut que tu joignes le Mecton. Nous devons sauver ces otages. »

Clive est indécis, quant aux otages. Naturellement, il ne voudrait pas qu'il arrive du mal à Chloris, mais les autres, y compris Bellamy, sont purement et simplement, dans l'esprit passablement puritain de Clive, des parasites sociaux. Parfois, après une performance vraiment brillante dans son rôle de « play-boy » suranné, Clive Hoover est littéralement malade, et seul renifler cinq ou six grammes de cocaïne le sort de sa déprime.

Derrière le dos de Clive, le Mecton l'appelle, pour rigoler, l'homme au nez de cristal. Mais Clive commence à s'en faire, car l'énorme pomme de terre que la Nature lui a taillée, comme si elle soupçonnait dès le début l'usage qu'il en ferait, montre quelques signes d'usure intérieure. « Si vous continuez à " sniffer " à votre rythme actuel, lui a dit le grand oto-rhino-laryngologiste de Duluth et confident de la crème de la crème, le Dr Mengers, il faudra entièrement vous refaire le nez. »

Clive sautille, nu, jusqu'au téléphone. Darlene admire ses fesses roses à fossettes. Clive appuie sur les touches pour composer un numéro, sans savoir que Darlene est capable de dire, d'après la note correspondant à chaque nombre, quel est ce numéro. Darlene possède une mémoire auditive parfaite. Darlene est la meilleure des meilleurs de Duluth, dit toujours le capitaine Eddie.

« C'est moi, bafouille Clive. Ecoutez, il y a un problème. Que signifie " Onyx " ? (Clive fronce les sourcils.) Le répondeur téléphonique ? Eh bien, où est-il ? Ah, je vois. Comment ? Vous, vous savez ce que signifie " Onyx " ? Eh bien, dites-le-moi ! Après tout, je suis le bailleur de fonds ! »

Darlene ne peut entendre ce que dit le répondeur téléphonique, mais quoi qu'il dise, les yeux de Clive sont en train de devenir comme des soucoupes. Il finit par siffler. « Le Mecton a réellement graissé la patte à ce président-là ? Mais en a-t-il des preuves ? Le président a quoi ? Signé un reçu... ? »

Clive est ravi. Darlene est en extase. Mission accomplie ! La seule fausse note de cette soirée en forme de symphonie parfaite est une déchirure à l'épaule de sa robe de bal de la Renta. La passion, songe-t-elle, ne fait parfois pas de bien aux tissus.

LIX

A l'aube du lendemain, Pablo et ses Terroristes Aztèques montent dans un grand autocar scolaire, accompagnés des otages et d'une malle bourrée de fric. Puis, escortés par l'escouade motorisée du capitaine Eddie, ils dévalent McKinley Avenue à 160 km/h.

Pablo dit à Calderón : « Mon vieux, nous allons faire un beau voyage ! »

Calderón opine tristement. Il est arrivé à la conclusion que son *membrum virile* n'était plus bon à rien. Il n'a pas encore osé en parler à Carmencita. Au cinéma, les femmes font toujours montre de compassion à l'égard d'un homme qui perd ses *cojones* ou son *membrum*. Mais là, on n'est pas au cinéma où, en plus, les femmes sont toujours des gringas qui n'apprécient pas à leur juste valeur les sombres divinités dont l'emblème est le serpent à plumes. Calderón songe sérieusement à entrer comme son père dans la prêtrise, à Guadalajara.

Chloris se sent mieux. On lui a apporté une valise de beaux vêtements et elle paraît très attirante, se dit Bellamy qui se demande si, dans l'avion, il n'y aurait pas un petit coin retiré, histoire de voir ce que cela fait de remettre ça après tant d'années de mariage ouvert...

L'avion les attend à l'aéroport international de Duluth. Ravisseurs et captifs montent dedans rapidement. Pablo accorde un dernier entretien à l'équipe télévisée de KDLM.

« Nous allons vers la liberté, déclare Pablo à Léon Citrouille. Nous allons dans un endroit où l'on respecte la révolution du tiers monde. Où l'on honore la révolution mexicaine véritable, que je représente.

— Je suppose donc, monsieur, lui demande respectueusement Léon, que la ville où vous vous rendez se trouve dans un pays hostile aux Etats-Unis ?

— Exactement. Tout a été arrangé par moi.

— Je pose donc, Monsieur, la grande question à 64 000 pesos : laquelle est-ce ? La Havane ou Moscou ?

— C'est Bonn, Allemagne fédérale. » Pablo grimpe quatre à quatre les marches qui mènent à la porte de l'avion, s'arrête, se retourne et, levant le poing, crie à l'équipe de l'information : « *Auf Wiedersehen, Amerika !* »

LX

Lorsque l'avion de campagne de Hubert H. Humphrey cesse enfin de se secouer à grand bruit, Hubert est blanc comme un linge et le maire Herridge a de nouveau la nausée. Ils sont les quatre fers en l'air sur le sol du salon privé de Hubert ; les feuilles du sondage Gallup ont volé partout.

« On a dû nous mettre une bombe, dit Hubert en se relevant.

— Mais qui ?

— Nixon ! Qui d'autre ? Je suis en train de le rattraper dans les sondages. » Hubert fouille dans les papiers qui recouvrent le sol et retrouve ce qu'il cherchait. « La Californie ! (Hubert redevient aussitôt le joyeux guerrier du folklore américain.) Je vais lui rafler la Californie ! Que peut-il donc faire pour m'arrêter, maintenant ? Rien. Sauf... »

Les hommes des services secrets pénètrent dans le salon pour vérifier que le candidat est en bonne santé, et pour le faire descendre d'avion. Mais Hubert est redevenu le joyeux guerrier, et c'est ainsi qu'il se comporte tandis que les agents les accompagnent, lui et le maire Herridge, dans la partie principale de l'avion, qui a l'air d'avoir été touchée par une tornade.

Hubert sort un discours de sa poche et dit : « Il faut que je sorte et que je fasse mon numéro. » Par un hublot, il fait signe à une foule assez importante de Duluthiens, presque tous morts aujourd'hui, songe le maire Herridge tristement.

On ouvre la porte. Une harmonie joue « Les jours heureux sont de retour ». Hubert dit : « La politique de la joie... », puis... plus rien.

L'intérieur de l'avion s'emplit de fumée grise ou de quelque chose qui y ressemble.

« Nous brûlons ! » s'exclame le maire Herridge en tentant de se frayer un chemin jusqu'à la porte. Mais il n'y a pas de porte. Il n'y a même plus rien au milieu de quoi se frayer un chemin. Et plus de fumée non plus. Rien que du gris, un gris total. Hubert, agents des services secrets, journalistes, intérieur de l'avion et extérieur du vieil aéroport de Duluth : tout cela a disparu.

Le maire Herridge se trouve au milieu de... d'un espace ; c'est le seul mot qui lui vienne pour décrire sa situation. Il ne voit ni murs, ni sol, ni plafond ; rien que du gris qui miroite faiblement. C'est alors qu'une petite silhouette s'approche de lui. Une musique électronique retentit ; tout cela est irréel.

Cette créature est humanoïde ; sa tête chauve fait le tiers de sa taille totale. Le maire Herridge n'a pas vu *Rencontres du troisième type* mais il a vu suffisamment de photos de ce film essentiel pour savoir que le visiteur de l'espace ressemble énormément au plus merveilleux des effets spéciaux de l'habile auteur de ce film.

« Bienvenue, maire Herridge, dans notre vaisseau spatial. (La voix est douce et emplie d'une grande sagesse.)

— Où est... euh... le sénateur Humphrey ? Nous sommes... enfin, nous étions, de vieux amis.

— J'avoue que cette projection n'était pas tout à fait satisfaisante. Nous l'avons donc dissoute.

— Vous voulez dire que tout ça, c'était une... euh... (Le vocabulaire du maire Herridge n'est d'ordinaire déjà pas très riche en mots abstraits et encore moins en idées abstraites, mais aujourd'hui, il touche le fond.)

— C'était une reconstitution, oui. Nous avons trouvé cela dans votre tête, en fait. Nous avons donc pensé que vous vous sentiriez plus à l'aise avec un vieil ami dans une situation qui vous était déjà connue. Nous avons découvert trop tard que votre charmant vieil ami n'était plus ce qu'il avait été.

— Et qu'est-il, alors ? (Bien que luthérien, le maire Herridge est ouvert à tout renseignement sur l'au-delà, de n'importe quelle source vienne-t-il, aussi étrange soit-elle.)

— Il est devenu autre chose. Quoique toujours identique. (Le petit homme sourit au maire Herridge.)

— Eh bien, bienvenue à Duluth, la Venise du Minnesota !

— D'accord, d'accord. Vous nous avez déjà sorti cela tout à l'heure et nous vous avons entendu.

— Où étiez-vous ?

— Nous étions les passagers de l'avion du sénateur Humphrey. » Un instant, l'intérieur du 707 redevient visible ; le maire Herridge est en train de parler au célèbre jeune journaliste Murray Kempton. Puis toute forme humaine connue s'estompe, et il se retrouve dans la brume grise, face au menu humanoïde extraterrestre.

« Voilà un fameux tour de passe-passe !

— Vous trouvez ?

— Que pouvons-nous faire pour rendre plus agréable

votre séjour à Duluth ? Nous avons le tournoi de base-ball. Il y a l'orchestre symphonique. Au City Center, José Ferrer est visible dans une nouvelle version de *l'Homme de la Manche*. Nous avons également le plus ancien dîner-théâtre des Etats-Unis, créé par Mrs Bellamy Craig I, totalement paralysée aujourd'hui. Et puis, si vous aimez jouer, ce qui est plus ou moins interdit, je peux vous arranger quelque chose, les gars, au casino du Ranch du Mecton...

— Je vous en prie. Je vous en prie. (La petite créature lève une patte pour l'arrêter.) Je crains que nous ne puissions sortir de cet engin sans d'encombrantes combinaisons spatiales. Nous ne sommes pas de cette terre ! (La créature ricane d'une façon assez charmante, presque terre à terre.)

— Souhaitez-vous que je vous mette en contact avec l'évêque O'Malley ? Il possède une haute spiritualité. Jusqu'à présent, cette année, il a rassemblé vingt millions de dollars, uniquement avec le loto.

— Dans quel but ?

— Dans quel... but ?

— Oui, à quoi dépensera-t-il ces... " dollars " ?

— Oh, pour les bonnes œuvres, bien sûr ! » Au fait, c'est la première fois que le maire Herridge se demande ce que devient tout l'argent que O'Malley ramasse constamment. Ce n'est pas comme si l'évêque avait une concubine et une poignée de moutards planqués dans un coin, comme le cardinal Machin-Chose.

« Ami, nous ne vous souhaitons, à vous et à votre planète, que des bonnes... œuvres.

— Merci. Merci beaucoup. Non, sincèrement.

— Mais (et une musique douce et irréelle se fait toujours entendre en fond sonore), nous avons observé les flammes dans les barrios.

— Bah, ce n'était que les immigrés clandestins. Rien. Des peccadilles. Je vous assure que Duluth reste l'endroit où investir. Où vivre. Où faire son truc !

206

— Il est triste que vous ne puissiez vivre en paix les uns avec les autres, comme nous.

— Je suppose que vous appartenez à une civilisation supérieure, non ?

— Ma foi, oui. Après tout, nous sommes ici. Et vous n'êtes certainement pas là-bas.

— Et c'est où, au juste, là-bas ?

— Occupe-toi de tes oignons, connard, lui répond tout doucement le petit homme.

— Je vois, je vois, fait le maire Herridge, assez surpris par ce brusque changement de ton.

— Vous pouvez vivre en paix. Il suffit d'essayer. (La menue créature est maintenant d'une grande, d'une très grande sagesse.) Regardez. Regardez au plus profond de vous-même. Vous y trouverez la paix vraie. Vous y trouverez la compassion pour tout ce qui vit. Vous y trouverez cette harmonie ultime qui *est* l'univers.

— Bien. Je vais certainement essayer. Promis. Et maintenant, je vais me grouiller de retourner à Duluth afin de... répandre votre message.

— Oui. Vous devez.

— Je suppose que vous savez comment rouvrir la porte...

— Bien sûr. Malheureusement, nous avons été déplacés des bords du lac par un certain capitaine Eddie.

— Mais comment ?

— Selon un principe obscur seulement connu dans cette province et appelé le faux corollaire de Pynchon. Cela fonctionne rarement en dehors d'un laboratoire littéraire d'université, où nous nous trouvons peut-être, d'ailleurs. Quoi qu'il en soit, nous sommes en partie submergés dans un charmant marais situé au cœur des bois de Duluth.

— Le salaud ! Je lui réglerai son compte !

— Nous avons toujours la possibilité d'aller nous poser ailleurs, mais pour le moment, nous sommes parfaitement heureux dans ce marais. Cela ressemble assez à chez nous. »

Le petit bonhomme émet un son curieux, tout en respiration ; on entend un brouhaha et des pas précipités, puis le flanc de la cabine s'ouvre, laissant entrer plusieurs centimètres d'eau boueuse.

« Quel chantier ! » fait le maire Herridge en contemplant le marais, qui est effectivement assez écœurant par rapport au marais normal qu'il y a près de chez vous, avec beaucoup de roseaux piquants, de mocassins d'eau, de grenouilles bœufs et Dieu sait quoi encore, dans la boue jaune de ce qui après tout constitue un macrocosme unique de vie entomologique, du moins les insectophiles le prétendent-ils. « Il va falloir gagner la berge en m'enfonçant là-dedans... » Cafards, araignées, centipèdes et pire commencent à converger vers l'engin spatial.

« Rappelez-vous mes paroles, dit l'extraterrestre.

— La paix intérieure ; oui, très bien. L'harmonie ultime ; parfait, parfait. (Le maire Herridge n'aime pas du tout la tête de ces bestioles.)

— C'est la clé. Ensuite, lorsque vous aurez atteint cette harmonie à l'aide des vibrations émises par notre vaisseau, et une fois que les feux auront été éteints dans les barrios, nous vous reparlerons et développerons pour vous notre Plan d'investissement global.

— Votre quoi ?

— Aimez-vous les uns les autres » réplique le petit homme. Derrière lui, dans la brume grise de l'intérieur, le maire Herridge aperçoit plusieurs douzaines de petits bonshommes, tous identiques à celui à qui il vient d'avoir affaire. « Aimez-vous les uns les autres » chantent-ils à l'unisson en faisant signe de leurs petites mains et au son d'une musique qui n'est pas de la Terre. « Aidez-vous les uns les autres » fredonnent-ils. « Restez en contact » ajoute celui à qui il a parlé.

« Comptez sur moi. Merci. Merci beaucoup. Quelle histoire ! J'en parlerai à monseigneur O'Malley... » Sur ce, le maire Herridge sort de l'engin spatial et s'enfonce dans la gadoue jusqu'au menton. Par bonheur, les bestioles se carapatent.

« Merde ! » fait monsieur le maire, tandis que l'ouverture de l'engin se referme avec exactement le même bruit que celui que font les anneaux de Saturne.

LXI

Août, à Duluth, est le mois des fêtes de retour, dont la plus importante, socialement, est la charmante réception qui a lieu au club Eucalyptus pour les Bellamy Craig II.

Tout bien considéré, Bellamy et Chloris ont eu un agréable kidnapping, et leur mariage, s'il est loin d'être refermé, n'est plus aussi ouvert grâce au bonheur qu'ils ont connu pendant une semaine à Rome (après une seule nuit inconfortable à Bonn), où ils ont pu assister à la présentation de la nouvelle collection de vêtements du soir de Valentino.

Lors de la réception à l'Eucalyptus, Clive est le héros de tous les otages délivrés, car c'est lui qui, comme par miracle, a découvert le numéro de téléphone secret de la salle du conseil d'administration.

« Tu as été formidable, déclare Chloris, tableau vivant du parfait bonheur dans sa blouse d'après-midi La Standa toute simple.

— Ce n'est rien du tout, Chloris. » Clive est modeste. Il est également défoncé. Il est amoureux de Darlene, mais elle a disparu. Après cette seule et unique rencontre au Ranch du Mecton, plus rien. Il n'arrive plus à mettre la main sur elle. Il est vêtu de la tête aux pieds par Armani.

« Si, si, reprend Bellamy ; vous avez fait un boulot sensationnel. Je ne crois pas que nous serions ici aujourd'hui si vous ne m'aviez pas mis en communication avec le capitaine Eddie.

— J'ai fait tout ce que j'ai pu » réplique Clive, nez glacé par ce qu'il a reniflé. Cela l'amuse de connaître l'histoire de « Onyx » devant Bellamy, qui ne se doute de rien et le prend toujours pour un vulgaire gigolo portant un costume Armani avec accessoires de chez Dunhill.

« Au fait, dit Chloris, il paraît que ce salaud de vieux président qui ne voulait pas nous laisser un avion pour Bonn a donné sa démission.

— Je ne suis pas la politique, répond Clive. Moi, je suis dans les trucs qui se touchent. Tissus rares. Bijoux. Pierres semi-précieuses. Jaspe. Pierre de lune. Onyx. »

Bellamy fronce le sourcil en entendant le mot « onyx », mais il se dit que ce ne doit être qu'une coïncidence. Pour lui, Clive est encore un parfait crétin.

LXII

Comme l'on pouvait s'y attendre, les retrouvailles du maire de Duluth avec ses administrés ont eu lieu pendant le bulletin de dix-huit heures (il a eu droit au créneau intégral de soixante-dix secondes) ; puis, à minuit, monsieur le maire a eu les quatre heures de l'émission de Rod Spencer.

« Je considère que nous devrions être reconnaissants à ces... euh... êtres supérieurs venus d'ailleurs de nous montrer comment nous aimer les uns les autres. Comment, en regardant en nous-mêmes, nous pouvons voir l'harmonie fondamentale en toutes choses... C'est un message fantastique, les amis.

— Mais sont-ils catholiques ? demande l'évêque O'Malley, qui passe très souvent dans l'émission de Rod Spencer.

— Je ne saurais trop vous dire, Eminence. (Le maire Herridge fait preuve de prudence. Etant luthérien, le gros de ses supporters à Duluth vient des ouvriers catholiques romains.)

— Vous auriez dû le leur demander, mon fils.

— Lors de mon prochain passage dans leur engin spatial, je n'y manquerai pas.

— Pour quand est-ce, Monsieur le maire ? lui demande Rod Spencer qui recueille encore du prestige pour son interview de Pablo quelques instants avant la prise d'otages.

— Ils me recontacteront, ont-ils dit, lorsque la paix aura été rétablie dans les barrios et que l'amour siégera dans le cœur de tous les hommes.

— Etes-vous sûr que ce ne sont pas des mormons ou d'autres tarés de ce genre ? (L'évêque O'Malley ne peut supporter les autres confessions et son franc sectarisme fait cathédrale pleine chaque dimanche.)

— Ce n'est pas impossible. Aucun d'entre eux ne fumait ni ne buvait d'après ce que j'ai vu. Cela ressemble aux mormons.

— Dans ce cas, vous n'aurez qu'à les réexpédier à Salt Lake City ! » ajoute l'évêque O'Malley dans un grand éclat de rire.

La fête célébrant le retour du maire, ce soir-là, est exactement ce qu'un docteur recommanderait à un politicien cherchant à se faire réélire. Les réjouissances sont un petit peu gâchées par l'arrivée du capitaine Eddie et de la moitié de l'escouade anti-émeutes du DPD à la caserne des pompiers que les supporters du maire Herridge ont envahie.

« Heureux de vous retrouver sain et sauf ! » Le capitaine Eddie secoue la main du maire pour l'équipe de KDLM toujours présente partout.

« C'est tout juste si je suis ressorti de ce marais où vous m'aviez collé.

— Qu'allez-vous croire là ? » réplique le capitaine Eddie en gloussant de rire et en ne laissant rien paraître.

Là-dessus, on se met à danser et le maire Herridge tient dans ses bras madame maire Herridge tandis qu'ils dansent sur « Tes yeux sont ceux d'une amoureuse », la chanson sur laquelle il a fait sa conquête, et il y a des larmes dans tous les yeux. Tout le monde sait quelle chaleur et quelle maturité leur relation contient, et comme est saine cette famille modèle, y compris les trois moutards dont un seul, un record pour Duluth, suit le programme à la méthadone.

LXIII

La fête célébrant le retour de Pablo et de Calderón est clandestine mais pas moins animée pour autant. Les barrios ne sont plus que cendres et braises éteintes, mais de nouvelles masures ont été érigées et la salle de bal Daridere marche à nouveau, en dépit de la forte odeur de fumée.

Pablo est le héros des barrios. Les señoritas à la noire prunelle lui font les doux yeux par-dessus leur éventail. Il se sent très puissant. Les sombres divinités du sang courent à nouveau dans ses veines, et son serpent à plumes effectue un retour en force bien que ses poils pubiens mettent un temps infini à repousser.

Calderón aussi s'est remis, mais il n'encourage guère Carmencita à regarder de près son serpent déplumé. En tout cas, il a le soulagement de savoir qu'il n'aura pas à aller retrouver son père au séminaire jésuite.

Tandis que les castagnettes qui accompagnent les danseurs font taper du pied à tout le monde, Pablo fixe, songeur, les ruines des barrios.

« A quoi penses-tu, chef bien-aimé ? lui demande Calderón.

— Je pense qu'à présent que nous avons l'argent, je peux racheter pour une bouchée de pain les barrios aux riches gringos qui, ayant empoché le montant des primes d'assurance, n'en demanderont pas trop cher.

— Et ensuite ?

— Ensuite, nous reconstruisons. Une communauté modèle. Avec une esplanade. Des lampadaires de couleur. Une Vierge illuminée.

— Tu es un rêveur, chef bien-aimé. (Même si Calderón est touché par la volonté passionnée de Pablo d'aider son peuple, il se sent obligé de lui faire remarquer que tout cela va à contre-courant de son thomismo-darwinisme.) On ne peut faire pour les autres ce qu'ils ne font pas pour eux-mêmes.

— Mais ils le feront, Calderón, si je les guide. Nous n'avions pas d'argent, autrefois. Maintenant, nous en avons. Je le partagerai. Je partagerai tout.

— Pas *ma* part, rétorque sèchement Calderón. Pas question.

— Tu as ton rêve. Moi, le mien » répond Pablo, pensif dans l'air étouffant d'août, chef solitaire au milieu de ses pensées, ses rêves d'un monde meilleur où il sera en mesure de mutiler à loisir le lieutenant Darlene Ecks. Cette pensée réveille et fait remuer le serpent à plumes ; les sombres divinités ont repris le contrôle.

Bien que Darlene ait pris énormément plaisir à sa partie de jambes en l'air avec le bailleur de fonds, elle n'est pas prête à remettre cela. Après tout, elle est dans son sixième mois de grossesse et elle se sent de plus en plus mère chaque jour. Non seulement elle a des crises de larmes quotidiennes, mais lorsqu'elle se met à se demander qui peut bien être le père du bébé inconnu, elle a des éruptions d'urticaire.

Pendant les semaines bien pleines qui suivirent le retour des otages et simultanément la réapparition de l'engin spatial du maire Herridge, Darlene n'a guère eu de temps pour elle-même. Il lui a fallu passer quatre jours au tribunal, face aux fausses Darlene du FBI. Au début, la procédure n'avançait pas du tout ; il a fallu que le capitaine Eddie, perdant son calme paternel habituel, s'écrie : « Mais, nom de Dieu, enlève donc cette perruque ! » Darlene s'était habituée à ne plus la quitter.

Lorsqu'elle retire sa perruque devant la cour, il y a un

hoquet général. Elle est réellement la vraie Darlene et il apparaît avec évidence que les autres ont été grimées pour lui ressembler afin de monter les barrios contre le DPD.

« Pourquoi ? » demande le juge.

Bill Toomey se contente de ricaner.

Lorsque le juge le menace, au quatrième jour, de l'accuser de mépris envers la cour ainsi que d'incitation à l'émeute et au viol, l'avocat de Bill Toomey se lève et remet une enveloppe au juge. Lorsque le juge lit ce qu'il y a dans l'enveloppe, il rougit violemment et dit : « Affaire classée. »

Bill Toomey et les vingt-quatre agents gouvernementaux transformés en fausses Darlene quittent le tribunal triomphalement.

« Que s'est-il passé ? » demande Darlene en se tournant vers le capitaine Eddie.

Le chef est d'une humeur massacrante. « Tu te souviens du président chargé du terrorisme, celui qui a démissionné ? Eh bien, il a fait bénéficier Bill Toomey et ses agents d'une immunité globale juste avant de partir lui-même pour le pénitentier fédéral de Lewisburg, où il va à son tour bénéficier d'une immunité accordée par un des autres présidents, le maigre.

— Mais cela est... illégal ! » remarque Darlene. Mais Darlene est un vrai policier, et elle sait que le mot illégal ne signifie rien à Duluth, où seuls la loi et l'ordre règnent.

LXIV

Dans le salon camélia du Hyatt de Duluth, le déjeuner du meilleur livre de l'année organisé par le *Courrier de Duluth* bat son plein. C'est Wayne Alexander qui préside. A sa gauche, Rosemary Klein Kantor. La situation est extrêmement délicate à cause du procès mais, jusqu'à présent, tous les deux s'en sont très bien sortis. Wayne a bien tenté de ne pas la faire inviter, mais Rosemary n'a jamais manqué un seul déjeuner du meilleur livre de l'année dans un rayon de quinze cents kilomètres autour de La Nouvelle-Orléans, et elle tiendra bon tant que l'âge et la maladie ne seront pas les plus forts.

A la gauche de Craig, Chloris, présente non en tant que Mrs Bellamy Craig II mais en tant que « Chloris Craig ». Elle se comporte impeccablement vis-à-vis de Wayne car elle veut qu'il poursuive le livre sur la vie de Betty Grable qu'il écrit pour elle. De plus, elle meurt d'envie d'apprendre qui a vraiment tué Betty, ce que Wayne sait mais ne dit pas. Quel vieux dégueulasse ! pense-t-elle en lui souriant par-dessus les cocktails.

Les femmes présentes au déjeuner sont, comme toujours, émoustillées de voir Rosemary en chair et en os ; elles sont curieuses également de voir ce que porte Mrs Craig, la femme qui guide leur vie sociale à toutes. Elles sont éblouies par sa jupe d'organdi plissé, dont les huit cents plis ont laissé Carmencita épuisée et révolutionnaire.

« L'inspiration, annonce Rosemary au cours des remarques développées qu'elle fait sur l'art de la fiction véritable, est toute dans l'esprit. Je n'ai quant à moi aucune idée de ce que j'ai là-dedans (elle se tapote le front d'un long ongle verni rouge) jusqu'au moment où cela se répand sur la page. Je me débats actuellement avec le prochain épisode du *Duc fripon* à paraître en feuilleton dans *Redbook,* suivi de sa publication normale en édition à couverture dure, puis de la vente des droits de reproduction en collection de poche " Romance " ! » Ces dames l'acclament. Jusqu'à la dernière, elles ont lu les aventures de Beryl, marquise du Cyel, dans l'Angleterre de la Régence et la France napoléonienne, et elles sont aussi frustrées que Beryl de découvrir que son amant, Napoléon Bonaparte, est parti à Moscou pour passer ce qui ressemble à des vacances de travail.

« Beryl suivra-t-elle son aimé à Moscou dans le froid

hiver, parmi les hurlements des loups, avec samovar brimbalant à travers les restes gelés de... euh... l'Europe centrale ? Juré, craché : je n'en sais rien, confie Rosemary à voix basse quoique forte, comme une conspiratrice. Mais ce que je sais, c'est que lorsque en fin de compte, Napoléon et elle seront à nouveau dans les bras l'un de l'autre, ce Napoléon-là n'aura jamais été révélé ainsi dans une vraie fiction. Représentez-vous un homme grand et musclé, aux yeux gris-bleu qui scintillent sous des sourcils noirs... » Et elle continue dans cette veine, pour le plus grand bonheur des femmes qui ont le privilège d'apprendre à l'avance ce que leur réservent, à elles et à Beryl, les pages du prochain numéro de *Redbook*, dont les rédacteurs se sentent également soulagés étant donné que Rosemary est célèbre pour ses retards, ce qui ne facilite pas le fait que la composition de ses textes souffre de son ignorance de l'orthographe et de la grammaire. Quant aux intrigues de Rosemary, bien entendu, elles ne sortent pas de son esprit, mais de la banque de données de sa machine à traitement de texte où dix mille romans sont en mémoire, ce qui lui permet de chiper une scène forte de tribunal chez Daphné du Maurier ou un personnage comique chez Edgar Rice Burroughs ou William Burroughs, lui-même célèbre grâce aux machines à calculer.

« Et maintenant, quelques souvenirs de mes débuts, continue Rosemary en lançant un regard de défi à Wayne, l'homme qui n'a qu'une oreille. Comme vous le savez, je me trouvais à Hiroshima en tant qu'agent secret lorsque la bombe atomique est tombée. Il se peut que quelques-unes d'entre vous aient vu ce film merveilleux (en français, malheureusement) qui décrit mon histoire d'amour avec ce Japonais. Le film s'appelle *Hiroshima Mon Amour*. Bref, j'ai remporté le Wurlitzer pour *Coup d'éclat à Hiroshima*. » Rosemary décoche à Wayne un nouveau regard de défi. On a beau prononcer « Wurlitzer » de la manière qu'on veut, on entend toujours « Prix Nobel ». Décidément, Klein Kantor est trop forte, se dit Wayne, tristement.

C'est au tour de Chloris de se lever pour prendre la parole. Elle parle avec hésitation, mais du fond du cœur. « Je ne saurais vous dire ce que Betty Grable signifie pour moi. Dans la mort, elle est encore plus vivante que lorsqu'elle vivait. En tout cas, pour ceux d'entre nous qui adoraient son image à l'écran. Quant à la femme *hors* de l'écran, j'ai l'intention de dire tout, absolument tout, sur sa liaison passionnée avec... Herbert Hoover ! »

L'assemblée féminine a un hoquet. Voilà vraiment des renseignements confidentiels comme les simples lecteurs en ont rarement. « Aucun lien, je vous le précise tout de suite, avec une des personnalités notables de notre vie sociale venue de Tulsa, Mr Clive Hoover. » Ce nom, ce nom, pense Chloris en perdant le fil de sa pensée... Elle n'a plus couché avec Clive depuis l'histoire de la prise d'otages. Il y a quelque chose dans le fait d'être un otage qui vous change une femme. On évolue, pense Chloris, pensive. On voit le monde sous un autre angle. On regarde tout au fond de soi...

Soudain, Chloris se rend compte que Wayne est en train de lui souffler : « Dis quelque chose, Chloris. Elles attendent.

— Oh, excusez-moi, Mesdames et Messieurs. (Elle leur envoie son plus beau sourire.) Je revivais en pensée ce que c'était d'être ce que j'ai récemment été, quelque chose que peu de femmes sont jamais, aussi privilégiées soient-elles socialement : un otage. »

Les auditrices sont en extase tandis que Chloris leur raconte *l'Ultimatum des trois mercenaires,* Pablo, la fuite pour Bonn. Rome. La dernière collection de Valentino. C'est surtout cela que les femmes apprécient.

Tandis que Chloris se rassied, les applaudissements résonnant dans ses oreilles et Rosemary lui envoyant dans son regard autant de couteaux qu'elle peut, Chloris se penche vers Wayne et lui murmure : « Ce soir, nous finissons Betty Grable. »

LXV

Pablo accorde ses actes à sa parole. Il envoie un complice de confiance, Jesús Gonzales, chez Bellamy Craig II. Jesús a reçu un bon entraînement de Pablo.

Bellamy Craig II reçoit Jesús à la lisière du terrain de polo de Garfield Heights. Il vient de marquer une série de points et il est d'excellente humeur en entrant dans le pavillon du club de polo, Jesús marchant à ses côtés. L'air automnal est un rien mordant ; le Père la Gelée passe déjà son pinceau sur les feuilles.

Jesús Gonzales est un jeune homme de haute taille vêtu d'un costume trois pièces couleur glace à la vanille. Il ne se sent pas absolument à son aise au snack-bar du club, bien que les amateurs de polo, comme Bellamy aime à le répéter, ne connaissent ni classe ni saison.

« Mr Craig, je m'appelle Jesús Gonzales. Voici ma carte. » Il la tend à Bellamy, lequel la lui rend immédiatement sans même la regarder.

« Que puis-je faire pour vous ? » Bellamy est toujours poli avec les inférieurs. Puis il prend place sur un siège à dossier droit et tend sa botte en avant. « Tirez ! » ordonne-t-il.

Jesús tente de retirer la botte, mais Bellamy lui explique comment s'y prendre correctement. Jesús est donc obligé de tourner le dos à Bellamy et d'enjamber la botte qu'il tient fermement des deux mains, Bellamy lui donnant alors avec son autre botte un grand coup dans le derrière qui envoie promener Jesús et botte de l'autre côté du bar.

« Na ! » Bellamy est véritablement enchanté de Jesús, qui présente maintenant une large tache boueuse en forme de semelle sur le fond de son pantalon vanille. « Voilà un bon garçon. L'autre, à présent, Jesús... » Et Jesús d'aller dinguer une nouvelle fois, avec l'autre botte, à travers le snack-bar, pour le plus grand amusement des autres joueurs de polo qui cassent la croûte avec leurs « groupies ».

« Et maintenant, racontez-nous votre affaire. Asseyez-vous, mon garçon. D'homme à homme. »

Jesús a mal au derrière à cause des deux coups de pied bien appliqués de Bellamy, mais il sait qu'un jour, les barrios se soulèveront à nouveau et qu'il séparera de ses propres mains les *cojones* de ce salopard de gringo du corps de celui-ci. Pour le moment, sa politique est : sourire et faire face.

Jesús débite le discours de Pablo, mais Bellamy ignore que c'est ce dernier, chef des Terroristes Aztèques, qui veut en réalité racheter ce qui reste des barrios avec l'argent de la rançon de Bellamy lui-même.

« Cent millions, dites-vous ? Ça fait un sacré paquet de *frijoles* pour vous, muchachos !

— Nous avons l'argent, Mr Craig. Ce que nous voulons, c'est acheter la plus grande partie possible de la zone dévastée par les incendies entre McKinley et Kennedy Avenue. Puis reconstruire.

— Je vois. Certes, je possède une part du terrain. Peut-être mille mètres carrés, en tout. Je *pourrais* envisager la question... J'en parlerai à mes avocats.

— Les autres propriétaires voudront-ils vendre ?

— Pourquoi pas ? » Bellamy est intrigué par ce chiffre de cent millions de dollars. Cela lui dit quelque chose. Heureusement, il ne voit pas ce qui pourtant l'aveugle. « Je vous suggère d'en parler au maire Herridge. Il possède lui-même une jolie galette dans les barrios. (Bellamy jette un coup d'œil sur sa montre.) Il doit avoir regagné son wigwam, à cette heure-ci. Et puis, il y a le Mecton...

— Mais nul ne le connaît ! C'est une énigme. Un esprit. Un feu follet...

— N'empêche qu'il ne crache pas sur une bonne affaire. Et gardez le contact, Jesús » ajoute Bellamy en faisant signe à son interlocuteur de quitter les lieux. Lorsque tout le monde, Bellamy, joueurs de polo et admiratrices, voient les marques de botte sur le pantalon vanille de Jesús, ils hurlent de rire. Jesús jure de se venger d'eux tous.

Pablo félicite Jesús pour son boulot bien fait. Ils se trouvent au sous-sol du Daridere, d'où Pablo commande aux barrios comme un chef d'antan.

« Je crois que je vais m'occuper moi-même du maire Herridge, dit Pablo en asseyant une señorita à la noire prunelle sur ses genoux.

— Toi ? s'exclame Jesús, étonné. Mais ta tête est mise à prix ! Ton visage est connu de tous à Duluth depuis qu'on t'a vu à l'émission de Rod Spencer.

— *Et* au bulletin de dix-huit heures. A l'aéroport, tu te souviens ? (Pablo a des cassettes montrant toutes ses apparitions télévisées qu'il fait souvent voir à la señorita à la noire prunelle de son choix.) *Auf Wiedersehen, Amerika !* (Pablo se cite lui-même avec plaisir.) Mais ne crains rien. J'ai une épaisse moustache, maintenant ; je me coiffe différemment ; je porte des lunettes : personne ne me reconnaîtrait. Après tout, s'ils se ressemblent tous à nos yeux, comment crois-tu qu'eux nous voient ?

— Ils ne voient en nous que de la merde, répond Jesús.

— Exactement », réplique Pablo.

LXVI

Le maire Herridge passe une mauvaise matinée à l'hôtel de ville. Bill Toomey lui a apporté les tout derniers sondages, et même après toute la publicité gratuite que lui a valu son retour de l'intérieur de l'engin spatial, il accuse encore 11 % de retard sur le capitaine Eddie — et nous sommes au 1er octobre. Il ne lui reste qu'un mois pour inverser ces chiffres. « Sinon, je suis cuit à Duluth.

— Après tout ce que vous avez fait pour ce patelin ! »

Bill Toomey adore le sol que foule le maire Herridge. Nul ne sait pourquoi, même pas Bill lui-même. Il y a des hommes comme cela, qui ont besoin de quelqu'un pour adorer le sol que cette personne foule, et le maire Herridge a donné à Bill cette portion particulière de terre.

« Que se passerait-il si nous comptions réellement les votes noirs ? se demande le maire Herridge.

— Personne ne les a jamais comptés. Nous ne pouvons donc le savoir.

— Juste. Mais s'il y a une chose qu'un nègre hait, c'est un chef de la police...

— Et s'il y a une autre chose qu'un nègre hait, c'est un maire blanc raciste...

— Ce que tu essaies de me dire, Bill, c'est que le capitaine Eddie et moi nous partagerions à peu près les votes des bords du lac ?

— A peu près dans ces proportions, oui.

— Je vois... »

L'interphone posé sur le bureau du maire annonce : « Un immigré désire vous voir, Monsieur le maire.

— Ne vous ai-je pas demandé... ? s'écrie le maire, saisi d'une ire qui lui illumine le visage comme une lampe au néon.

— L'homme voudrait acheter les barrios...

— Faites-le entrer, mon poussin ! » La voix chaude et riche est aussitôt revenue. Même l'évêque O'Malley ne peut faire mieux que le maire pour ce qui est du volume et de la tessiture.

Pablo avait vu juste. Ni le maire Herridge ni Bill Toomey ne reconnaît le moins du monde — ne regarde même — le visiteur. Pablo s'approche de l'énorme bureau de teck placé sous la statue de marbre, deux fois plus grande que la grandeur nature, de l'ancêtre de Chloris, le fondateur de la ville, le célèbre coureur des bois français Jean-Pierre Duluth, et le maire fait le tour du bureau pour accueillir Pablo.

« *Buenos dias, señor*, dit le maire en serrant la main de Pablo.

— Ma carte » répond Pablo, lui tendant la carte que Jesús avait donnée à Bellamy qui la lui avait rendue et que Jesús a repassée à Pablo à qui la rend le maire Herridge avant de mener Pablo à un confortable fauteuil de cuir.

Entre le drapeau américain et le drapeau de la ville de Duluth, une grande porte-fenêtre donne sur Lincoln Groves, des kilomètres d'un cimetière au paysage magnifique. Ma sœur Edna y repose, se dit le maire Herridge chaque fois qu'il regarde par cette fenêtre ou qu'il la voit dans « Duluth », feuilleton qu'il aime de plus en plus. Dernièrement, Edna a tenu un rôle si prenant qu'ils n'ont plus eu la possibilité de s'entretenir. Il se demande vaguement si elle n'a pas eu un jour une liaison avec le capitaine Eddie. Mrs Herridge l'affirme ; cela daterait d'il y a longtemps, lorsqu'ils étaient au lycée. Le maire croit le contraire, conscient du triste penchant saphique de sa sœur.

Pablo se lance dans son discours. Il est inspiré. Il fait les cent pas dans la pièce avec des gestes passionnés. Il décrit de nouveaux barrios, resurgissant comme un phénix des cendres des anciens, mais cette fois sans masures. Ces barrios seraient construits avec les blocs du meilleur béton préfabriqué et des toits de tôle ondulée si bien que lorsque la mousson du Minnesota tomberait, le bruit de la pluie résonnerait comme des millions de castagnettes. Puis Pablo fait voir au maire le relevé de son compte en banque, la Luxembourg Holding Compagny. Le maire regarde les très gros chiffres d'un œil exercé.

« Je crois que le petit — je veux dire le señor Gonzales — tient quelque chose, là, déclare le maire à Bill Toomey, qui observe depuis un moment Pablo avec des yeux froids et intenses. Il me semble que nous pouvons faire affaire, ajoute le maire à l'intention de Pablo. Vous savez, je possède un petit bout de ce terrain. Pas grand-chose, allez ! Je suis pauvre, moi. Mais ma femme en possède un peu plus ; peut-être un kilomètre carré juste au bord de Kennedy Avenue. Vous savez, une fois qu'elle eut gagné cette loterie de bienfaisance organisée par notre église, il

222

n'y eut plus moyen de l'arrêter. Cré nom, cette fille a les affaires dans le sang ! L'immobilier. La radio. La Bourse. » C'est le secret de Polichinelle que le maire Herridge a mis tout l'argent qu'il a volé ou accepté en pots de vin au nom de sa femme. Aujourd'hui, ils forment une famille très riche et très chaleureuse, beaucoup plus riche, et certainement beaucoup plus chaleureuse, que nombre des membres de l'Eucalyptus qui les dédaignent pourtant sous prétexte qu'ils sont trop vulgaires.

« Quand passons-nous aux actes ? demande Pablo. (Le rêve ; toujours son rêve devant ses yeux !)

— Dès que ces foutues élections seront derrière nous. » Le maire s'assombrit. Il sait que d'ici un mois, il devra peut-être renoncer à son vaste bureau rond, avec son sol carrelé et son bureau de teck, avec les drapeaux et la statue de ce bouffeur de grenouilles de Duluth... Ah, quels souvenirs ! pense-t-il avec des larmes dans les yeux.

Pablo s'est rassis. Bill Toomey s'est levé. Il avance sur la pointe des pieds et s'approche du fauteuil de Pablo. Celui-ci se rend bien compte que Bill se tient à côté du fauteuil, mais Pablo n'y accorde pas d'importance car son regard est fixé sur le maire Herridge, le seul homme qui puisse faire de son rêve une réalité.

Le maire est plongé dans les résultats des dernières élections. Des deux millions d'immigrés autorisés et clandestins qui vivaient dans les barrios, quarante-deux mille ont voté pour son adversaire et onze cents seulement pour lui. A la différence des votes noirs, qu'on ne prend jamais la peine de compter, les votes mexicains sont toujours comptabilisés, étant si peu nombreux, et généralement influencés par les directives divines de l'évêque O'Malley. Evêque et premier magistrat de la commune se voyant rarement en tête-à-tête, ces voix ont toujours été contre le maire, mais à présent...

« Si, avec vos amis, vous pouvez m'amener les voix des barrios, votre rêve deviendra réalité. Ces terrains seront à vous. Je vous accorderai même un taux spécial lorsque je fixerai les tarifs de zonage. Marché conclu ?

— Marché conclu, Monsieur le maire ! »

Bill Toomey s'est mis à balancer une montre en or pendue à une chaîne devant les yeux de Pablo. Au début, Pablo est agacé. Voudrait-on le tenter de voler la montre ? Pour qui ces gringos le prennent-ils donc ? Et puis — presto —, le voilà hypnotisé.

« Lève-toi ! » lui ordonne Bill Toomey. Pablo se lève, bouche bée, yeux luisants d'amant latin perdu dans le vague.

« Au nom de tout ce qui est saint, qu'est-ce que... ? commence le maire.

— Danse la tarentelle colorée de ton peuple » lui commande Bill Toomey. Pablo danse comme un possédé. Il fait claquer ses doigts. Il se penche de-ci de-là.

« Je l'ai hypnotisé, fait Bill, très content de lui-même. J'ai vu, dès l'instant où il est entré dans votre bureau, que c'était un sujet prédisposé.

— Où avez-vous appris cela, Bill ? (Le maire n'en revient jamais de tout ce que Bill Toomey connaît.)

— Pendant un stage, à Langley.

— Au siège de la Central Intelligence Agency ?

— C'est ça. Ils proposent un cours sur l'hypnotisme ; si l'on montre des dispositions, on peut pousser ces études dans les domaines de l'autosuggestion et de l'assassinat politique, ce que j'ai fait.

— Vous êtes la huitième merveille du monde, ma foi ! (Le maire contemple Pablo, qui tourne sur lui-même comme un véritable derviche.) Mais faites donc arrêter ce jeune métèque, voulez-vous ? Ça me porte sur l'estomac.

— Maintenant, tu vas t'asseoir, Pablo », lui murmure Bill Toomey d'une voix douce. Pablo s'assied, chemise trempée de sueur. « Et maintenant, tu es un bébé d'un an. » Pablo met son pouce dans sa bouche et s'endort.

« Fameux numéro, Bill !

— Ecoutez, Monsieur le maire, je sais que l'opération fausses Darlene n'a pas donné tout ce que nous en espérions...

— Non, Bill ; en effet. » Le maire a bien tenté de ne

224

plus penser à cette pagaille, comptant sur la presse écrite et visuelle pour que son acte de bravoure dans l'engin spatial fît oublier aux braves gens de Duluth le complot de Bill pour discréditer le DPD, mais les braves gens de Duluth n'oublient rien, parce que le capitaine Eddie ne leur permet pas d'oublier. Même si le maire n'a jamais été directement lié au coup monté (Bill Toomey et le FBI étant les coupables officiels), on sait qu'il serait le seul et unique bénéficiaire si jamais les barrios devaient, par suite de brutalités policières, s'enflammer à nouveau, et il est d'ores et déjà le seul et unique bénéficiaire aux yeux de tout Duluth.

« Eh bien, Monsieur le maire, je crois que je tiens quelque chose qui pourrait vraiment marcher, cette fois.

— Je suis tout ouïe, Bill... »

LXVII

Ignorants des machinations du maire Herridge, le capitaine Eddie, « Chico » et Darlene étudient les derniers sondages avec autant de plaisir qu'ils sont étudiés à l'hôtel de ville avec consternation.

« Je me réjouis à l'avance de la limousine, fait le capitaine Eddie.

— Je suppose tout de même, dit cet idéaliste de " Chico ", que vous avez quelques idées sur ce que sera l'avenir de Duluth et de sa région une fois que vous serez maire...

— Comment ? » Personne n'a jamais parlé de cela au capitaine Eddie.

Darlene prend la défense de son chef. « Voyons, " Chico " ! Une chose à la fois ! N'est-ce pas notre devise, au DPD ? (Darlene fait courir ses doigts sur la patine aubergine sombre de la chaise des interrogatoires.) Une

fois que le chef occupera le grand bureau rond de l'hôtel
de ville, tu verras comme ça tournera !

— Bien parlé, Darlene. » Le capitaine Eddie aime la
façon dont elle lui décharge toujours les épaules. Puis il
ouvre une chemise posée sur son bureau. « Ce numéro de
téléphone que tu as mémorisé, tu sais, Darlene, celui du
répondeur téléphonique du Mecton que le bailleur de
fonds a appelé le soir où tu es allée au Ranch ? Eh bien,
nous l'avons localisé : teinturerie Acmé.

— Laquelle ? demande Darlene.

— Celle qui se trouve juste à côté de McKinley
Avenue.

— C'est celle où je vais ! Et c'est Big John qui possède
la chaîne. Vous ne croyez pas qu'il… ?

— Je crois qu'il travaille avec le Mecton, si. Après tout,
à part le flambe, la location d'automobiles et la quincaille-
rie, les drogues constituent le trafic le plus important dans
l'empire du Mecton. Quel meilleur partenaire, ou
employé, plus vraisemblablement, que Big John ?

— Je déteste l'idée d'un homme de couleur qui fourgue
de la came sur les stades. » « Chico » n'aime pas la façon
dont le monde est fait. Cela ne fait rien : le capitaine Eddie
a quand même un faible pour lui.

« Ne le prends pas tellement au sérieux, " Chico " !
Quant à toi, Darlene, je sais que le cas t'intéresse. Je te
transfère donc des homicides, où ton absence se fera
douloureusement sentir, au service des narcotiques.

— Super, chef ! » réplique une Darlene folle de joie.

LXVIII

Chloris et Wayne n'ont pas repris là où ils en étaient
restés, car une fois qu'une femme a été otage, il lui est tout
bonnement impossible (songe-t-elle alors qu'ils sont allon-

gés côte à côte sur le lit rond au milieu des draps luxueux en débandade) d'entretenir les mêmes relations qu'auparavant, aussi profondes, ou aussi superficielles, qu'elles aient été.

Quant à Wayne, maintenant qu'il sait qu'il a mis les cornes à l'homme qui se trouve être son patron, la liaison a perdu pour lui une grande part de son piquant. Il sait aussi qu'il pourrait également perdre d'un jour à l'autre son emploi, étant parfaitement incapable d'apprendre à se servir des machines à traitement de texte grâce auxquelles sont écrits tous les articles du *Courrier,* sauf les siens. C'est pourquoi il a décidé que son seul espoir était de s'en mettre un gros paquet de côté avec le nouveau livre de « Chloris Craig », puis de quitter Duluth pour aller voir plus loin.

« Il paraît que *le Duc fripon* n'amène pas à *Redbook* autant de nouveaux lecteurs qu'ils l'espéraient... » Chloris en a après Rosemary, autrefois son idole littéraire, non pas tant à cause du procès qu'elle a intenté à Wayne qu'en raison de sa conduite parfaitement inacceptable lors de la soirée que Chloris avait donnée en l'honneur de Rosemary au printemps précédent.

« Je ne serais pas surpris qu'entre Rosemary et *Redbook,* ce soit fini. Les gens en ont assez de sa vieille formule. Tu sais, elle n'est pas capable d'autre chose que de taper sur les touches de sa machine à traitement de texte. » Wayne est hanté par cette machine infernale et ce qu'elle représente pour les Amis de Gutenberg.

« Il lui faut une *nouvelle* vieille formule » répond Chloris en prenant dans sa main d'un air absent les organes turgides de Wayne et en les comparant mentalement avec ceux de Clive, dont elle n'a plus vu la turgescence depuis sa renaissance spirituelle en tant qu'otage.

« J'ai terminé l'avant-dernière partie de ton livre sur Betty Grable. »

Voilà ce que Chloris voulait entendre. Elle est radieuse. « Je suis tellement contente ! Quand saurons-nous ?

— Qui a tué Betty ?

— Oui... »

Or, à leur insu, Rosemary Klein Kantor, assise à son bureau de bois de rose, dans le très chic Audubon Park, travaille justement sur ce qui promet d'être sa fiction vraie la plus audacieuse : « Mes conversations secrètes avec Betty Grable ». *Cosmopolitan* lui a fait une offre irrésistible. Et pour l'encourager encore plus, un montage photographique de Betty Grable et de Rosemary parera la couverture, laissant croire au monde entier que les deux filles sont copines comme cochonnes.

Bien que Rosemary n'ait jamais rencontré Betty Grable, elle a souvent été à Hollywood en même temps que Betty y tournait des films. Mais, mieux, la banque de données de la machine à traitement de texte de Rosemary contient une collection complète de *Silver Screen,* de *Photoplay,* ainsi que les *Editoriaux complets de Louella Parsons.* Voilà des trucs épatants qui travaillent pour elle pendant qu'elle dort. Surtout, Rosemary sait qu'elle est la seule à posséder la hardiesse — ou l'art — voulu pour recréer une Betty Grable bien plus passionnante et paisible que celle que toute personne qui a pu connaître vraiment, cette pauvre petite fille apeurée, et cela parce que *l'amour secret de Betty (et maintenant, on peut le révéler),* tape Rosemary sur sa machine en souriant d'une lèvre mince et triomphante, *était le général Douglas MacArthur, l'ancien mari de la femme de Lionel Atwill.*

« Rosemary » me dit Betty avec sa voix douce et voilée alors que nous sommes assises au restaurant chic de Beverly Hills, Romanoff, et que c'est le prince Michael qui a personnellement pris notre commande hachis de corned-beef pour deux, un œuf cavalier pour moi, mais pas pour elle — « Doug me fait des langues comme s'il n'y avait plus d'après ! »

J'étais loin de me douter, ce jour-là chez Romanoff, qu'à des milliers de kilomètres de là, de l'autre côté du Pacifique, le débarquement d'Incheon avait lieu...

Rosemary ne s'est jamais autant passionné que maintenant, tandis qu'elle invente ce qui s'est vraiment et réellement passé, avec un bout de Louella Parsons par-ci, un paragraphe de *Photoplay* par-là. Elle sait aussi qu'elle va battre « Chloris Craig » et son fidèle nègre Wayne Alexander par KO technique.

LXIX

Pablo a pris un bureau dans la tour McKinley. Jesús est son plus proche collaborateur. A eux deux, ils rachètent par petits bouts la superficie des barrios, mais la plus grosse portion, celle de Mrs Herridge, femme du maire, ne sera à eux que lorsque Pablo apportera les votes chicanos au maire lors des élections au premier mardi de novembre.

Après les attaques des fausses Darlene en uniforme du DPD, l'apport des voix des barrios n'est absolument pas un problème. Pablo s'étonne même de la facilité. Les immigrés clandestins savent certes tous que le maire Herridge est lié aux attaques d'une façon ou d'une autre, mais ce qu'ils se rappellent en fait avec rage, c'est les uniformes de policiers, les doigts rouges qui palpent, leurs cors aux pieds brutalement écrasés. Les clubs de soutien au maire Herridge poussent donc comme cactus dans Little Yucatán.

Dans le bureau voisin de celui de Pablo, Bill Toomey œuvre lui aussi à la réélection du maire Herridge. Il a mis au point une bonne relation de travail avec Pablo, qui a conclu qu'il avait peut-être enfin trouvé un gringo à qui l'on pouvait faire confiance. Ils travaillent ensemble, enregistrant comme votants tous les immigrés clandestins, ce qui bien évidemment est illégal mais facilement arrangeable à Duluth, dont le commissaire aux élections se trouve être la vieille maman du maire Herridge.

A la fin de chaque jour, Bill Toomey convie Pablo dans son bureau — rien qu'eux deux. « Pose tes pieds sur mon bureau, fiston, et détends-toi. Desserre ta cravate. Voilà qui est mieux… » Pendant que Pablo se détend en taillant une bavette, la montre en or commence à se balancer indolemment. Pablo est tellement habitué à cette manie de Bill qu'il n'y fait presque plus attention. Il a remarqué, en revanche, qu'il arrivait parfois que le temps passe beaucoup plus vite qu'à son rythme normal, et qu'une señorita à la noire prunelle se plaigne qu'il l'ait fait attendre une bonne heure. « De toute évidence, tu as trouvé quelqu'un de plus intéressant que moi » fait-elle, boudeuse. Heureusement, le serpent à plumes qui se déroule tempère toujours la colère féminine ; Pablo n'a jamais été aussi puissant sexuellement, si proche des sombres divinités du sang.

Ce que Pablo ne sait pas, c'est que dans le bureau de Bill Toomey, il se fait hypnotiser comme un zombie et prend sous sa dictée des notes dans un cahier d'écolier.

Bill Toomey est enchanté de la façon dont tout cela se passe. Mais ce n'est pas pour rien que Bill eut les meilleures notes au cours d'hypnotisme à Langley, Virginie, où la moitié des classiques modernes qu'on enseigne de nos jours a été regroupée dans une série de machines à traitement de texte, permettant ainsi l'accès à la plus grande banque de données de l'histoire littéraire, assemblée par — on peut dire aujourd'hui la vérité — Roland Barthes, une taupe française de la CIA qui a péri dans ce qui eut l'air d'un accident dû à une voiture dans la rue !

LXX

Grâce au ressentiment qui couve dans les barrios contre Darlene, elle porte à présent sa perruque sombre jusque sur les bords du lac, où elle s'est mise à fréquenter divers rades en quête de Big John.

Comme toujours, Darlene se vêt avec élégance, mais discrétion. Elle n'a pas envie de subir d'autres viols, maintenant qu'elle en est à son huitième mois de grossesse. Jamais elle n'a été aussi énorme, rebondie comme un dauphin. Mais Darlene s'en fiche. Elle sent cette nouvelle vie qui remue en elle ; elle prie en espérant qu'elle découvrira le père de cette nouvelle vie, dont elle espère qu'il sera celui qu'elle suppose.

Mais Big John est toujours dans la clandestinité. Quand Darlene pose la question parmi la population noire, ou de couleur comme dirait « Chico », elle ne recueille que des regards vides. Personne ne sait rien. Personne ne dit rien à cette blanche mystérieuse, grosse et perruquée de noir.

Les noires sveltes et élégantes ricanent en voyant Darlene parcourir en se dandinant les bords du lac à la recherche de son homme. « Celle-là, elle che'che apouès son homme, dit l'une. — Elle est salement en cloque, fait l'autre. — Ouais, ça fait " salement " huit mois ! » Et de glousser de rire, ravies de ce qu'un de leurs gars est allé faire à Darlene. Une femme est une femme, quels que soient sa couleur ou son statut social. Une femme comprend toujours.

Darlene descend sur le sable soyeux de la plage. On a beau être à la mi-octobre, la nuit est chaude ; une énorme lune d'or est accrochée au-dessus des palmiers. De toutes les saisons de Duluth, Darlene préfère l'été indien. Elle sent même une odeur de curry dans l'air. Comme ces gens sont joyeux et simples ! pense-t-elle en écoutant le battement des tambours sortant des transistors, les ricanements des couples qui s'accouplent parmi les dunes, un rare râle d'agonie sous un laurier-rose.

Darlene marche, nu-pieds, sur le sable, jouissant du chaud velours de la nuit, pistolet braqué, car cette partie de la ville est dangereuse.

Plus loin, un bateau de plaisance est amarré à une jetée de bois. C'est le genre de bateau de plaisance qui sert souvent à passer de l'héroïne de La Nouvelle-Orléans au Canada par le Colorado et le lac Erié. Eté indien langoureux ou pas, Darlene est et reste toujours un policier, assigné à présent aux narcotiques, le nec plus ultra du DPD.

Tenant ses petites chaussures d'une main, Darlene se glisse sur la pointe des pieds derrière un palmier planté à un mètre de la proue du bateau. Deux hommes sont assis sur des fauteuils de pont. Bien que la lune d'or fasse de cette nuit une belle nuit, il fait encore passablement sombre.

Darlene tend l'oreille pour surprendre leur conversation.

« Le marché est un peu mou, pour la neige.

— Dans ce cas, nous allons pousser les résidus d'anges. Nous proposerons un tarif " Jeunes ". »

Darlene se met à trembler. « Neige » est le mot employé par ses amateurs pour désigner la cocaïne. « Les résidus d'ange » ne peut se référer qu'à de la « poussière d'ange », la plus terrible et la plus accoutumante de toutes les drogues, et aussi la plus populaire auprès des enfants de Duluth.

Darlene tend son revolver. Elle va prendre ces deux serpents morts ou vifs. Elle se dit qu'elle aurait dû penser à amener son walkie-talkie, et à venir avec la voiture de police banalisée, conduite par son fidèle partenaire. Darlene a tendance à être distraite, ayant tendance à être rêveuse. Même ainsi, elle ne fera qu'une bouchée de ces deux revendeurs qui ne soupçonnent rien, à condition qu'ils ne soient que deux.

Au moment où Darlene tend le cou derrière le fût du palmier, un bras puissant se referme comme un boa constrictor d'acier autour de sa gorge. Elle hoquette. Tente d'appeler au secours. Reste sans voix. Essaie de respirer. S'étouffe. Va tomber dans les pommes. C'est alors qu'un canon lui est planté dans les côtes et qu'elle est propulsée, nu-pieds, sur le bateau de plaisance. Par bonheur, sa perruque ne bouge pas et sa robe est à peine froissée. Un gigantesque mulâtre l'a capturée.

« Regardez ce que je viens de trouver derrière ce palmier, oreilles tendues » lance la brute mulâtre.

Les deux hommes restent assis. Maintenant qu'elle est près d'eux, elle distingue leurs traits au clair de lune.

« Mon Dieu ! » Les jambes de Darlene la lâchent.

« Darlene ! » Clive se lève d'un bond et la rattrape avant qu'elle ne s'écroule. « Hé, donne-moi un coup de main, Big John ! » dit-il à son complice.

LXXI

Le maire Herridge est, lui aussi, dans un bateau ; pas un bateau de plaisance, mais une simple barque. Il a reçu un appel téléphonique empressé de la cabine spatiale. Sans joie, il se fait pour lors emmener par deux hommes de troupe qui rament sur le marais grouillant d'insectes en direction de l'engin spatial, dont la porte ronde est ouverte de façon bien peu accueillante. N'étaient ces maudites élections, songe le maire, j'aurais forcé le ministère de la Défense à me débarrasser de cet engin car, depuis le début, c'est une affaire fédérale et non municipale. Mais lorsque le maire a appelé Washington, le vieux président-télé est arrivé illico et s'est mis à raconter : « Comme vous le savez tous, mes braves amis, nous retournons entièrement aux Etats, aux villes et aux villages. Comme... euh... comme là où j'ai grandi. Quel endroit sympathique c'était ! Oh, nous étions riches, certes. Mais nous ne nous en rendions pas compte. Voilà ce qui rendait l'Amérique si fantastique. Et qui va la rendre à nouveau fantastique. Parce que nous vous enlevons le gouvernement du dos. Cela signifie qu'à partir de maintenant, chaque ville peut battre sa propre monnaie, avoir sa propre armée, sa propre marine, ses douanes, et même son programme spatial, comme à Duluth. Pour l'humble et le petit, la limite est le

233

ciel ! Dès que le Nicaragua se soumet, nous fermons Washington. Au fait, tant que j'y suis, je peux bien vous révéler que Disney a fait une offre très intéressante pour l'achat de la ville de Washington tout entière. A l'instant même où je vous parle, nous sommes en pleines négociations. Pensez ! Un nouveau Disneyland ici même, sur les bords du Merrimack (c'est bien comme cela que s'appelle cette rivière, non ?). Vous savez, je revois encore Walt me disant (c'était il y a des années, bien sûr, quand était encore vivant ce grand Américain) que le divertissement familial était la clé des grosses rentrées. Bien sûr, tout le monde riait de Walt, à l'époque. Nous nous disions que c'était un rêveur. Mais il avait vu juste. Voyez le film *Monte là-dessus*. Il avait compris que la famille est le secret de la grandeur de notre société judéo-chrétienne... (et musulmane... et scientologique aussi), que menace l'athéisme monolithique du communisme. J'ai quand même demandé à Walt comment il expliquait les gains du *Dernier tango à Paris*. Non que je l'aie jamais vu, évidemment ! Mais je n'ai pas besoin de voir un film pornographique pour savoir que c'en est un. Alors, Walt m'a dit... »

Ce vieux schnock n'est bon à rien, songe le maire Herridge en passant de la barque à l'intérieur de la cabine spatiale dont l'ouverture, Dieu merci, est au-dessus du niveau du marais, évitant ainsi d'avoir à patauger dans la gadoue jaunâtre.

A l'intérieur, tout est gris et irréel. Rien ne semble avoir changé, se dit le maire. D'ailleurs, un maire serait bien incapable d'y voir quoi que ce soit. C'est alors que l'humanoïde à grosse tête s'avance pour l'accueillir. « Bienvenue. Bienvenue, cher ami.

— Bienvenue à Duluth, répond le maire par automatisme.

— Avez-vous cherché au fond de vous-même ? Avez-vous trouvé cette harmonie fondamentale qui est à la base de toutes choses ? (La musique interplanétaire commence à jouer.)

234

— Ma foi, je m'y suis mis, en effet. Mais, voyez-vous, il y a ces fameuses élections le mois prochain, et...

— Nous soutiendrons votre candidature.

— C'est bien aimable à vous, mais ne serez-vous pas repartis, d'ici là ?

— Je crains que non, répond la petite créature en levant vers lui un regard triste. Il y a un... petit incident.

— De quelle sorte ?

— Nous ne l'avons pas encore déterminé... Comme vous l'avez vu, nous avons remonté le niveau de la cabine par rapport à celui du marais ; un marais fort sympathique, au demeurant. Nous nous y plaisons terriblement.

— Pas nous. Mais que s'est-il passé ?

— Notre vaisseau spatial est... cassé, comme vous diriez, je crois.

— Vous voulez dire que vous êtes coincé ici ? Une année d'élections ? (Le maire Herridge se serait écroulé sur une chaise, mais il n'aperçoit absolument aucun mobilier à travers la brume grise.)

— Oh, pas de façon permanente, non. Nous avons appelé chez nous ; on nous envoie un vaisseau de dépannage.

— Ce qui fait que dans une semaine ou deux, vous serez repartis...

— Euh... oui. Une ou deux semaines à *nous*, s'entend. Pour vous, une de nos semaines ferait... (le petit extraterrestre cligne des yeux deux fois)... mille douze années. En arrondissant.

— Seigneur !

— Je sais que cela vous dérange de nous avoir ici, qui gâchons la vue sur votre merveilleux marais, macrocosme de...

— Mais non ! Mais non ! Tout le plaisir est pour nous, je vous jure...

— Dans ces conditions, j'ai pensé que nous pourrions transformer la cabine en une sorte de parc d'attractions.

— Vous voulez dire qu'on ferait *payer* les gens pour qu'ils pénètrent ici et jettent un coup d'œil ?

— C'est cela. Naturellement, nous vendrions des billets d'entrée et négocierions une concession d'ensemble, mais votre ville en tirerait également parti grâce à tous les touristes qui afflueraient de toute votre planète. Ce serait la cohue dans vos hôtels, vos motels, vos snack-bars…

— Ça me plaît beaucoup, à première vue, répond le maire avec prudence. Bien entendu, je devrai changer les tarifs de zonage autour du marais, mais cela ne devrait pas vous faire perdre grand-chose. D'un autre côté… (le maire regarde le néant grisâtre qui l'entoure)… on ne peut pas dire que vous ayez beaucoup d'attractions à présenter, vous savez ? Je veux dire qu'il n'y a pas grand-chose à voir, ni à faire. Tout ce brouillard… Ne vous méprenez pas : je ne critique pas le brouillard. Ni votre message, qui fait chaud au cœur. Seulement… »

L'extraterrestre fait claquer ses minuscules mains.

Le maire Herridge n'en croit pas ses yeux. C'est *2001*, plus *La guerre des étoiles,* plus toutes les autres versions hollywoodiennes d'un intérieur de vaisseau spatial de science-fiction. Lumières qui clignotent. Sons incroyables. Ravissants petits robots qui jabotent joliment. Filles superbes vêtues de cuir. Monstres aux allures époustouflantes, appartenant à des cycles de vie vraiment éloignés de tout. Immenses baies vitrées donnant sur un panorama de galaxies jamais vues par l'homme jusqu'alors.

« Comment avez-vous fait apparaître tout cela ?

— Pensez-vous que les gens de chez vous paieraient pour voir cela ?

— S'ils paieraient ? Mais Duluth va faire plus d'affaires que les deux Disneylands réunis ! Nous allons construire de nouveaux hôtels ! Un palais des congrès… ! (Le maire Herridge ne se sent plus de joie.)

— Naturellement, nous nous constituerons en entreprise selon les lois de l'Etat…

— Sans problème ! fait un maire Herridge tout excité par la soif du gain. Je crois cependant que nous, autochtones, devrions avoir le droit d'ouvrir quelques baraques vendant des tacos, sur une concession que vous nous laisseriez, évidemment. Je vous louerai personnellement à bon marché les toilettes chimiques démontables...

— Nous en reparlerons. » L'extraterrestre fait signe au maire Herridge de s'asseoir à ses côtés dans ce qui semble être la salle de contrôle de l'engin spatial. Par des baies incurvées, les galaxies tournent en spirales blanches sur le fond noir intense du « multivers ».

« C'est... c'est vraiment ce qu'on voit, quand on est là-haut ? (Le maire Herridge se sent barbouillé. La SF, ce n'est pas son truc.)

— Non, bien sûr. Mais nous ne voulons pas décevoir le client. Nous avons donc mitonné quelque chose de bien relevé pour les ringards dans votre genre.

— Mais comment ? Comment *produisez*-vous tout cela ?

— De la même façon dont nous avons produit et dirigé le sénateur Hubert H. Humphrey à bord de l'avion de sa campagne de 1968.

— Je vois.

— Mais non, vous ne voyez rien du tout ! C'est d'ailleurs sans importance. A présent, je veux vous présenter quelques collègues à moi. »

Le maire de Duluth, ébahi et stupéfait, est conduit dans une serre exotique emplie de plantes qu'aucun œil humain n'a jamais vues, sauf dans des films.

Une demi-douzaine d'hommes et de femmes dignes de l'Olympe et parés d'étranges costumes s'inclinent très bas devant le maire, qui leur est présenté par le minuscule extraterrestre qui devient soudain, en un clin d'oeil, une magnifique jeune femme aux cheveux noirs et à décolleté plongeant. « Vous êtes une fille ! s'exclame le maire bêtement.

— Pour vous, en tout cas, répond la superbe créature. Appelez-moi Tricia.

— Tricia ! Mon prénom féminin préféré ! » Le maire Herridge est à présent convaincu de rêver. Il ne souhaite nullement se réveiller. Tricia fait un geste : une table de conférence et des sièges surgissent du sol.

« Veuillez vous asseoir » dit Tricia.

Tout le monde s'assied. Le maire Herridge n'a jamais vu des femmes et des hommes si beaux nulle part, même à la télévision.

« Etant donné que nous allons probablement être coincés ici plus longtemps que la ville de Duluth n'existera, nous voulons investir principalement dans des obligations à court terme. (Tricia est une véritable femme d'affaires.) D'autre part, avec les taux d'intérêt actuels, des certificats de dépôt mensuels nous intéressent, ainsi que les bons du Trésor, à court terme, il va sans dire. Naturellement, un quart de notre portefeuille total sera constitué de métal fin. L'or, une valeur traditionnelle. L'avenir de l'argent n'est pas sans intérêt, non plus que les concessions pétrolifères de Louisiane. Et, bien sûr, la spéculation sur les échanges du marché étranger sera la clé de voûte de mes manœuvres financières. Bien. (Tricia fronce le sourcil. Elle est absolument magnifique, pense le maire Herridge.) L'immobilier devant être exceptionnellement bon à Duluth pendant la plus grande partie de notre premier siècle de fonctionnement...

— Je peux vous vendre l'intégralité des barrios ! s'exclame le maire Herridge, envoyant Pablo par le fond.

— Marché conclu, Monsieur le maire, dit Tricia en inscrivant quelque chose sur un carnet à papier jaune. Nous disons donc : les barrios dans leur intégralité.

— Que diriez-vous de deux ou trois choses du genre Codevi et livret d'épargne populaire... ?

— Herridge ! (Tricia le foudroie du regard.) Essayez encore une fois de nous refiler une saloperie pareille, et il y aura un grand trou dans le sol là où se trouvait Duluth autrefois...

— Oh, c'était juste pour plaisanter, Tricia ! Je vous jure. C'est comme qui dirait une blague classique... »

Mais Tricia a déjà au téléphone le président de la First National Bank de Duluth, où elle s'apprête à ouvrir un compte. « Au nom de... des Visiteurs des Cieux Amicaux ! » chantonne-t-elle. Le maire Herridge applaudit l'inspiration qui a fait trouver ce nom pour le parc d'attractions du vaisseau spatial.

LXXII

Edna a fini de tourner l'épisode du mariage, ce qui a pris deux jours entiers sans dépasser les horaires — Universal n'est pas pour les heures supplémentaires.

La scène finale d'Edna déclenche les applaudissements de tout le plateau. Rosemary elle-même a été tellement émue qu'elle est descendue du studio de contrôle pour donner un gros baiser à l'actrice. « Du grand art, Edna !

— Bah, vous me dites cela pour que je ne me sente pas coupable d'avoir oublié huit points de suspension en trois phrases... !

— Au diable les points de suspension ! » La stricte Rosemary dit rarement de pareilles choses : personne n'improvise ni ne paraphrase jamais dans un feuilleton de la Klein Kantor.

Edna se trouve à présent dans sa caravane, où elle enlève son maquillage et se rhabille avec ses effets personnels. Des télégrammes recouvrent la glace de la coiffeuse. Il s'agit pour la plupart de messages de bonne chance adressés par des étoiles qui ont décliné.

Edna sent qu'elle a vraiment accompli quelque chose. Le rôle était difficile. Le metteur en scène nul. Les autres acteurs appartiennent tous à la télévision, ce qui veut dire qu'ils ne vous regardent jamais quand vous avez une grande scène. Malgré tout cela, elle a une fois de plus joué de façon digne d'un Oscar.

Chantonnant à voix basse, Edna enlève toute seule son maquillage. Elle n'aime pas déranger le maquilleur, qui est probablement en train de jouer au tiercé. L'écran de contrôle qui se trouve dans la caravane est encore allumé.

Comme l'on est en train de démonter le décor précédent, il n'y a pas grand-chose à voir. Mais, par habitude, Edna garde un œil dessus, au cas où.

Ce qu'Edna voit alors sur l'écran lui donne instantanément la migraine. Lorsqu'elle tourne « Duluth », qu'elle est de retour à son hôtel, le Montecito, ou qu'elle parle à ses enfants par téléphone, elle est entièrement elle-même : cet individu particulier nommé Joanna Witt, actrice couronnée. Mais dès que l'objectif de la caméra la relie, en quelque sorte, à *Duluth,* elle redevient Edna Herridge.

Faux cils serrés dans une main, elle est une nouvelle fois Edna tandis qu'une scène de *Duluth* remplace le décor de la réception de mariage de « Duluth ».

Bill Toomey (en qui elle n'a jamais eu confiance ; il a les yeux trop écartés l'un de l'autre) se trouve sur un champ de tir qu'elle reconnaît, situé près de Lincoln Groves, où elle est enterrée dans le caveau Herridge.

C'est un froid jour d'automne. Elle le voit au fait que des feuilles brunes tombent des arbres. Bill et un jeune Mexicain tirent sur des cibles.

« Bien visé » dit Bill.

Le jeune Mexicain semble drogué. Il ne regarde pas Bill. Il tire sans discontinuer sur sa cible, mettant dans le mille balle après balle. Il est bien meilleur tireur que Bill Toomey.

Edna pose les cils devant elle. Son mal de tête lui fend à présent le crâne. Elle coupe l'image. Elle se sent immédiatement mieux. Qu'est-ce que cela signifie ? se demande-t-elle.

En se dirigeant vers le parc de stationnement, Edna fait de son mieux pour chasser *Duluth* de son esprit, ou pour se chasser elle-même de l'esprit de *Duluth,* car elle est lentement en train d'être déchirée en petits morceaux par une loi de fiction qui lui échappe entièrement. Il est vrai qu'elle n'a jamais joué dans aucun classique, à part *J. B.* d'Archibald MacLeish. Une seule saison d'Eschyle, et elle aurait été en mesure de se mesurer aux exigences des dieux en conflit, connues aussi comme lois de fiction opposées, celles-là mêmes qui un jour firent grimper au mur un Grec nommé Oreste.

Edna met ses lunettes à double foyer et fait démarrer sa voiture de location. Puis elle prend Barham. Au premier feu rouge, elle ressent un déclic dans sa tête. Elle comprend le sens de ce qu'elle a vu peu avant dans la caravane. Elle est terrifiée. Il faut absolument qu'elle retourne dans *Duluth* encore une fois. La télévision de sa chambre d'hôtel est en panne, mais elle sait qu'elle peut s'arrêter chez Rosemary, dans Mulholland Drive, et demander à la gouvernante de la laisser se servir du téléviseur de la maîtresse de maison.

Je l'en empêcherai! se dit Edna d'un air grave et en tournant dans Mulholland Drive, où elle percute de face le camion de déménagement Santini qui débouche du virage en pente.

Collision. Plus de Joanna Witt. Plus de Hilda Ransome. Plus d'Edna Herridge. Elle est maintenant, miséricordieusement, libérée de toutes les identités fictives du passé, et donc en mesure d'apparaître, une infinité de fois, dans d'innombrables fictions vraies ou fausses, que ce soit feuilletons télévisés ou films de cinéma. Chaque fois qu'on aura besoin d'un personnage chaleureux et généreux, mûr et aimant, elle sera là, aussi longtemps — mais pas plus — que Mimésis fera paître ses troupeaux dans les vastes espaces vides du cœur humain.

LXXIII

Les choses ne vont pas exactement bien pour Darlene, à bord du bateau de plaisance. Son bras gauche est fixé avec des menottes à un siège du salon du bateau. La brute mulâtre monte la garde sur le pont. Clive offre à la jeune femme une coupe de champagne, qu'elle boit, assoiffée.

Big John ne la quitte pas des yeux. Il sait qu'il la connaît de quelque part, mais la perruque noire le trompe, ainsi que le gros ventre.

Clive est à la fois ravi et troublé. Ravi de retrouver Darlene, mais troublé par son comportement. Que faisait donc la déesse en robe de bal de la Renta à rôder furtivement au bord de l'eau, et avec un ventre pareil, en plus ?

« J'ai attendu, dit Clive, mais tu ne m'as jamais rappelé. Tu m'as traité comme la conquête d'un soir... (Il se tourne vers Big John.) Je crois que je suis amoureux d'elle. Nous ne nous sommes connus qu'une seule fois, mais ces minutes si passionnées ont changé ma vie.

— Tu m'en diras tant !

— Tu n'as jamais vécu cette expérience ?

— Moi ? Non. J' les tire, puis j' les vire : voilà mon programme. »

Darlene se met à pleurer doucement.

Les deux hommes ne font aucune attention à elle.

« Je ne puis être aussi indifférent, reprend Clive. Une femme est toujours pour moi quelque chose de plus qu'un... qu'un simple réceptacle pour mon plaisir. J'ai besoin d'une relation *complète*.

— Pas moi. Bien sûr, j'ai trois nanas et des gosses, et je paie pour les gosses. Un homme doit faire ça, c'est ce que je veux dire. On le doit aux gosses. Tu me suis ? Mais les nanas — peuh ! c'est pas ce qui manque. »

Darlene, à travers ses larmes, se dit que s'ils ne cessent pas de raconter ces histoires stupides pour s'occuper d'elle, pour la violer, la mutiler, peu importe, elle va pousser son cri de sirène de police.

« Je ne pourrais jamais considérer les femmes comme autre chose que des êtres humains en premier. Des mères en second. Remarque, ajoute Clive, songeur, j'ai subi une vasectomie.

— Je ne laisserais jamais aucun couteau approcher de ma queue ! » réplique Big John en frissonnant.

Darlene pense à l'immense source de vie à laquelle elle a

si amplement puisé le jour du Bar lunaire, et ses larmes sèchent. Il ne peut pas, se dit-elle farouchement, ne pas être le père !

« Avec une vasectomie (et il n'y a rien de plus facile, Big John ; je t'assure que ça ne change rien du tout), tu peux enfin avoir une véritable relation d'égal à égal avec une femme, qui est impossible tant que te ronge la crainte d'une grossesse non désirée ou, horreur des horreurs, un avortement. Naturellement (Clive se ressert du champagne), en tant que catholique converti, je suis radicalement contre l'avortement.

— Ma mère a fait fortune grâce à l'avortement », dit Big John d'un air rêveur. Il fume de la très bonne herbe. Darlene le sent à l'odeur. « Je me souviens encore des nanas qui avaient le ballon et qui faisaient la queue au coin de Bourbon Street (nous sommes de La Nouvelle-Orléans, tu vois ?), et de Maman, prête avec son bon et fidèle cintre. Je te rentre le cintre, je tords et hop ! dehors ! Pas le temps de faire ouf. Et elle n'a jamais perdu une seule cliente. Le cintre trempait tout le temps dans la lessive de soude.

— Avec Darlene, j'ai vécu quelque chose d'autre. Je ne sais pas quoi. » Darlene n'aime pas cet emploi du passé composé. Eh bien, s'il faut en venir aux grands moyens, son cri de sirène fera se ramener toute l'escouade du DPD détachée à la surveillance des bords du lac. « C'était un peu comme si c'était la première fois. Elle était... tellement authentique, en somme. Pas comme ces fragiles hôtesses de la bonne société de Duluth que j'ai dû troncher depuis que j'ai quitté Tulsa. Mais pourquoi (finalement, Clive se tourne vers Darlene ; il n'est que temps, pense-t-elle) n'es-tu jamais réapparue dans ma vie après ce qui s'était passé entre nous ?

— Parce que, fait Darlene de sa voix de petite fille la plus douce, je suis enceinte. »

Clive manque de laisser tomber sa coupe de champagne. « Mais c'est impossible ! Ma vasectomie...

— Pas de toi, Clive. Puis-je t'appeler Clive ?

— Oh, bien sûr. Et qui est le père ?

— Tu vas me détester si je te réponds. (Darlene commence à avoir des suées. Les choses pourraient vraiment se gâter.) Vous allez me détester tous les deux.

— Hein ? » Big John la regarde, assez endormi. Il est défoncé, et il préfère les nanas plus sveltes.

Darlene, lentement, d'un air tragique, enlève de sa main libre la perruque qu'elle porte.

Clive dit : « Ah, oui ! Je me souviens. J'avais peur que tu ne fusses chauve. Tant de femmes le sont à Duluth. A cause des produits chimiques de l'eau du robinet. Je t'aime bien, blonde. Mais je t'aime aussi brune ! »

Mais Darlene ne regarde pas Clive, ne l'écoute même pas ; elle fixe Big John, lèvres humides entrouvertes dans une offrande, grands yeux bleus brillant de larmes bientôt de mère. Big John la regarde avec désir, puis la reconnaît. « *Toi !*

— Oui, moi !

— La nana qu'a voulu m' niquer au Ba' lunai'e ? (Il arrive à Big John d'affecter le parler des nègres, rien que pour l'effet.)

— La nana que tu as *violée* dans la penderie du Bar lunaire.

— La nana qui s'est farci deux grosses heures de Big John, et du meilleur.

— La nana qui, huit mois plus tard, est sur le point de mettre au monde *ton* enfant. »

Le silence prolongé et respectueux eût été complet dans le salon du bateau de plaisance si les vagues ne venaient laper la coque du bâtiment.

C'est Clive qui reprend la parole. Darlene note aussitôt qu'il ne s'embarrasse plus de conneries romantiques. « Police ?

— Oui, répond Darlene. Lieutenant Ecks, anciennement des homicides, à présent des stups.

— Prépare le négligé de ciment, fait Clive froidement à Big John. Tu vas rejoindre le fond du lac Erié, où finissent

244

tous les ennemis du Mecton et du bailleur de fonds. Quand je pense que je pensais t'aimer !

— Hé là, vas-y mollo, réplique Big John en commençant à sortir de sa léthargie droguée. Il est vrai que cette nana avait l'intention de m'arrêter, mais ensuite elle m'a fait mettre à poil, et quand elle a vu ce que j'avais...

— Halte ! lance Clive, glacial dans sa colère. Trêve de chauvinisme noir. Laisse ton instrument en dehors de ceci.

— Ben, ce n'est pas vraiment possible, dans la mesure où c'est précisément ce qu'elle s'est enfilée en me maintenant son flingue à la tempe pendant deux bonnes heures, tandis que je te lui bourrais le...

— Stop ! (Clive met ses mains sur ses oreilles.)

— D'accord ! D'accord ! (Big John est conciliant.) Bref, une fois fini, elle m'a dit que jamais je n'irais en prison tant qu'elle pourrait s'y opposer ; puis elle m'a dit de l'attacher et de me sauver. Ah, diablesse ! » Et Big John d'embrasser longuement Darlene, qui meurt presque de bonheur. Il l'aime, peut-être. Elle espère qu'il va la tenir, simplement la tenir dans ses bras pendant six ou sept heures. C'est tout ce qu'elle désire en ce monde. C'est d'ailleurs tout ce qu'une femme désire jamais.

Clive fait les cent pas en réfléchissant lentement mais méthodiquement. « Tu dis qu'elle t'a laissé filer alors même qu'elle venait de te prendre... ?

— De me prendre à fourguer de la coke au bar, oui.

— Mais pourquoi fais-tu des trucs pareils ? (Clive explose.) Tu es le plus riche nègre de tout Duluth, propriétaire des teintureries Acmé et je ne sais quoi encore, et tu t'en vas risquer tout ça en jouant au barman, à l'arnaqueur au petit pied, au trafiquant minable !

— *Nostalgie de la boue* », répond en français Big John en haussant les épaules — n'oublions pas qu'il est de La Nouvelle-Orléans.

Darlene frissonne de plaisir : elle aime le français plus que toutes les autres langues qu'elle ne connaît pas.

« Alors, à cause de cette passion de te vautrer dans la

boue, tu te mets en danger, toi *et* moi *et* le Mecton lui-même !

— Je l' fe'ai p'us », répond Big John d'un air contrit et en reluquant Darlene avec un intérêt certain. « Mais dis-moi, poupée : comment puis-je savoir que ce gosse que tu portes est de moi ?

— Tu le verras à la couleur, répond Darlene en priant que lorsque le bébé sortira, il n'ait pas la couleur des tacos.

— Et comment saurai-je si ton truc, ce n'est pas de t'éclater avec les étalons noirs comme nous, avec notre gros, long et puissant...

— Ferme-la ! crie Clive.

— D'accord, patron. Ne montez pas sur vos grands chevaux. Je veux simplement être sûr que le gosse est de moi.

— Il est de toi, réplique Darlene solennellement, car jamais avant je n'avais copulé hors de ma propre race. »

Les deux hommes sont plongés dans un silence honteux par cette révélation. Darlene profite de leur honte. « C'est pour cette raison que j'ai demandé au capitaine Eddie de me mettre aux stups. Je voulais te parler de ton enfant, Big John, car (Darlene inspire profondément) je veux être ta femme devant la Loi et la mère de tous tes futurs enfants. »

Big John n'en revient pas. Clive a des larmes dans les yeux. Il a aimé puis perdu en faveur d'un homme plus grand sinon meilleur.

« Comment puis-je épouser un lieutenant de police avec le genre d'affaires dont je m'occupe ? » Big John n'a jamais été attiré par le côté matrimonial. Amant, oui. Père, oui. Mari, non. Certes, Darlene est tout à fait particulière, évidemment ; mais quand même...

« Il y a deux façons de régler ce petit détail, répond Darlene. Mais d'abord, enlevez-moi ces menottes. » Les deux hommes se précipitent pour la délivrer. Mais Big John a le plus de chance et est le premier à prendre la petite clé.

« Du champagne », dit-elle à Clive qui remplit sa coupe

à ras bord. Fascinés, les deux hommes la regardent avaler une gorgée, froncer le nez, éternuer. « Cela me fait toujours ça », dit-elle d'un ton badin. Puis elle redevient très femme d'affaires. « Comme vous le savez, la corruption sévit au DPD. Je pourrais y demeurer et protéger vos activités illégales. Aucun problème. Et si c'est ce que... (elle a du mal à avaler)... veut l'homme que j'aime, c'est ce que je ferai.

— Fantastique ! s'exclame Clive.

— Non, non, fait Big John, malin. Il y a autre chose.

— En effet, reprend Darlene ; il y a autre chose. Je voudrais que tu t'amendes. Tu possèdes les teintureries Acmé (au fait, celle qui est derrière McKinley Avenue a bousillé ma robe de soie de chez Pucci et refuse de me rembourser...).

— Il va leur en cuire, dit Big John, grand prince. Continue.

— Je voudrais que tu files droit. Renonce à ta vie criminelle, et nous serons *the* couple de Duluth.

— Moi ? Un nègre ?

— Fais-moi confiance, Big John. On peut aller loin, toi et moi. Jusqu'au sommet !

— Et moi, et moi ? fait Clive qui se sent exclu. Et le Mecton et son Ranch ?

— Ben, vous vous en sortiez bien sans moi avant que je vous rejoigne, non ? répond Big John avec un geste évasif.

— Au fait, qui est le Mecton ? demande Darlene qui, même amoureuse, reste policier.

— Je ne te le dirais pas, rétorque Clive sèchement, même si je le savais. Et je l'ignore.

— Il possède une clé de toutes les teintureries Acmé, et chaque nuit il s'y introduit pour recevoir des coups de téléphone, explique Big John. Mais nous ne le voyons jamais, et même si nous le voyons, nous ne savons pas que c'est lui.

— Un homme mystérieux, fait Darlene.

— Une seule personne connaissait son identité : ma

mère, Beryl Hoover. Et elle a emporté ce secret dans sa tombe. »

LXXIV

Beryl, marquise du Cyel, vêtue d'une lourde pèlerine sable, traverse les steppes d'Asie. Sa boîte à bijoux, qu'elle ne quitte jamais des yeux, contient le plan d'une page du prince régent pour envahir la France. Elle doit le remettre à son bien-aimé l'empereur Napoléon, qui actuellement se cherche une piaule à Moscou.

Beryl regarde par la vitre la monotonie des steppes recouvertes de neige, en direction de Moscou. Soudain, deux Cosaques déments surgissent sur leur cheval et ordonnent à la voiture d'arrêter. Beryl crie : « Fouette, cocher ! »

Le cocher fouette ses bêtes à contrecœur. Un Cosaque chevauche à côté de la portière gauche, l'autre Cosaque à côté de la droite. Tout en chargeant son fusil à mèche d'un air agacé, elle ne peut s'empêcher de maudire (c'est en elle la part qui, de temps à autre, est encore Beryl Hoover, la reine du crime) cette idiote de Rosemary Klein Kantor qui, sous prétexte qu'elle écrit des épisodes mensuels pour *Redbook,* suppose que les lectrices oublient d'un épisode à l'autre ce qu'elles ont déjà lu, et se permet donc de leur resservir deux fois la même péripétie, pompant et repompant les mêmes idées dans l'œuvre de la baronne Orczy.

« Prends ça ! » Beryl fait feu dans la bouche grande ouverte du Cosaque qui tombe sur la glace de la steppe. D'un air las, elle recharge le fusil et descend l'autre Cosaque. Dieu soit loué, il ne reste qu'un seul épisode : Moscou et une fin bâclée qu'elle imagine plus ou moins bien, n'ayant jamais été encore dans un feuilleton écrit par une femme, fin précipitée qui, l'un dans l'autre, sera une bonne chose car Beryl a déjà tenu tous les rôles, y compris celui de Tess d'Urberville — le film de Polanski ; pas le livre original.

Je me demande, se demande Beryl Hoover à ce moment-là, comment Clive s'en sort au Ranch du Mecton...

LXXV

A bord de l'engin spatial, les négociations sont passées par différentes phases, mais en fin de compte le maire Herridge et Tricia ont à peu près aplani toutes les difficultés. Déjà Tricia a provoqué des effets considérables sur les marchés mondiaux. A elle seule, elle a fait doubler la valeur des bons du Trésor mexicains : ayant lourdement investi dessus, le système bancaire mondial a suivi, se fiant à sa haute sagesse financière de Visiteuse des Cieux Amicaux.

« Je ferai venir les avocats demain pour le contrat final. Pour les questions de notaire, je peux m'en charger. » Fièrement, le maire Herridge exhibe son tampon de notaire qu'il porte toujours sur lui.

« C'est un plaisir d'être en affaires avec vous, Monsieur le maire. » Tricia ne saurait être plus adorable, se dit celui-ci tandis qu'ils se promènent côte à côte dans l'éblouissant vaisseau spatial, avec ses panoramas sur des galaxies qui naissent et qui meurent, sur des trous noirs qui s'ouvrent puis se referment, avec ses étranges créatures qui rampent et qui volent, se forment et se dissolvent. Cela dépasse tout ce qu'on a jamais pu rêver à Anaheim, se dit-il, ou même à Orlando, Floride.

« Nous lancerons l'affaire depuis la passerelle qui nous relie à la terre ferme dès lundi matin. Je mettrai le contrat aux enchères, comme à mon habitude.

— Je parie que c'est l'offre la plus basse qui l'emportera ! dit Tricia en lui faisant un clin d'œil.

— Petite futée ! » Le maire Herridge s'est entiché de Tricia, mais… c'est une extraterrestre. Le secret du succès politique du maire Herridge, mis à part la chaleur de sa famille, consiste en ceci qu'il n'a jamais rencontré un homme ou une femme qu'il aimât. Résultat : il est, était du moins, le candidat à recueillir le plus grand nombre de voix du Minnesota. Car, le cœur triste, il repense soudain aux plus récents sondages. Mais que diantre ! Ceci va inverser les chiffres ; il y mettrait sa main à couper. Et il sera un héros local — non, national — non, international — non, intergalactique !

Sur le point de sortir de l'engin spatial, le maire Herridge demande : « Mais quelle est votre véritable apparence ? Je veux dire : quand vous êtes ici entre vous ?

— Oh, vous n'aimeriez pas voir ça ! répond Tricia en hochant la tête.

— Mais si, voyons ! Allez ! Je ne dirai rien à personne…

— Eh bien, vous l'aurez voulu ! »

Tricia frappe dans ses mains. Le magnifique décor digne de *2001* disparaît, remplacé par une espèce de luminescence vague et déplaisante qui évoque assez un trop grand nombre de lucioles tassées dans une bouteille de lait. Il y a également une terrassante odeur d'insectes, car… là où Tricia se tenait, se tient à présent, dressée sur ses pattes de derrière, une créature ressemblant à un centipède et mesurant un bon mètre quatre-vingts. A l'arrière-plan, le maire Herridge aperçoit ce qui ressemble à un millier d'insectes énormes qui agitent tous leurs mandibules vers lui. Il hurle. Il ne peut s'en empêcher : il déteste les insectes.

« C'est vous qui avez voulu nous voir tels que nous sommes vraiment, pas vrai ? » fait Tricia-insecte avec une voix d'accordéon enroué.

C'est alors que du dessus aussi bien que de dessous la surface visqueuse du marais, des millions d'insectes de toutes les variétés convergent vers l'engin spatial. Mais avant que le maire Herridge crie une seconde fois (il a une horreur absolue de tout ce qui touche aux insectes), Tricia-belle femme se tient à nouveau à ses côtés et le décor reprend son aspect *2001*.

« Seigneur, que c'est gênant, tous ces insectes, là dehors, dit Tricia d'un ton d'excuse. Voyez-vous, ils ont tellement envie de faire connaissance avec nous que chaque fois que nous ouvrons la porte alors que nous avons notre véritable apparence, ils accourent de partout à cause d'une vieille légende répandue parmi les cafards (la plus ancienne forme de vie sur votre planète, soit dit en passant), selon laquelle leurs dieux réapparaîtront un jour pour détruire la race humaine au moyen d'une certaine radiation contre laquelle les cafards sont immunisés, à la suite de quoi commencera l'âge d'or de l'insecte ! (Tricia rit d'un rire musical.) Une histoire stupide, vous ne trouvez pas ? »

Le maire Herridge ne peut que faire oui de la tête, bouche bée, tandis que la barque revient le chercher au-dessus d'une mer d'insectes déçus.

LXXVI

La conférence de presse du maire Herridge domine non seulement le bulletin d'informations de dix-huit heures, mais aussi une première du *Courrier de Duluth*. Les agences de presse ont à peine commencé à transmettre la nouvelle que, du monde entier, on réserve déjà des chambres au Hyatt, dans toutes les hôtelleries et dans tous les motels de Duluth et de sa région. Tout le monde veut voir l'intérieur de l'engin spatial.

Le vieux président-télé accueille les inconnus venus d'un autre monde visiter les Etats-Unis, leur déclarant que « le loquet n'est jamais poussé », formule dont personne ne saisit le sens. Un critique a dit qu'il s'agissait d'un message codé à l'intention des Russes, qui demeurent les ennemis de chaque Américain et de chaque Américaine qui aiment la paix, eux.

Le lendemain de l'annonce de la création du parc d'attractions de l'engin spatial, Pablo se rend à l'hôtel de ville pour voir le maire Herridge afin de conclure l'achat de la portion des barrios appartenant à la femme du maire. Pablo fait le pied de grue pendant plus d'une heure, tandis que des entrepreneurs et des architectes de toutes sortes n'arrêtent pas d'entrer et de sortir du bureau rond.

En attendant, Pablo flirte avec la réceptionniste blonde. Depuis qu'il est devenu une figure de pouvoir dans tout Duluth aussi bien que dans les barrios, il a surmonté sa crainte des blondes, résultat de ce que Darlene puis la fausse Darlene lui avaient fait. En outre, ses poils pubiens ont finalement repoussé, épais et luisants, et le serpent à plumes n'a jamais été aussi en forme, ou aussi occupé.

La blonde mignonne lui dit enfin : « Vous pouvez entrer, Mr Gonzales. »

Il lui envoie un regard de braise d'amant latin, puis entre dans le bureau rond. Le maire Herridge ne se lève pas pour l'accueillir. Mauvais signe, se dit Pablo.

« J'ai les papiers, dit Pablo en ouvrant son attaché-case.

— Mr Gonzales, commence le maire Herridge de sa voix la plus riche et la plus digne des grandes orgues, je crains que le marché ne soit annulé. Mrs Herridge s'est prise d'un grand amour pour ce terrain qu'elle possède dans les barrios, et j'ai beau essayer, je suis incapable de la persuader de vous le vendre.

— Monsieur le maire, nous étions convenus que...

— Nous étions bien d'accord, toi et moi, fiston ; c'est vrai. Et je suis un homme de parole. Mais le marché a toujours dépendu de la volonté de Mrs Herridge de vendre, et elle nous a envoyé bouler purement et simplement.

— Mais mon rêve...

252

— Il y en aura d'autres, mon garçon. »

Bill Toomey entre dans le bureau rond, les derniers sondages à la main. « Salut, mon pote, dit-il à Pablo.

— Quoi ? (Pablo régresse à son stade analphabète d'origine.)

— Mr Gonzales fait preuve de compréhension, dit le maire Herridge à Bill Toomey. Il s'est montré un chic type dans toute cette affaire. Allez, à la bonne revoyure, fiston. Et rappelle-toi : le loquet n'est jamais poussé. » Le maire Herridge raffole des anecdotes et des formules du vieux président-télé, même quand il ne comprend pas exactement ce qu'elles signifient.

Tristement, Pablo se retire. Il est catastrophé. D'un autre côté, s'il savait que le matin même, Mrs Herridge a vendu sa portion des barrios à un promoteur pour la somme la plus élevée dans l'histoire immobilière de Duluth, la rage de Pablo remettrait le feu aux barrios, ou à ce qui en reste. Pablo n'a cependant aucun moyen de savoir que le maire Herridge l'a doublé en reniant un marché sur lequel ils étaient tous deux d'accord.

« Alors, quelles sont les mauvaises nouvelles ? » demande le maire Herridge avec un large sourire. Il ne touche plus terre depuis la publicité extraordinaire dont il a bénéficié dans les moyens de communication de masse, pour ne rien dire de la fortune qu'il s'est mise dans la poche ce matin grâce à la vente de la plus grande partie des barrios à ce promoteur.

« Elles sont vraiment mauvaises, répond Bill Toomey au grand étonnement du maire. Vous arrivez derrière le capitaine Eddie dans tous les quartiers de la ville sauf les barrios, où le jeunot vous a placé en tête.

— Nom de Dieu ! (Le maire est terrassé.)

— Et je parie que maintenant que vous avez vendu le terrain à un autre que lui, vous serez comme un pigeon mort pour les barrios au premier mardi de novembre, c'est-à-dire la semaine prochaine.

— Très bien. » Le maire Herridge passe énergiquement à l'action. Il appuie sur l'interphone : « Appelez-moi ma mère, commissaire des élections.

— Qu'allez-vous faire ? » Bill Toomey sympathise vraiment avec le maire Herridge. Il ne cessera jamais d'adorer le sol que le maire foule.

« Vous allez bien voir ! (Sonnerie de l'interphone.) Allô, Mère ? Ici votre fils... Bien sûr que je vais bien... ! Non, je n'ai pas trouvé que j'avais l'air patraque au bulletin de dix-huit heures... Ecoutez, mardi prochain, nous n'allons *pas* compter les votes des barrios... Comment... ? Mais oui, je sais que j'avais dit qu'on les compterait, mais maintenant je dis : on ne les compte pas. On les brûlera... Comment... ? Peu m'importe ce que dira l'évêque O'Malley ! J'en sais assez sur ses combines avec le bingo pour l'envoyer aux pelotes. Maintenant, écoutez-moi bien. Votre appareil contre la surdité est bien fixé ? Bon. Nous allons compter les votes noirs pour la première fois... Oui, je sais que nous rompons avec la tradition, mais bon sang, Mère, nous vivons en démocratie ! On ne peut pas choisir librement qui l'on va laisser voter. Donc, tous les bords du lac, les six circonscriptions, seront comptés. Compris... ? Très bien. » Et le maire Herridge de raccrocher.

« Pourquoi ? demande Bill Toomey.

— C'est ma dernière chance. Je suis au mieux avec la plupart des pasteurs noirs, et aussi avec qui vous savez.

— Big John ?

— Il peut me balancer trois circonscriptions à lui seul, répond le maire en opinant.

— En échange de quoi ?

— De ma collaboration à l'avenir, répond le maire, pas plus gêné que cela.

— Vous pensez à tout. (Bill est vraiment impressionné.) On dit qu'il serait en cheville avec le Mecton.

— Qui sait ? (Le maire examine de nouveau les sondages.) Quelle importance, d'ailleurs ?

— Je me dis parfois que le Mecton n'existe pas, fait Bill, songeur.

254

« — Oh si, il existe ! Et nous le coffrerons, un de ces quatre. »

L'interphone sonne. « Un certain Mr Big John désire vous voir, monsieur le maire.

— Faites-le entrer. (Le maire Herridge se tourne vers Bill Toomey.) Je préfère m'occuper tout seul de celui-là.

— Entendu, patron. Et pour le projet Tamale Brûlant... ?

— Lâchez toute la vapeur !

— Bien, patron. » Bill Toomey s'éclipse avant que Big John, resplendissant dans son costume de velours mauve et sa chemise à jabot, entre dans le bureau rond d'un air affecté.

« Tends-moi un bout de peau », fait le maire Herridge, main tendue, aussi calé en parler noir qu'en parler blanc ou brun.

Nonchalamment, Big John fait claquer son énorme paluche d'ébène contre la grosse patte rouge du maire. « Quoi de neuf, bonhomme ? » Big John s'installe dans le fauteuil le plus grand, comme il sied au plus grand mec de tous les bords du lac.

« Bof, pas grand-chose. » Le maire Herridge pousse le coffret de bons cigares vers Big John, qui se sert généreusement. « Comment était la vie, dans la clandestinité ?

— Plutôt paresseuse. J'ai passé beaucoup de temps sur mon bateau de plaisance.

— Dans les eaux territoriales canadiennes, je parie ! (Tous deux rient de cette hyperbole.) Mais dis-moi, Big John : je pense que tu devines pourquoi je t'ai fait venir.

— Les élections ?

— Dans le mille ! Big John, je te demande de m'apporter les votes noirs, de couleur *et* nègres.

— Mais vous n'avez jamais compté nos voix !

— J'ai dit à Mère (je viens de l'appeler et tu peux la rappeler pour vérifier que je dis vrai), je lui ai dit : Mère, nous allons compter jusqu'à la dernière voix nègre, cette année.

— Et en quel honneur ?

— Parce que tu es le Grand Monsieur, sur les bords du lac, et qu'ils feront ce que tu leur diras de faire.

— Mais pourquoi devrais-je leur demander de voter pour vous ? (Big John s'amuse sacrément à voir " l'Homme " suer à grosses gouttes.)

— Tes huit inculpations pour trafic de drogue seront abandonnées et ta tête ne sera plus, comme elle l'est présentement, mise à prix.

— Tudieu ! Voilà qui est drôlement tentant ! Ouille, ouille, ouille... Vous me permettriez de quitter la clandestinité ?

— Jusqu'à ce que tu retombes dans le crime, bien entendu, ce qui ne manquera pas.

— Je pourrais repartir avec une ardoise propre, fait Big John, songeur.

— Comment ?

— C'est une expression qu'emploie Darlene.

— Darlene qui ?

— Je ne sais pas non plus ce que cela veut dire, sauf que cela signifie, je suppose, repartir à zéro. Vous voyez ce que je veux dire ? Vierge. » Big John plonge alors dans ses réflexions. Depuis la nuit du bateau de plaisance, Darlene et lui sortent régulièrement ensemble. Big John sent qu'il a vachement mûri depuis qu'elle est entrée dans sa vie. Il a plaqué les autres nanas. Il a même *envisagé* de se ranger, si c'était possible. Or voilà soudain que cela paraît parfaitement possible puisque le maire, en échange d'une tonne ou deux de bulletins de vote noirs, est désireux de blanchir son casier.

« Le temps presse. (Le maire Herridge s'agite.)

— C'est entendu. (Big John serre fermement la main du maire.) On marche comme ça ?

— On marche comme ça. Allez, vas-y, Big John ! Au boulot ! »

LXXVII

Pendant que Big John ratisse les circonscriptions des bords du lac, exhortant, implorant, ordonnant aux siens de voter pour le maire Herridge, le capitaine Eddie prend la parole d'un bout de Duluth et ses environs à l'autre. Il n'est pas rassuré, même si les sondages le donnent en tête. Depuis que Bellamy Craig II le soutient secrètement, le bulletin de dix-huit heures a opéré une volte-face complète. A tel point que Léon ne peut même plus l'interroger aux heures de grande écoute.

« Je crois que nous allons l'emporter, chef », dit « Chico » qui va partout où va le capitaine Eddie dans la grosse caravane recouverte d'autocollants proclamant « Votez pour le capitaine Eddie » et équipée d'un système de haut-parleurs.

« Je n'en sais rien. » Les voilà sur les bords du lac. Le capitaine Eddie s'apprête à prendre la parole, quand il aperçoit un camion lui aussi équipé de haut-parleurs arrêté sous les palmiers. Une grande foule de moricauds est en train d'acclamer un grand noir bien de sa personne qui leur recommande de voter pour le maire Herridge.

« Qui est cet emmerdeur ? tonne le capitaine Eddie, " Chico " s'empressant de couper le son.

— C'est Big John.

— Que diable fabrique-t-il ici ? Je croyais qu'il vivait dans la clandestinité.

— Ben, il est remonté à la surface, à présent. Capitaine, je voulais vous le dire depuis un moment : Big John a conclu un marché avec le maire. Toutes les accusations portées contre lui seront abandonnées s'il lui apporte les voix des bords du lac.

— Mais le maire ne peut *pas* faire tomber ces inculpations ! Seul le tribunal...

— Eh bien, le juge a abandonné les inculpations.

— Tu veux dire que je ne peux pas arrêter ce sale noir et lui démolir la gueule sur mon siège d'interrogatoire dans mon bureau ?

— Je crains bien que non, chef... Qu'allons-nous faire, chef ?

— Pourquoi le maire veut-il avoir les votes noirs — oh pardon, " Chico " ; les votes de couleur — alors que nous ne les comptons jamais ?

— La mère du maire va les compter cette année ; c'est tout ce que je sais.

— Je ne m'étais jamais rendu compte jusqu'à l'instant présent, déclare le capitaine Eddie lentement, tristement, à quel point la ville où je suis né et où j'ai grandi était devenue entièrement et de manière irréversible... amorale.

— Ma foi, chef, ce n'est pas arrivé du jour au lendemain.

— C'est certain. Trouve-moi Bellamy Craig II. Je veux le voir. Pronto. »

LXXVIII

Bellamy et Chloris sont assis côte à côte sur le sofa de suède de leur vaste salle de séjour, main dans la main et écoutant Wayne Alexander leur lire les dernières pages de la vie de Betty Grable par « Chloris Craig ».

Les beaux jours tiraient à leur fin. Betty sentait que quelque chose était détraqué. Lors de sa dernière rencontre avec Herbert Hoover, il avait déclaré : « Notre amour platonique doit finir. Je ne puis te revoir. » Betty pleurait, se reprochant la perte de l'amour platonique qu'il lui portait.

Chloris sent une larme se former au coin de son œil gauche. Elle est touchée. Elle est également curieuse d'apprendre incessamment qui a tué Betty.

Betty était loin de se douter que l'homme qu'elle aimait

platoniquement depuis tant d'années n'était pas l'ancien président des Etats-Unis Herbert Hoover mais J. Edgar Hoover, directeur du Federal Bureau of Investigation. Apparemment, Betty avait mal écouté quand on les avait présentés l'un à l'autre sur le plateau de *Maman était " New look "*. Elle savait simplement que ce type célèbre s'appelait Hoover, nom qui exerçait une pure magie sur elle, comme tout ce qui avait trait à cet homme puissant à la face de bulldog. J. Edgar, à son tour, comprit qu'elle le prenait pour Herbert Hoover, et entretint délibérément cette imposture. Il la charma, comme il charmait toutes les femmes. Elle tomba tellement amoureuse de lui qu'elle accepta la nature platonique de leurs amours qu'il exigea. Jamais elle n'imagina que l'homme qu'elle voyait clandestinement (et parfois ouvertement toutes les fois où ils pouvaient être photographiés ensemble, ce qu'il semblait mystérieusement souhaiter) était J. Edgar Hoover, dont l'amant de toujours, Clyde Tolson, finit, dans un accès de jalousie passionnelle, par ravir la vie de cette femme qui...

« Je le savais ! s'exclama Chloris. C'était donc Clyde !

— Betty Grable est morte, dit Wayne d'un ton grave, d'en savoir trop peu. »

A cet instant, le capitaine Eddie fait une entrée en force dans la pièce. « Mr Craig, je vais perdre les élections. Bonsoir, Mrs Craig. Mr Alexander, ajoute-t-il, se rappelant ses bonnes manières.

— Ne vous énervez pas, capitaine Eddie. (Bellamy lui verse un verre d'alcool bien tassé.) Je sais que vous êtes troublé par la décision de compter les voix noires pour la première fois...

— On n'a jamais vu ça à Duluth ! fait le capitaine Eddie en crachotant.

— C'est vrai. Mais j'ai déjà fait plancher ce bon vieil ordinateur sur la question. Sans aucune voix des immigrés clandestins et avec *toutes* les voix noires, ce qui est statistiquement impossible, vous l'emporterez de onze mille quatre cent douze voix.

— En êtes-vous sûr, Mr Craig ?

— Oui, j'en suis sûr. Je pense que vous me connaissez assez pour savoir que Bellamy Craig II est toujours sûr de ses balles, et (il marque un temps d'arrêt pour souligner l'aspect dramatique) qu'elles vont toujours au filet. »

LXXIX

Clive Hoover est assis dans son bureau du Ranch du Mecton, feuilletant distraitement le dernier numéro de *Redbook.*

Beryl, marquise du Cyel, attend impatiemment au palais du Kremlin son amant l'empereur Napoléon.

« Il sera là d'une minute à l'autre, Milady, lui dit un des gardes loyaux qui suivent Napoléon partout où il va.

— Je sens l'odeur de la fumée.

— La cheminée tire mal. Rien ne fonctionne comme il faut, dans ce pays paumé.

— Dommage que feu mon mari, le marquis du Cyel, ne soit pas là. Il vous réparait une cheminée en un rien de temps. »

Le garde loyal la prie de l'excuser.

Voyons, se demande Beryl, où ai-je donc mis le plan d'invasion du prince régent ? Evidemment, Beryl sait très bien où il se trouve, mais il s'agit là d'une des ruses de Rosemary pour créer un climat de tension. A propos de Rosemary, Beryl repense à *Duluth.* Elle contemple les dômes bulbeux d'or du Kremlin en se rappelant qu'elle a toujours eu l'intention de faire savoir à Clive qui était le Mecton, afin que dans sa position de bailleur de fonds, Clive sache comment il se place par rapport à ce prétendu feu follet. Mais comment diable, se demande Beryl en remarquant que Moscou est en flammes, vais-je aider Clive à mettre la main sur le message que j'ai laissé pour lui dans mon bureau du Ranch du Mecton ?

Beryl a alors un coup d'inspiration. « Je suis certaine, déclare-t-elle dans son meilleur charabia à la Klein Kantor, que j'ai laissé les renseignements dont Clive a besoin dans un exemplaire du livre de Thornton Bloom, *la Cabale,* posé sur la console qui se trouve sous le miroir à double sens du bureau du bailleur de fonds au Ranch du Mecton. »

Cela ne ressort pas dans *Redbook* tout à fait comme Beryl l'aurait voulu, mais le sens demeure assez clair, lorsque Rosemary et le rédacteur toujours pressé du canard ont passés par-dessus les instructions que Beryl envoie ainsi à Clive, pour que ce dernier bondisse de son siège, se rue vers le miroir à travers lequel il voit les joueurs de chemin de fer (mais n'est pas vu d'eux), et trouve, sur ladite console, un exemplaire de *la Cabale* de Bloom, à demi caché sous un exemplaire fort écorné du Bottin mondain de Duluth. Ah, que Beryl aimait la société !

D'une main tremblante, Clive ouvre le livre. Il en tombe une feuille de papier. En haut est écrit : « Plan du prince régent pour envahir la France. » Mais Beryl a barré d'un trait et a écrit dessous :

« Très cher fils, j'ai le pressentiment que je vais peut-être devoir quitter la turbulente comédie humaine où j'ai fait de mon mieux pour tenir un rôle (surtout en coulisses, je l'avoue, à Tulsa, et mis à part l'interlude dans la congère), rôle qui, par bien des aspects, a servi de point d'appui à *Duluth.* Sans l'empire que moi, Beryl Hoover, ai créé dans l'Oklahoma, je ne serais pas aujourd'hui le bailleur de fonds du Mecton ; je ne serais pas assise en ce moment dans mon bureau art déco du Ranch du Mecton, bureau évacué si récemment (et si peu gracieusement, dit-on) par Bellamy Craig II. Je ne t'ennuierai pas avec les détails de la façon dont je suis parvenue à l'éliminer sans jamais le rencontrer ; le principal est que j'y sois arrivée. A ce jour, il ignore encore que c'est moi, Beryl Hoover, qui ai eu le dessus et lui ai fait vendre. J'ai maintenant l'intention d'acheter un hôtel particulier dans Garfield

261

Heights, à un jet de pierre de la résidence des Craig, et je suis résolue à ce qu'avant la fin de l'été, je sois devenue une intime de Chloris et de Bellamy, possédant ma propre — *notre* propre, cher fils — loge à l'Opéra, où nous serons le point de mire de tous les yeux le soir de la réouverture de la saison.

J'ai toujours essayé de te faire voir, depuis que tu étais un petit garçon au nez énorme, que bien qu'il y ait plus de place et plus de confort en bas de l'échelle, la vue est bien meilleure du sommet. »

Mère est (ou était) affreusement verbeuse, se dit Clive, qui espère que sa mère est contente de sa nouvelle situation de maîtresse de Napoléon. Certes, Moscou est en train de brûler, mais quand même.

« Je viens de passer une semaine dans le bureau du bailleur de fonds (*mon* bureau), à examiner les livres. Le Ranch marche formidablement bien. Le casino fait 99 % de bénéfices. Je n'aurais jamais cru cela possible. Mais le Mecton est un personnage fascinant. Au fait, je suis la seule personne au monde à connaître son identité. C'est d'ailleurs une des raisons pour lesquelles, par sécurité, je t'écris ces lignes, mon pressentiment présageant sans doute mon rapide départ de la narration en cours, sans parler de ma propre vie, une vie entièrement heureuse une fois que je fus débarrassée de ton père (un cousin de J. Edgar Hoover, soit dit en passant) qui avait (je te le confie de manière rigoureusement confidentielle) du sang noir, ce qui explique peut-être ton nez, qu'il faudra faire refaire une fois que nous nous serons installés dans Garfield Heights. »

Du sang noir ! Clive est époustouflé. En un sens, toute sa vie n'a été, à son insu, qu'un mensonge. Il rougit en songeant à la grossièreté dont il a fait preuve à l'égard des serviteurs noirs de l'Eucalyptus — mes frères, pense-t-il sentimentalement. D'un autre côté, il n'a jamais été condescendant dans les relations d'affaires ou sociales qu'il a eues avec Big John, lequel menace de rentrer dans le rang, me privant ainsi de mon bras droit, songe Clive qui en revient à la missive de Beryl.

« Pour ce qui est du jeu, notre grand empire baigne dans l'huile et il n'y faut rien changer. Mais notre trafic de drogue me donne du souci. Les bons fourgueurs sont rares, et à la fin ils se font eux-mêmes fourguer. Le Mecton affirme qu'un moricaud nommé Big John est à suivre, car il possède son propre réseau. Je te le recommande donc. Les salons de massage s'en tirent juste, mais sans plus, à cause des frais de nettoyage et de teinturerie. Je tente, mais sans grand succès, de réduire l'usage des serviettes et des draps, car je pense que les teintureries Acmé veulent nous saigner à blanc. Il vaudrait peut-être la peine d'acquérir une teinturerie à nous. Les librairies pour adultes perdent de l'argent : personne ne sait plus lire. Donc, coupes sombres dans les bouquins, sauf le porno pour mineurs. Et souviens-toi : cassettes et petit matériel sont l'avenir.

Je ne sais pas pourquoi je te raconte tout cela, mon fils chéri, sauf, comme je l'ai dit, que j'ai ce pressentiment. Au fait, ma collection d'armes à feu, y compris les fusils à mèche loués au musée Norton Simon, doit être réassurée à la Lloyd. J'ai rendez-vous demain matin avec une lesbienne qui travaille dans l'immobilier, une certaine Edna Herridge ; nous irons voir plusieurs résidences princières dans Garfield Heights. »

Viens-en au principal, bon Dieu, Mère ! fait Clive d'un air furieux. Elle y vient ; elle y vient. « Au cas où tu devrais soudain me remplacer comme bailleur de fonds, je pense qu'il faut que tu connaisses l'identité du Mecton. C'est... »

Clive a le hoquet en lisant le nom. Jamais, au grand jamais il n'eût deviné ! Jamais non plus Clive Hoover n'a eu si peur ou ne s'est senti à ce point en danger !

LXXX

Le samedi qui précède les élections est un jour d'automne froid et clair. Tout Duluth est au stade pour assister au match de crosse entre l'équipe de Duluth et les Vengeurs du Manitoba. Duluth raffole de la crosse.

Au milieu d'un des deux côtés du stade se trouve la partie réservée aux visiteurs. En face, l'orchestre du lycée du grand Duluth unifié joue « Tu peux gagner, Winsockie », nom qui ne signifie rien pour personne mais musique qui soulève toutes les gorges.

Assis au premier rang des bancs réservés aux distingués visiteurs, Mr et Mrs Bellamy Craig II, ainsi que Clive Hoover. Wayne Alexander n'étant qu'un journaliste, il n'a pas le droit de s'asseoir, mais il peut se déplacer librement dans le périmètre de la partie réservée aux invités, un carnet dans une main, une carte indiquant « Presse » passée dans le ruban de son chapeau mou Borsalino penché cavalièrement à droite, du côté sans oreille.

Juste après la partie réservée aux visiteurs de marque, Darlene et Big John, côte à côte. Il a passé son bras autour du corps volumineux de sa promise. « Je ne veux qu'une chose : que tu me tiennes, murmure-t-elle. Une femme veut uniquement cela, tu sais ?

— C'est également tout ce que souhaite un homme mûr » répond-il. En réalité, Big John s'emmerde fameusement à la tenir tout le temps comme cela, mais il est très attaché à elle et dès que le bébé sera né (tacitement, tous deux veulent être sûrs qu'il est bien noir), ils se marieront ; elle quittera la police et il quittera la fourgue, s'installant alors en tant que riche propriétaire des teintureries Acmé.

Puis l'orchestre joue « Californie, me voici » et le capitaine Eddie fait sa grande entrée. Le désordre est indescriptible. On entend également quelques applaudissements. Le capitaine Eddie est le favori, et comme le dit

Léon Citrouille, qui va commenter en direct le match de crosse : « Et voici notre populaire chef de la police, favori dans les élections pour le poste de maire de Duluth cette année. La foule est en délire pour le capitaine Eddie Thurow. » Longs plans sur les gradins. Zoom sur le capitaine Eddie prenant place sur le siège central de la première rangée réservée aux visiteurs de marque. Le capitaine Eddie fait signe de la main aux braves gens. Trois petits jours, et je suis maire, se dit-il.

Puis le maire titulaire fait *son* entrée aux accords de *Pompe et circonstance* d'Elgar. Tout le monde se lève. Les larmes emplissent bien des yeux. Mille gorges se soulèvent sans qu'on leur ait rien demandé. C'est *leur* maire. C'est *le* maire. C'est, pour le meilleur ou pour le pire, Duluth personnifié.

Dans le silence général, interrompu seulement par un sanglot de-ci de-là, le maire Herridge s'assied sur le trône préparé pour lui. Juste derrière lui, Mrs Herridge et les trois moutards irradient la maturité, chaleureuse et encourageante.

Tout à coup, on entend des coups de feu. Une fois. Deux fois. Trois fois on a tiré.

Le capitaine Eddie saute de son siège, titube vers l'avant, et s'écrase sur le terrain de crosse où, dans un bain de sang, il gît, mort.

Le désordre est de nouveau indescriptible. Léon Citrouille ne se retient pas tellement il est content. Il se souvient de la manière dont Dan Rather est devenu une vedette de la télévision pour *son* reportage sur le malheur qui s'abattit sur une nation tout entière ce triste jour à Dallas.

« On vient d'abattre le capitaine Eddie ! La foule est prise de folie ! Le maire Herridge se cache derrière son trône. Va-t-il être la prochaine victime du tueur ? S'agit-il d'un complot des immigrés clandestins pour anéantir les instances dirigeantes de Duluth ? » Cette question de pure forme mais choisie avec bonheur (à moins qu'elle ne soit purement due au hasard) va combler les vœux secrets de

Léon Citrouille : le mois suivant, il atteindra le statut national car au moment même où il prononce les mots « immigrés clandestins », Pablo est arrêté, fusil encore fumant entre les mains.

Pablo a l'air complètement abruti. Pendant qu'on le passe à tabac, procédure normale d'arrestation de tout suspect par le Duluth Police Department, Bill Toomey, le sourire aux lèvres, se fond anonymement, comme un fantôme ou une apparition, dans les remous de la foule. L'opération Tamale Brûlant a été menée à bien.

Finalement, le match de crosse peut commencer ; les Vengeurs du Manitoba emportent la victoire. Au cours des huées et du chahut qui accompagnent la fin de cette partie palpitante, Darlene se met à crier car les douleurs de l'enfantement viennent de commencer. Elle s'accroupit : c'est la perte des eaux.

En un rien de temps, Big John accueille dans ses mains un bébé mâle en pleine santé, noir comme du charbon ; son fils. « Mon fils ! » s'exclame-t-il en tendant à Darlene le petit paquet hurleur comme on tend le plus délicieux des plats.

« Serre-moi » murmure faiblement Darlene.

LXXXI

Le samedi soir et le dimanche matin sont aussi mémorables dans les annales de Duluth que n'importe quel autre « week-end » depuis la dernière guerre.

Pablo est interrogé pendant six heures par « Chico » Jones, le FBI et le maire Herridge. Il jure qu'il ne se souvient de rien. Il affirme qu'on l'a hypnotisé. Mais personne ne marche. Puis, à l'aube, le FBI découvre dans le bureau de Pablo, dans la tour McKinley, le cahier d'écolier dans lequel Pablo a pris des notes depuis quelques semaines, mais — la preuve la plus accablante, et qui explique tout, en fait — on découvre aussi, dans un tiroir secret et verrouillé de son bureau, une photo de la jeune actrice Jodie Foster.

Le cahier permet d'établir irréfutablement que Pablo est un tueur fou isolé, qui avait d'abord voulu tuer le maire Herridge car il symbolise l'oppression blanche et anglo-saxonne à Duluth, puis qui s'est décidé pour le capitaine Eddie, afin que Jodie Foster tombe amoureuse de lui à New Haven ou tout autre endroit où elle fait ses études.

Chaque mot de ce document tragique aussi bien que démentiel a été dicté sous hypnose à Pablo par Bill Toomey, qui a fait un si bon travail que Pablo n'associe pas un seul instant Bill à ce qui s'est passé. Pour Pablo, tout est un blanc. Il pense simplement qu'il est fou.

Bien sûr, le monde entier croit qu'il est ce pour quoi Bill Toomey a réussi à le faire passer. Le monde entier sait que tout individu qui a à la fois un journal intime *et* une photographie de Jodie Foster est un tueur fou isolé, ne demandant qu'à tuer à la télévision un président-télé ou un maire ou même un chef de la police.

Lorsque le soleil commence à peindre de couleurs rosées les tours noires de McKinley, Pablo est autorisé à voir un avocat.

Pablo peut à peine garder les yeux ouverts, tous deux étant extrêmement tuméfiés en raison des coups donnés par le DPD ; il a également perdu quelques dents et ne se sent pas dans la meilleure des formes.

L'avocat est le meilleur du barreau. Il accepte le dossier à cause de la publicité que cela va lui faire. « Nous allons donner à cette affaire le maximum de retentissement, mon petit ! Tenez. Mangez ça. » L'avocat donne à Pablo une tablette de chocolat.

« Je ne mange pas de sucreries, marmonne Pablo à travers ses dents cassées. Ça donne des caries.

— Mangez quand même, fiston. C'est pour votre défense.

— Quoi ? (Pablo en perd son latin, mais mange consciencieusement la sucrerie.)

— La tactique de la barre de chocolat ne rate jamais ! Tout le monde sait qu'une consommation trop élevée de sucre sous la forme de Nuts, de Mars, de bonbons et de boissons à base de cola vous dérange quelqu'un à un point tel qu'il ne reconnaît plus ses propres pieds. Le syndrome de la barre de chocolat rend la victime, et vous êtes la victime la plus typique que j'aie jamais vue, hyperactive, agressive et paranoïde. Allez, bouffez-moi ça. » Et l'avocat de lui filer un sachet de guimauves. Pablo a déjà mal au cœur.

« Lorsque le maire de San Francisco notre voisine a été tué, l'ancien policier qui lui a réglé son compte a pu prouver qu'il était tellement saturé de sucreries de toutes sortes qu'il n'avait pu s'empêcher de tirer sur le maire et son assistant homosexuel. La cour a fait montre de compréhension envers la tragique diminution du sens moral de l'homme et son excès de poids dus aux sucreries, si bien qu'il sera relâché sur parole d'ici peu et pourra s'empiffrer de toutes les crêpes et les gaufres qu'il voudra. Les barres de chocolat ont sauvé la vie de ce tueur ; elles sauveront la vôtre ! »

Pablo vomit en plein sur l'avocat. Mais l'avocat s'en fiche. Pablo récoltera de neuf ans au pénitencier de Fond du Lac ; avec les réductions pour bonne conduite, il ressortira en un rien de temps.

Duluth sera scandalisée par la légèreté de la peine, mais en Amérique, la loi est la loi et c'est ainsi, pas comme en Russie !

LXXXII

Clive tient une séance plénière dans le bureau du bailleur de fonds au Ranch du Mecton. Big John est pensif. Clive est dynamique. « Tu veux filer droit ? D'accord ! Tu *vas* filer droit. Droit au sommet de Duluth. Je suis autorisé à t'annoncer que le Parti du Peuple est prêt à te désigner pour succéder au capitaine Eddie. Cela signifie que tu seras le prochain maire de Duluth.

— Putain, mec ! Duluth va jamais voter pou' aucun nèg', fait Big John d'une voix geignarde, retrouvant son parler " plantations " comme il le fait parfois lorsqu'il réfléchit ou hésite.

— Tu vas hériter de toutes les voix destinées au capitaine Eddie...

— Clive, j' suis un fourgueur, rétorque Big John, à présent froid et dur comme l'acier. Quand le maire Herridge va fourrer son nez dans mon casier, que dalle pour l'élection !

— Ne sois pas si certain. En fait... (Clive bondit comme une panthère, ou comme une hermine d'été, sur l'interphone et appuie sur un bouton.) Faites-le entrer. »

Pâle et défait, le maire Herridge pénètre dans l'opulent bureau art déco. « Pourquoi m'a-t-on enlevé, Mr Hoover ? Que signifie tout cela, Mr John ? »

Clive a un rire déplaisant. « Vous êtes ici, Monsieur le maire, parce que ceux qui aiment Duluth (et bien que je sois de Tulsa, j'ai l'impression d'avoir vécu toute ma vie dans Garfield Heights) aimeraient voir Big John reprendre le flambeau qui vient d'échapper aux doigts inanimés du capitaine Eddie...

— Qu'il repose en paix » murmurent les trois hommes à l'unisson.

LXXXIII

Mais le capitaine Eddie n'est pas prêt à reposer en paix. Il était là à faire signe de la main à ses administrés, et l'instant d'après, une balle lui arrive en pleine tronche comme un coup de poing qui serait propulsé par une tonne d'acier ! Le capitaine Eddie voit trente-six chandelles...

Lorsque les trente-six chandelles s'estompent, il se retrouve dans une salle étrange et magnifique au sol de marbre, avec des icônes précieuses sur les murs et, par une fenêtre à meneaux, une vue sur des dômes bulbeux dorés qui se détachent sur un ciel en feu. Les barrios brûlent de nouveau, se dit-il dans son ébahissement, qu'accroît la belle femme qui se jette à ses pieds.

« Mon empereur ! Mon bien-aimé ! Mon Napoléon ! » Elle s'accroche aux genoux du capitaine Eddie. Est-ce qu'elle va me faire un pompier ? se demande-t-il, totalement ahuri.

« Qui êtes-vous ? (Il est étonné de s'entendre parler espagnol, à moins que ce ne soit du français ; il est toujours incapable de reconnaître la différence.)

— Mais Beryl, sire ! Beryl, marquise du Cyel...

— Mais non ! répond le capitaine Eddie en ricanant. Vous êtes Beryl Hoover, la reine du crime à Tulsa qui allait faire main basse sur Duluth lorsque... »

Il va sans dire que Rosemary en éliminera la plus grande partie avec sa machine à traitement de texte. Elle est en effet très pressée de mettre la touche finale au *Duc fripon,* puis de partir en tournée publicitaire pour les révélations sur Betty Grable que *Cosmo* va publier, ruinant les chances du livre de « Chloris Craig » sur le sujet de connaître les gros tirages.

Rosemary Klein Kantor a encore réussi son coup, pense celle-ci en lançant Beryl et Napoléon sur la suite de leurs aventures dans Moscou en flammes. Elle fait même un petit emprunt à *Guerre et Paix* qui, on ne sait comment, s'est frayé un chemin jusqu'à la banque de données. « Je savais que cette connerie me servirait un jour à quelque chose, fait-elle. Particulièrement les scènes d'incendie. »

Bien que Rosemary ne puisse pas ne pas avoir le dernier mot, en possédant tant dans sa banque de données, Beryl parvient à souffler au capitaine Eddie : « Comment va Clive ? »

L'empereur Napoléon, un grand type musclé qui ressemble à un dieu, lui souffle en réponse : « Il est au sommet de Duluth ! Un héros...

— Il est bien le fils de sa mère, réplique Beryl fièrement.

— Et maintenant, qu'est-ce qu'on fout ? demande le capitaine Eddie qui est à présent deux personnages à la fois.

— Détendez-vous. C'est presque fini. »

Les portes s'ouvrent. Cinq maréchaux de France entrent dans la pièce et il n'y a plus de capitaine Eddie. A la place, c'est Napoléon Bonaparte qui annonce d'une voix d'homme né pour commander : « Nous quittons Moscou avant que la nuit tombe.

— Oui, sire ! répondent-ils d'une seule voix.

— Tenez, sire. » Beryl remet à Napoléon la feuille de papier pour laquelle elle a risqué sa peau en traversant l'Europe de part en part.

« Vous l'avez volée ?

— Oui. Pour vous. Pour la France. Pour l'amour ! »

Rosemary a l'impression de tirer un peu trop sur la corde, aussi ajoute-t-elle quelques effets d'incendie. Puis elle a un coup d'inspiration. Tandis que Napoléon et Beryl fuient la cité en flammes dans la voiture de l'empereur, deux popes russes enragés (l'un serait-il Raspoutine ?) attaquent la voiture avec des torches. Sous le regard admiratif et lascif de Napoléon, Beryl attrape son fidèle fusil à mèche et...

271

LXXXIV

« Allez vous faire voir ! rétorque le maire Herridge, succinct, comme toujours. Pas question que ce nègre devienne maire ! Un seul mot de moi, et les huit inculpations pour trafic de drogue ou assimilées qui lui pendent au nez sont rétablies immédiatement, et il passe le restant de ses jours au pénitencier fédéral de Fond du Lac.

— Ne te l'avais-je pas dit ? fait Big John à Clive. Non, c'est une très mauvaise idée.

— Je me représente, reprend le maire Herridge. Et je vais gagner parce que c'est *ma* ville, Mr Hoover. Si cela ne vous plaît pas, vous pouvez retourner à Tulsa, là d'où vous venez ! »

Clive est assis devant son somptueux bureau style Louis XVIII-art déco, sur lequel plusieurs papiers sont posés. « Veuillez venir de ce côté, Monsieur le maire. »

Avec cette mauvaise grâce qui lui sied si bien, le maire Herridge fait le tour du bureau. « Qu'est-ce que c'est que tous ces papiers ?

— Regardez donc » répond Clive tout en s'enfilant une petite ligne de cocaïne dans son nez plat et massif. Il lui plaît d'avoir du sang noir. Jusqu'à présent, il n'avait jamais osé mettre les pieds dans un studio de danse de peur de se ridiculiser sur les parquets glissants, mais à présent, il lui tarde d'aller honorer Terpsichore au rythme des tam-tams de la jungle dont il a hérité.

Cependant, le maire Herridge produit une série de petits bruits ressemblant à des difficultés respiratoires, qu'elles soient de nature asthmatique ou psychosomatique.

« Vous voyez ? » fait Clive.

Le maire Herridge fait oui de la tête. Il se tourne vers Big John. « Je me retirerai de la course lundi. Au bulletin de dix-huit heures. A l'heure de plus grande écoute, bien entendu. Je vous suggère d'annoncer votre candidature lundi matin à sept heures. Il y a moins de téléspectateurs à cette heure-là, mais vous ferez la une de la deuxième édition du *Courrier*. »

Avec dignité, le maire Herridge traverse le bureau et va serrer la main d'un Big John éberlué. « Je vous souhaite bonne chance dans le bureau rond. Mais rappelez-vous ceci : tous les dollars aboutissent ici, mais ne vont pas plus loin. Messieurs, j'ai fait de mon mieux, selon les lumières dont je disposais. J'ai servi Duluth, oh ! tant d'années. Je ne regrette rien. Mais j'ai une dernière demande à formuler.

— Oui, patron ? (Big John a décidément encore un parler trop " plantations ", songe Clive avec irritation. La première chose à faire après l'élection consistera à lui apprendre à parler autrement.)

— J'aimerais (ainsi, crois-je, que mes amis de l'engin spatial, particulièrement Tricia, ce merveilleux être humain, ou plutôt ce merveilleux insecte, pour employer la terminologie appropriée) que vous rebaptisiez le marais des bois de Duluth " marais du maire Herridge ".

— A vos ordres, patron !

— Merci, messieurs. Passez une bonne soirée. »

Avec la dignité qui a toujours caractérisé sa longue vie consacrée à se rendre utile à la collectivité, le maire Herridge quitte le bureau du bailleur de fonds.

« Pu-tain... ! » s'écrie Big John.

Clive fait volte-face et lui lance : « Je viens de t'asseoir dans le fauteuil de maire de Duluth, et je veux bien être damné si je te laisse encore baragouiner petit nègre. Tu m'entends ?

— Oui, Clive ; je t'entends. Et tu as raison, bien entendu. Je ne m'exprime de cette manière que lorsque je veux cacher mes vraies émotions.

— Qui sont ?

— D'abord, une émotion profonde devant l'attitude de Monsieur le maire. Je n'aurais jamais pensé que c'était un tel... un tel... quel est le terme qu'emploieraient certains Blancs ?

— Un tel *Mensch.*

— C'est ça. » Big John se met à faire les cent pas sur le tapis épais qui recouvre le sol. « Il a montré qu'il y avait un autre côté de sa personnalité, une profondeur insoupçonnée et... ma foi, un patriotisme fondamental. » Big John s'arrête devant le miroir à double sens. Il regarde les joueurs de chemin de fer. « Comment diable t'es-tu débrouillé pour qu'il passe la main ?

— Parce que, Monsieur le maire, John...

— Pour toi, je resterai toujours simplement Big.

— Parce que le maire Herridge est le Mecton.

— Pu... tain ! (Les yeux de Big John deviennent tout blancs.)

— Quelle émotion essaies-tu de masquer, à présent ? (Clive saisit l'annuaire du téléphone et tourne à toute vitesse les pages jaunes pour trouver les professeurs d'allocution.)

— J'exprimais mon émotion, au contraire. Je regrette.

— Big John, je t'envoie tout de suite consulter un thérapeute de la parole. (Clive note le nom et le numéro de téléphone de plusieurs spécialistes qui ont l'air sérieux.)

— Tout ce que tu veux. Mais comment... ?

— Comme tu le sais, le Mecton voulait étendre ses activités à Tulsa alors que Mère voulait avoir un pied ici, à Duluth. Mère devint donc le bailleur de fonds ici tandis que le Mecton devenait le bailleur de fonds à Tulsa. Or, en général, le maire Herridge travaillait entièrement par l'intermédiaire de Bill Toomey. Soit dit en passant, je pense que c'est Bill qui a dressé ce jeune Mexicain à tirer sur le capitaine Eddie.

— De quelle manière ?

— Hypnotisme. C'est cette stupidité de journal intime qui a tout trahi. Bill Toomey est de la CIA. On sait toujours que la CIA est impliquée dans un meurtre politique lorsque la police retrouve un journal montrant combien la dupe choisie était isolée et démente.

« — D'accord, Clive. Mais la photo de Jodie Foster ?

— Bill aime se tenir au courant des dernières recettes, c'est tout. Personnellement, j'ai trouvé cela un peu exagéré. Mais ça a marché. Pour en revenir aux négociations entre Mère et le Mecton, elle a découvert au cours de celles-ci sa véritable identité. Ayant le pressentiment que Herridge allait se débarrasser d'elle parce qu'elle en savait trop…

— L'a-t-il fait ?

— Nous ne le saurons jamais, réplique Clive sombrement. Ma mère est morte dans une congère avec Edna Herridge, une lesbienne qui travaillait dans l'immobilier et qui était la *sœur* du maire Herridge. Tu vois le schéma ?

— J'ignorais qu'Edna était une gouine.

— Elle le dissimulait, évidemment. Mais Beryl, ma mère, devinait toujours ces choses-là. Elle a dépensé une véritable fortune pour le mouvement Sauvez Nos Enfants, tu sais…

— Les sauver de quoi ?

— Des dégénérés qui agissent dans les écoles, les stades, les arrêts de bus.

— Ce devait être une sacrée bonne femme ! (Mais l'un dans l'autre, Big John se réjouit plutôt de n'avoir jamais connu la mère de Clive.)

— Et comment ! Mais maintenant, je lui ai succédé. Je suis le Mecton de Duluth. (Clive se dresse, autoritaire, à côté de son bureau. Big John est profondément impressionné.)

— Je crois que tu es le plus grand seigneur du crime du pays qui ne soit pas d'extraction italienne.

— C'est vrai. »

LXXXV

Le jour de la proclamation du nouveau maire de Duluth est ensoleillé et clair. Une tribune a été dressée devant l'hôtel de ville, pavoisée de rouge, de blanc et de bleu. Le Duluth Police Department, la garde nationale et plusieurs unités des sites secrets de missiles tout proches défilent devant la tribune où ont pris place le maire et sa femme, Darlene Ecks John, contemplant fièrement leurs administrés.

L'ancien maire Herridge est assis, visage imperturbable, au deuxième rang, juste derrière le nouveau maire. Mrs Herridge et les trois moutards l'encouragent, bien sûr, mais ils ne peuvent retenir leurs larmes.

Bellamy, Chloris et Clive sont assis à la droite de Monsieur le maire, tandis que Wayne Alexander, sa carte de presse glissée dans le ruban de son Borsalino, prend des notes, et que l'équipe de KDLM enregistre pour la postérité les images de cet événement historique.

Si pas un seul immigré clandestin ne s'est montré à cette occasion, la population noire tout entière est présente, reprenant sans cesse la chanson « We Shall Overcome », au grand dam de Big John. « Du moins, ils ont laissé leurs transistors chez eux, lui souffle Darlene à l'oreille.

— J'ai fait savoir que je casserais ceux qui les apporteraient » répond Monsieur le maire qui vient de renvoyer le thérapeute du langage que Clive avait engagé pour lui. Tôt ou tard, le maire nouvellement réformé et le seigneur du crime entreront en conflit pour la maîtrise du cœur, de l'esprit et du porte-monnaie des Duluthiens, mais pour le moment, tout est serein entre les deux centrales.

Clive est satisfait de l'homme qu'il a mis en place. De plus, à l'insu de ce dernier, Clive détient un dossier complet sur le nouveau maire, et jusqu'à la prochaine amnistie, il peut expédier Big John au placard comme il l'entend. Pendant ce temps, le bijou de maison qu'il se fait construire dans Garfield Heights atteint le summum de sa splendeur multimarbrée. Sous le manteau sable que Chloris a posé sur ses genoux, elle tient la main de Clive. Le mariage Craig est de nouveau tout grand ouvert...

Le tour des pensées du maire Herridge est sinistre. Clive l'a éliminé pour une fraction de ce que valent leurs deux empires réunis. Mais c'est Clive qui a eu le dessus. Révéler que le maire Herridge était le Mecton eût tout simplement détruit l'image de Duluth pour une génération. Et Clive a agi si rapidement que le maire n'a pas pu convoquer Bill Toomey pour une séance de résolution des problèmes.

En ce domaine, le chef-d'œuvre de Bill a été non pas l'assassinat du capitaine Eddie (de la routine pour la CIA), mais l'élimination de Beryl Hoover et de Edna Herridge, avec laquelle son frère ne s'était jamais entendu. La façon dont Bill s'est arrangé pour que la voiture échappe au contrôle de sa conductrice devant la congère de Garfield Heights « est mon secret », dit Bill avec un petit gloussement et un clignement d'œil. Bill voyage maintenant en Allemagne de l'Ouest et, en bon Américain, le maire Herridge espère que Bill parviendra à empêcher ce pays de quitter le seul monde libre que nous ayons.

De toutes les personnes présentes à la cérémonie d'investiture, la plus fière et la plus heureuse est Darlene. Elle est redevenue mince, blonde, resplendissante. Elle est à la fois épouse et mère. Elle est entièrement comblée, et elle déborde de cette chaleur que seule la maturité apporte. Et, mieux que tout, elle est, comme elle le souffle à son homme, mari, maître et pourtant égal parfait qui la serre contre lui pendant les quatre heures du défilé : « La première dame de Duluth ! » Cela signifie que désormais elle ne rampera plus, exposée au feu, mais sera toujours sous les feux de la rampe.

LXXXVI

Tricia a, dans un premier temps, été troublée d'apprendre que le maire Herridge n'était plus maire, mais, comme elle l'a dit à Wayne Alexander : « Nous pourrons toujours nous entendre avec l'hôtel de ville, quel que soit l'individu qui porte la casaque de maire. » Pour les insectes des galaxies lointaines, le changement n'est donc pas une grosse affaire.

Tout ne va cependant pas pour le mieux dans le meilleur des engins spatiaux, non plus que dans le meilleur des mondes. A la suite des spéculations démentielles de Tricia sur les marchés monétaires internationaux, l'entreprise des Visiteurs des Cieux Amicaux est en faillite. Plus grave encore, le fragile système monétaire mondial est en train de s'effondrer...

Le soir de la dramatique démission du maire Herridge, se tient une réunion au sommet dans le marais du maire Herridge nouvellement rebaptisé. Tricia en entend des vertes et des pas mûres de la part des autres insectes, qui ont repris leur apparence normale, comme ils ont tendance à le faire lorsqu'il n'y a pas d'êtres humains dans les parages.

Tricia tente de défendre sa politique d'investissements. « A tout prendre, même avec une hausse très faible de l'économie mondiale (par exemple l'immobilier, qui a déjà gagné 0,01 % en Californie), notre portefeuille n'aura que cent cinquante milliards de déficit, un simple tiers du budget du Pentagone...

— Suffit ! dit un insecte chenu en soulevant ses mandibules. Tu sais très bien, comme nous et comme les idiots de cette planète, qu'il ne va pas y avoir de remontée économique au cours de ce siècle. Les gros balourds qui occupent cette planète étant post-industriels et pré-apocalyptiques, cela signifie que...

« — J'admets avoir fait une boulette en investissant la moitié de notre portefeuille dans les pesos mexicains en raison de leurs taux d'intérêt séduisants, et même irrésistibles, sur les bons du Trésor à court terme, mais... »

Mais Tricia doit se taire devant les claquements furieux de mandibules. L'aîné des insectes parle pour tous. « Tu nous as trompés. Tu es tombée dans tous les leurres qui t'étaient tendus. A cause de toi, nous sommes obligés de mettre un terme prématurément à notre mission.

— Mes échecs financiers ont bon dos ! réplique Tricia tristement.

— Tu ne nous as pas laissé le choix. Ce qui est doit maintenant devenir ce qui était.

— Ainsi soit-il » murmure Tricia, pauvre insecte brisé.

LXXXVII

Pendant que Duluth est en fête à quelques kilomètres de là, Pablo subit à l'hôpital général de Fond du Lac une série d'examens psychiatriques afin de déterminer dans quelle mesure son système a souffert des ravages du sucre.

Revenant, sous bonne garde, à sa cellule après son heure quotidienne en compagnie du psychologue attitré de l'hôpital, Pablo croise une infirmière dans le couloir. C'est... Rase-mottes.

Mais il ne la reconnaît pas. La seule fois où ils se sont rencontrés, elle était déguisée en fausse Darlene, et elle lui a fait quelque chose que personne ne lui avait jamais fait et que personne ne lui refera jamais. C'est ce qu'il a juré, sur le coup, aux sombres divinités de son sang.

Rase-mottes reconnaît Pablo. Elle a souvent raconté à ses collègues infirmières sa rencontre avec Pablo. Nombre d'entre elles trouvent cette rencontre encore plus drôle que la circoncision de Calderón.

Dès que Rase-mottes aperçoit Pablo dans le couloir, elle va droit chez la principale des infirmières stagiaires. Rase-mottes est à présent infirmière qualifiée et donne des cours à l'école d'infirmières de Fond du Lac. Après bon nombre de coups de téléphone au psychiatre de l'hôpital ainsi qu'au directeur du pénitencier fédéral, Rase-mottes a le feu vert.

Le lendemain matin, Pablo est amené par les gardes dans un petit bureau occupé non par ce raseur de psychiatre, mais par une jolie jeune femme.

« Bonjour, Pablo, lui dit-elle en souriant avec douceur.

— Bonjour » répond-il en sentant pour la première fois depuis des semaines remuer son serpent à plumes. Ah, comme il aimerait la jeter à terre ! Des fantasmes de viol et de mutilation lui traversent l'esprit.

« Comme tu le sais peut-être, Pablo, nous formons des infirmières, dans cet hôpital. De futures Florence Nightingale qui soulageront les souffrances humaines. »

Pablo ne comprend rien à ce qu'elle raconte. Il fixe ses seins, que comprime l'uniforme blanc excessivement amidonné. Elle continue de caqueter ; il continue de reluquer. Le voici à nouveau en contact avec les sombres divinités du sang.

Puis il l'entend dire ces mots : « ... Je te demande donc de mettre tes vêtements dans ce placard.

— Quoi ?

— Je t'ai dit de mettre tes vêtements là-dedans. Pour l'examen.

— Quel examen ?

— Celui-ci, répond-elle, irritée. Dépêche-toi.

— Pas question. » Pablo ouvre la porte. Un garde se tient devant, dans le couloir.

« Il ne se montre pas coopératif » dit Rase-mottes à l'homme.

Pablo est projeté plusieurs fois contre le mur jusqu'à ce qu'il promette d'être coopératif. Puis le garde se retire.

Mystifié et nerveux, Pablo se déshabille. Est-il possible qu'elle désire le serpent à plumes autant qu'il la désire ?

Quand il retire ses chaussettes, elle lance un rire perlé. « Regardez-moi ces cors ! Voilà ce que c'est que des chaussures trop serrées d'amant latin ! » Avertissement assez net, mais sans plus. Pablo n'a pas cessé d'être le terroriste aztèque, le symbole macho des barrios plus admiré que jamais pour son meurtre du capitaine Eddie, qu'on continue d'accuser des attaques menées par les fausses Darlene. Des tee-shirts à l'effigie de Pablo sont portés d'un bout à l'autre des barrios.

Pablo est en caleçon. Il n'est pas heureux du tout de ce qui se passe. Depuis les premiers démêlés avec la vraie Darlene, il sait que le serpent à plumes a l'habitude de disparaître quand son propriétaire est nerveux. Pablo ne bouge pas.

« Vas-y, mon grand » dit Rase-mottes avec, dans l'œil, une lueur que Pablo n'aime pas du tout.

Lentement, à contrecœur, il enlève son caleçon.

Rase-mottes est enchantée. Quelques infirmières avaient mis en doute la véracité de ses dires. Comment cela pouvait-il être petit au point de ne pas se voir à travers les poils pubiens ? Mais Pablo ne la déçoit pas. On ne voit rien, sauf l'épais et brillant triangle de poils noirs. Pablo rougit en voyant ce qu'elle regarde, ou plutôt ce qu'elle ne voit pas.

« Voilà un bon garçon, dit-elle en le prenant par le poignet. Suis-moi.

— Quoi ? » Pablo est à la limite de la syncope.

Rase-mottes ouvre une porte et fait entrer Pablo dans une petite salle de cours équipée d'une estrade portant une table d'examen médical. Le public est constitué d'une douzaine d'infirmières stagiaires qui attendent patiemment.

Lorsque Pablo aperçoit toutes ces demoiselles, il tente de se sauver. Mais Rase-mottes le tient par le poignet d'une main exercée. Elle n'a pas travaillé pour rien dans le service des violents. Tandis qu'elle fait monter Pablo sur l'estrade, il tente désespérément de cacher sa virilité de sa main libre.

Les filles sont fascinées. Pour commencer, elles le trouvent mignon comme tout. Et jeune ! La plupart des expériences sont faites sur des vieux sans charme.

« Rase-mottes a encore tiré le gros lot, dit une étudiante à une autre.

— Il a vraiment des yeux d'amant latin, répond l'autre.

— Bons muscles, belles cuisses, dit une autre.

— Qu'essaie-t-il de cacher ? » demande la plus avide.

Pablo, que Rase-mottes a lâché, se tient devant les filles, les deux mains devant son entrejambe, tête baissée, yeux clos.

« Mesdemoiselles, voici Pablo. C'est un assassin. Il vient du pénitencier fédéral, dont le directeur a accepté de nous le prêter trois fois la semaine, indéfiniment.

— Hourra ! » s'exclament les filles.

Rase-mottes prend un rasoir sur un plateau d'instruments posé sur une tablette voisine de la table d'examen. « Je vais donc vous faire une démonstration du rasage des poils à sec. Cela demande une grande pratique. Et, bien entendu, le plus affûté des rasoirs. »

Les filles se penchent en avant. Pablo n'y comprend rien. Rase-mottes lui dit : « Pablo, mets tes mains au-dessus de ta tête.

— Quoi ? »

Rase-mottes n'accepte pas cela comme réponse. Elle arrache les mains que Pablo tient devant son sexe et les lui colle au-dessus de la tête.

L'assistance éclate de rire. Et manifeste une certaine inquiétude. « Où est son *truc* ? Où sont ses *choses* ? Est-il... complet ? » Pablo est écarlate.

« Oh, elles sont bien cachées là-dedans, ne vous en faites pas, répond Rase-mottes. Et maintenant, regardez-moi attentivement. Voyez comment, de la main gauche, j'attrape les organes génitaux. » Pablo fait un bond en l'air lorsque la main forte et glacée s'empare de sa virilité cachée. « Puis, voyez comment, rasoir dans la main droite (si certaines d'entre vous sont gauchères, elles inversent rasoir et organes génitaux, bien entendu), je rase les poils pubiens. »

Un grand « Ah » d'admiration et de satisfaction retentit quand, en trois coups de lame, Rase-mottes rase l'épaisse touffe qui a mis six mois pour repousser après le déboisement précédent. Puis elle se recule afin que les étudiantes voient bien. De saines railleries retentissent en grand nombre.

« Equipement miniature, je vous l'accorde, mais en excellent état de marche » déclare Rase-mottes. Puis elle repousse le *membrum virile* de Pablo à l'intérieur de son corps. Il crie. Les filles n'ont jamais rien vu de tel. Pablo est au bord de l'évanouissement.

« Maintenant, passons à l'expérience. » Rase-mottes, à demi en le soulevant, à demi en le poussant, hisse Pablo sur la table d'examen, fesses brunes face au public.

Pendant qu'elle lui met du lubrifiant, Pablo comprend, horrifié, que ce que la fausse Darlene lui a fait dans les barrios va lui être fait de nouveau. Il a juré qu'il mourrait plutôt que de se soumettre à ce sort pire que n'importe quelle vie ou même n'importe quelle mort connue dans les barrios.

Au bout du compte, il faudra quatre gardes et une demi-heure pour maîtriser un Pablo qui hurle et se débat. Une fois les gardes partis, Rase-mottes déclare : « Je redoutais qu'il n'ait cette réaction car c'est moi qui dus, au printemps dernier, lui administrer quelque chose qu'il n'avait jamais eu mais à quoi il devra s'habituer pour que je puisse vous entraîner comme il faut, Mesdemoiselles. Dans les prochaines semaines, en effet, chacune d'entre vous pourra s'exercer sur lui. »

Fascinées, les filles regardent Rase-mottes administrer à Pablo le second lavement de sa vie.

Pablo pleurniche doucement tandis que la chaude eau savonneuse l'emplit, noyant pour toujours les sombres divinités du sang et fichant en l'air le serpent à plumes. L'ancien héros des barrios n'est plus qu'un réceptacle qu'emplissent d'eau chaude des infirmières stagiaires en ricanant, puis qu'elles vident une douzaine de fois, trois jours la semaine.

C'est ainsi que le rêve se termine pour Pablo. Duluth a, encore une fois, eu le dessus.

LXXXVIII

En dépit d'un boycottage par les Bellamy Craig II, entraînant un silence total des moyens d'information sur l'événement, Rosemary Klein Kantor s'adresse au Club littéraire de Duluth, à l'Eucalyptus. Comme toujours, elle a attiré une foule respectable. Le dernier épisode du *Duc fripon* a été fort admiré, tandis que les révélations sur Betty Grable sont dans toutes les bouches. Tous les exemplaires de *Cosmo* sont partis, et il n'en reste aucun dans les kiosques à journaux.

D'un ton vif, Rosemary commence par quelques-unes de ces généralités dépourvues de sens qui font toujours mouche à Duluth. « Je voudrais que nous recommencions à penser et à sentir par nous-mêmes. Je voudrais qu'en citoyens cultivés, vous vous mettiez à lire ce que vous avez envie, et non ce qu'on vous dit que vous devriez lire. » Acclamations retenues dans l'assistance. « Mets le paquet, Rosemary ! » fait une voix avec discrétion. On peut compter sur Rosemary. « Je voudrais voir la splendeur morale, esthétique, spirituelle et intellectuelle accéder au stade de critères suprêmes grâce auxquels reconnaître l'art véritable... »

Un « Alléluia ! » résonne comme un coup de trompette dans la salle de conférences. Applaudissements appréciatifs. Rosemary tient le bon bout.

« Je voudrais que l'accroissement de la somme de bonheur, de bonté et de compassion parmi les hommes... (Rosemary marque un temps d'arrêt ; elle sait qu'elle est la personnification de toutes ces qualités, ce que sait aussi l'assistance, comme l'indiquent des acclamations de moins en moins contrôlées)... redevienne l'objectif du divertissement populaire. » Comment t'y prends-tu ? se demande à elle-même Rosemary, très impressionnée et se rendant bien compte que si une simple épingle tombait par terre dans cette salle bondée, toutes les oreilles seraient assourdies, comme si Gabriel se laissait aller à pousser un plan jazzy sur sa trompette céleste.

« Une civilisation qui ne peut s'identifier à ses propres raisons d'être et ne peut honorer celles-là à travers art et philosophie est une civilisation qui a oublié pourquoi elle existait. » Malheureusement, Rosemary a oublié où elle voulait en venir, ou bien où celui qui a inventé ce qu'elle raconte voulait en venir. Son moulin moud n'importe quel grain, ce qui n'a d'ailleurs pas d'importance à Duluth où le Ton est tout. De toute façon, elle a piqué tout ce qu'elle raconte à un critique de génie...

« Une civilisation dont la propre justification a été perdue ne peut espérer rassembler toute l'énergie morale nécessaire pour saisir à bras le corps, que ce soit scientifiquement, intellectuellement ou spirituellement... (Cette triade donne un sentiment de sécurité à Rosemary. Il faut dire qu'elle est toujours très excitée, préorgasmique, chaque fois qu'elle s'apprête à répéter une métaphore)... pour saisir à bras le corps la multitude de nuits qui tombent rapidement. » Applaudissements incontrôlés. Qui se soucie que, même à Duluth, il ne peut tomber qu'une seule nuit à la fois, même pour la saisir à bras le corps ?

Après quelques révélations sur sa longue liaison avec Albert Einstein, le génie bien connu, Rosemary ajoute : « Savez-vous que c'est moi qui ai soufflé à Bert l'idée de la " théorie des champs unifiés ", théorie que, bien entendu, il n'a jamais pu prouver mathématiquement, le vieux crétin n'ayant jamais appris à faire des divisions par un diviseur supérieur à douze, secret que nous avons réussi à cacher au public toute sa vie et que ses successeurs essaient encore désespérément de vous cacher ? »

Rosemary s'arrête pour contempler l'air d'intérêt mêlé de stupéfaction qui se peint sur les visages de l'assistance. Aucun mensonge n'est trop grand à Duluth pour ne pas être pris pour argent comptant.

Puis Rosemary verse dans le philosophique. « Si Bert restait limité, ce n'était pas, comme il le croyait, à cause de ses carences de mathématicien. Non. Cela était dû à son incapacité à saisir les lois de fiction dont dépendent nos paroles et nos actes. »

Un certain nombre d'auditeurs en restent cois. Rosemary sait que le moment est crucial. Elle doit leur expliquer une bonne fois pour toutes comment ça marche et pourquoi ça marche comme ça. « Nous ne sommes que des formules verbales. Nous ne vivons pas vraiment. Nous sommes interchangeables. Nous passons d'une narration à une autre, que ce soit sous forme de feuilleton ou de ces constructions verbales abstraites qui font tant l'admiration des Français et de ces prétentieux de Yale ! C'est tout du pareil au même. Voilà ce que je disais à Bert. Mais à l'époque, je ne pouvais pas le lui prouver, la machine à traitement de texte et sa banque de données n'ayant pas encore été inventées. Aujourd'hui, toutefois, je suis en mesure de vous le prouver, en appuyant simplement sur quelques touches. »

Rosemary lève le bras droit, index dirigé vers les fenêtres orientées au sud par lesquelles on aperçoit Garfield Heights. « Je vais à présent gommer Garfield Heights, où j'ai tant d'ennemis. » Rosemary fait un geste avec son index, comme si elle appuyait sur une touche.

Plusieurs représentants de l'assistance se ruent vers les fenêtres orientées vers le sud de l'Eucalyptus. Hoquets horrifiés. Garfield Heights, avec toutes ses maisons et ses hôtels particuliers, a disparu. Il n'y a plus rien là où se trouvait Garfield Heights.

« J'ai gommé Garfield Heights de *Duluth*, reprend Rosemary. Tel est le pouvoir de la loi de fiction quand elle est appliquée avec une machine à traitement de texte parfaitement contrôlée. Et, bien entendu, tous les Chloris, Bellamy, Clive et autres ennemis à moi sont issus de ce même art mimétique qui a produit, parmi tant d'autres merveilles, cette race qui se dit humaine, et qui n'existe que parce que je *rêve* qu'elle existe.

Mais si jamais je me réveillais... Regardez bien comment la grande gomme qu'est mon doigt va et vient sur ma console imaginaire. Regardez comment disparaissent, l'un après l'autre, les bois, la rivière, le désert, le lac ! Puis Darlene, Big John, " Chico ". Et puis Pablo, le pauvre, qui est au bout de ses souffrances. Mais sans elles, *Duluth* n'aurait jamais pu se développer. Maintenant, tous ont disparu. Tous sauf vous, membres du club littéraire qui vous trouvez à l'Eucalyptus... »

Et d'un geste de la main, Rosemary élimine les derniers vestiges de *Duluth.* Membres du club et Eucalyptus sont maintenant remplacés par un vide total — pour ce qui est de Rosemary.

Mais Rosemary n'est que jusqu'à un certain point. Elle n'a fait disparaître qu'un seul *Duluth,* celui de la fiction qu'elle connaît, et qui n'est qu'une goutte d'eau.

Darlene et Big John, dans leur hôtel particulier de Garfield Heights, regardent par la porte-fenêtre et aperçoivent ce qui ressemble à une énorme griffe vernie en rouge descendre du ciel.

« Cela ressemble à une main », dit Darlene dont l'œil entraîné de policier remarque que le vernis est de la marque Elizabeth Arden.

« Où est ma ville ? », demande Big John, maire d'icelle, non sans quelque inquiétude. Pendant un instant ils sont dans les limbes, ayant été gommés par Rosemary. Puis de nouveau leur *Duluth* est ce qu'il était, est, et toujours sera, avec une ou deux petites modifications dues au passage du temps employé du passé au présent puis au futur, un futur terrifiant qui est presque sur eux.

Darlene sourit à Big John. « Duluth, dit-elle. On l'aime

ou on la déteste ; mais même si on la quitte, on ne l'oublie jamais.

— Je me suis toujours demandé ce que cela voulait dire, réplique Big John en attirant le corps voluptueux de sa femme contre son propre corps musclé et sans la moindre trace de graisse.

— Cela veut dire : nous, entre autres choses, répond Darlene. C'est, et ce sera toujours. » Et elle ajoute en soupirant : « Serre-moi. »

Et Big John, chaleureux et mûr enfin, dit de son propre chef, avec une sincérité et une confiance absolues, sans que Darlene l'aiguillonne le moins du monde : « Oui, je veux te serrer. Car je sais maintenant que c'est tout ce qu'une femme désire. »

Enlacés dans les bras l'un de l'autre, ils ne remarquent pas les milliers, les millions, les milliards d'insectes qui fondent sur Garfield Heights en dévorant tout sur leur passage.

Le macrocosme de vie entomologique au cœur du marais du maire Herridge a soudain opéré une métastase. Sous l'impulsion secrète des centipèdes en faillite, les insectes se sont emparés de Duluth par un simple changement de temps grammatical, remplaçant ces intrus temporaires, la race humaine.

Tricia est à présent assise devant la machine à traitement de texte de feue Rosemary Klein Kantor et, de ses mandibules, elle entreprend de composer sur les touches un Duluth totalement différent de *Duluth* ou même de « Duluth ». Mandibules claquant d'allégresse, Tricia décrit la métamorphose qui mène du *Duluth* humain actuel à celui des myriapodes, simultané par rapport à l'autre, oui, mais tout aussi immuable et autonome.

288

LXXXIX

Duluth ! tape Tricia, on l'aime ou on la déteste, mais même si on la quitte, on ne l'oublie jamais car, même si le temps insectivore émousse vos mandibules, ces myriades d'œufs que vous ne pouvez vous empêcher de déposer ne peuvent que donner le jour à de nouvelles générations de myriapodes vermiformes, vivant à jamais dans ce temps présent où tous, autant que vous êtes, circulez, même si, simultanément, vous êtes également enracinés dans ces ténèbres centripètes où tout cela était, et où tout cela sera, une fois que cette brillante inflorescence qui est, ou (attention à cet ultime changement de temps, Tricia ; ce bouton-là, oui !) était la Duluth humaine actuelle sera parvenue à sa fin articulée, paginée et prédestinée. *Duluth,* oui ! Aimée. Détestée. Quittée. Perdue.

ACHEVÉ D'IMPRIMER SUR LES PRESSES
DE COX & WYMAN LTD. (ANGLETERRE)

N° d'édition : 1971.
Dépôt légal : décembre 1989.